ТАТЬЯНА УСТИНОВА

ПЕРВАЯ СРЕДИ ЛУЧШИХ!

ТАТЬЯНА
УСТИНОВА

ЗАПАСНОЙ
ИНСТИНКТ

МОСКВА

ЭКСМО

2 0 0 3

УДК 882
ББК 84(2Рос-Рус)6-4
У 80

Оформление серии художника *Д. Сазонова*

Серия основана в 2002 году

Устинова Т. В.

У 80   Запасной инстинкт: Роман. — М.: Изд-во Эксмо, 2003.— 352 с. (Серия «Первая среди лучших»).

ISBN 5-699-03551-6

Арсений Троепольский признавал в жизни только одно — работу. Она была его пищей, его возлюбленной, его развлечением. Дизайнерская компьютерная фирма, которую он возглавлял, процветала. И вот внезапно гром грянул среди ясного неба. Убили зама, гения дизайна — Федора Грекова. Самое ужасное, что его труп нашел... Арсений. Отсидев три дня в кутузке как главный подозреваемый, он наконец появился в конторе, но возвращение к любимой работе его отнюдь не обрадовало. Пытаясь понять, за что убили Федю, он обнаружил, что все вокруг лгут — сотрудники, любовница, сестра и племянница покойного. Но его мозг, работающий как компьютер, все разложил по полочкам. И гора лжи рухнула и погребла под собой всех «достойных»...

УДК 882
ББК 84(2Рос-Рус)6-4

...И пришлось ему под вечер тащиться на самую
окраину Москвы, черт знает куда.

Снег пошел, мелкий, февральский, рассыпчатый.
«Дворники» гоняли его по стеклу туда-сюда, и снег
ссыпался за капот. То так, то эдак прилаживая спину
к неудобному автомобильному креслу, он смотрел,
как отскакивают от мокрого капота мелкие белые
шарики, слушал бренчание гитары и нестройное хо-
ровое пение, называемое почему-то «бардовским», и
злился ужасно.

Он очень не любил впустую проводить время — а
нет ничего более бессмысленного, чем сидение в
пробке в час пик, — и никогда не уезжал из конторы,
когда уезжали все. Он вообще почти не уезжал с работы. Он только и делал что работал.

Машина — «восьмерка», принадлежавшая конторе, — как все «общественные» машины, была раздол-
банной, неухоженной и грязненькой. Кресло все
время перекашивалось влево, и Арсению приходилось ерзать, подскакивать, корректировать собственной спиной заваливание проклятого кресла. Зеркало
заднего вида торчало прямо перед носом, и в нем от-
ражался именно нос, а вовсе не оставленные позади
конкуренты из очереди на светофор.

Потом зазвонил телефон. Одной рукой придерживая руль, другой он стал шарить по карманам, а всем известно, что нет ничего хуже, чем лезть правой рукой в левый карман толстой куртки. Сначала он просто пыхтел, потом начал тихонько материться, потом стал материться во все горло.

Телефон звонил. Распроклятое «бардовское» пение в приемнике все продолжалось.

— Да!!

Молчание.

— Черт побери, алло!

— ...Арсений?

— Да.

Молчание.

Тут он вышел из себя. Все, происходившее с ним сегодня вечером, на «Цыганочку» с выходом пока не тянуло, а тут потянуло.

Арсений Троепольский длинно, витиевато и душевно послал подальше звонившего, швырнул телефон на соседнее кресло, вывернул руль, «подрезал» какого-то смирного и большого дяденьку на «Мерседесе» — гиппопотам тормознул так, что содрогнулось все его тяжелое металлическое тело, злобно и страшно взвизгнули тормоза, — выехал на разделительную и дал по газам.

«Восьмерка» затарахтела и стала медленно разгоняться. Встречные машины бешено мигали фарами.

Телефон на соседнем кресле опять зазвонил и звонил долго. Арсений на него косился, решив, что отвечать ни за что не станет, но тут разделительная полоса кончилась, и прямо перед носом воздвигся светофор. Под ним ходил гаишник с палкой и зелеными полосами поперек толстого из-за ватника туловища.

Арсений решил, что для полноты картины ему не хватает только склоки со стражем дорог, и метнулся вправо. Сзади отчаянно засигналили и опять замигали фарами — они же не знали, что он ненавидит «Цыганочку» с выходом! Телефон звонил.

Покорившись, Арсений Троепольский преувеличенно осторожно взял трубку, посмотрел на нее и аккуратно нажал пальцем в центр круглой кнопки.

— Да.

— ...Арсений?

— Меня зовут Сидор Семенович, — выговорил он любезно. — Вы ему звоните?

— Я звоню Арсению Троепольскому, — растерянно выдохнула трубка, напуганная «Сидором Семеновичем».

Он уже все понял, конечно. Звонила его новая секретарша, только что поступившая на работу вместо старой. Старая — на самом деле довольно молодая — неожиданно ушла в декрет.

— С ума сошла! — заорал он, когда Варвара Лаптева, прежняя секретарша, сообщила ему, что должна родить буквально на днях. — Тебе что, делать нечего?!

Варвара непочтительно захохотала и уверила шефа, что родит на этой неделе, а на следующей выйдет на работу.

— Как же! Дождешься теперь тебя! А я? Ты обо мне подумала? Что я должен делать?!

— Совсем ополоумел, — обиделась Варвара. — Что он теперь будет делать! От вас, мужиков, с ума можно сойти. Другую себе найдешь.

— Да где я возьму другую?!

Другая откуда-то взялась, села на Варварино место, к Варвариному компьютеру, и его худшие опасения сбылись — она оказалась непроходимой дурой. Или ему хотелось, чтобы она оказалась непроходимой дурой, чтобы, так сказать, ничто не мешало ему во всей полноте каждый день осознавать меру своего несчастья?

Помимо всего прочего, у новой секретарши было еще изумительное имя — Шарон.

Шарон Самойленко, вот как ее звали.

Троепольский подозревал, что декретная Варвара специально нашла ему Шарон, чтобы он в отсутствие ее, Варвары, особенно не расслаблялся. Или это Полина нашла, вернейшая Варварина подруга?

Они подруги, а он сиди теперь с дурой в приемной!

— Так, — сказал он в трубку и посмотрел на белые шарики, прилеплявшиеся к мокрому капоту, — что вы хотите мне сказать, уважаемая Шарон?

Секретарша радостно оживилась и задышала свободней.

— Ой, вы меня узнали, да?

— Ой, узнал! — тоже радостно признался Арсений. — Ой, как я вас узнал!

Секретарша опять испуганно примолкла, и он понял, что конца телефонному шоу не будет. Гаишник, повернувшись полосатым фосфоресцирующим боком, пропускал машины с противоположного направления. Автомобильному шоу тоже не было конца.

— Арсений, вам звонил Иван Берсенев. — Фамилию она выговорила почти по складам, хотя ничего особенного в ней не было, самая обычная фамилия, но и такая Шарон Самойленко затрудняла.

— Очень хорошо, — подбодрил секретаршу Арсений, — прекрасно. Что он сказал?

— Ничего, — пробормотала та. — Он сказал, что перезвонит вам на мобильный.

«Информация первый сорт, — решил Троепольский угрюмо. — Завтра уволю ее к чертям собачьим. У нас не богадельня».

— Большое вам спасибо, — сказал он со всей вежливостью, на которую только был способен в настоящую минуту. Гаишник остановил поперечный поток, и Арсений, пошарив ногой, нащупал педаль газа. — Я хочу попросить вас, чтобы вы больше мне не звонили.

— Как?! — тягостно поразилась бедная Шарон.

— Не звоните мне! — кротко попросил он. — Я через два часа вернусь. До моего возвращения мне не звоните. Договорились?

В ухо закололи гудки параллельного вызова, и Шарон он отключил.

— Да!

Звонил тот самый Иван Берсенев, муж той самой Варвары Лаптевой, так некстати собравшейся рожать.

— Я звонил тебе в офис, — сказал Иван, словно продолжая разговор. — Там никто ничего про тебя не знает.

— У меня секретарша идиотка, — признался Троепольский неохотно. — Я только что с ней разговаривал и чуть не умер.

Иван Берсенев помолчал.

— Ты сегодня еще будешь на работе?

— Не знаю, а что?

Тут Троепольский вдруг сообразил, что Иван, один из самых крупных его клиентов, звонит, очевидно, не просто так, и встревожился.

«Просто так» Иван не звонил никогда, соблюдал некоторую дистанцию, даже несмотря на Варвару.

— Что-то... случилось?

— Варвара просила передать, что договоры с промышленниками, ты знаешь какие, у нее в компьютере, но не в папке «Договоры», а в папке «Дизайн». Она волновалась, что ты станешь искать и не найдешь.

— Спасибо, — осторожно сказал Арсений. «Восьмерка» ползла теперь в крайнем левом ряду, полосу черного неба загораживал грузовик, тащившийся впереди. — А почему она сама не позвонила?..

— А сама она занята. Разговаривать никак не может.

Только дурак не понял бы, о чем речь. Арсений Троепольский был не дурак, но зачем-то сделал вид, что не понял.

— А она... где?

— Мы... в больнице. Все еще только начинается, и она волнуется за дело.

Троепольский помолчал, а потом сказал:

— Ужас какой.

— Это точно, — согласился Иван. — Уже сейчас... страшно, а что будет дальше, не знаю.

Тут Арсений спохватился, что будущего отца следует утешать и отвлекать, хотя он один из самых крупных клиентов, и понес какую-то ерунду относительно того, что все будет хорошо, но Иван Берсенев не стал его слушать.

— Я пообещал ей, что позвоню, и позвонил. И... мне нужно возвращаться.

— Конечно-конечно, — испуганно согласился Арсений, — ты передавай ей... привет.

— Передам.

— И позвони, как только... Сразу позвони, ладно?

— Попробую.

Арсений опять кинул трубку в соседнее кресло и переполз в правый ряд. Быстрее он не поехал, зато открылось черное небо, подсвеченное городом, как будто северным сиянием.

Арсений покосился на молчавший телефон.

Как все странно.

Он стоит в пробке с тысячами других страдальцев, смотрит в небо и слушает поганые «бардовские» песни, а кто-то в это время рожает детей.

> ...Ехал Ваня на коне,
> Вел собачку на ремне,
> А старушка в это время
> Мыла фикус на окне.

«...А старушка в это время... В это время...»

Такой сегодня день. Странный.

Федя, первый зам, не вышел на работу. На телефонные призывы и электронные письма тоже не отзывался. Так уже не раз бывало — Федя, как человек исключительного творческого полета, позволял себе и не такое, — но в данный момент ждать, когда у него закончится кризис, или что там у него началось, не было никакой возможности. Творческий Федя вчера, уезжая с работы, прихватил с собой коробочку с печатью. Непонятно, как она к нему попала, ибо Арсений все и всегда от Феди прятал — тот тащил в свой громадный засаленный портфель, что попадалось ему под руку, а попадалось ему многое. Арсений, несколько раз подряд терявший нужные бумаги, ключи от дома, телефоны и всякое такое, вскоре стал прятать все от своего первого зама.

С утра печать пропала. Везде искали, не нашли, Федя тоже не появлялся — с ним еще и не такое бывало! Варвара, все и всегда знавшая, в том числе и где вторая печать, ушла в декрет. Помочь никто не мог.

Арсений, который отродясь никакими печатями не занимался, полдня тихо бесился за распахнутой дверью своего кабинета — на двери заводская табличка, гласившая, что здесь находится «Отдел машин для обогащения». Он даже толком не помнил, откуда у него эта табличка, что за отдел?.. Но ему нравились всякие такие штуки, и он искренне забавлялся, развешивая их по стенам.

Печать так и не нашли, и, где взять Федю, тоже не знал никто. У него был некий адрес, по которому он был прописан с сестрой и племянницей и уже лет десять там не жил, снимал какие-то халупы в спальных районах, хотя заработанного им хватило бы, чтобы купить небольшой домик в дивном местечке под названием «Коста-Браво». Но Феде было искренне наплевать на все дивные местечки в мире, вместе взятые. Его интересовала только работа.

Под вечер наконец выяснили, что о местоположении Фединого логова знает единственный человек в конторе — начальник. Начальник, в свою очередь, сообразил, что ни одному водителю, не зная точного адреса, он не объяснит, где повернуть налево, где направо, где чуть наискосок, а потом во двор, а из двора сразу в арку, а из арки до угла, а за углом... Короче, начальник поехал сам.

> Мы едем, едем, едем
> С начальником вдвоем...
> Мы едем, едем, едем
> И песенку поем.

С песенкой тоже не повезло — гитара все бренчала, голос с придыханием выводил что-то про свечу. «Свеча», ясное дело, была срифмована со словом «горяча», ни с каким другим по законам этой самой «бардовской» песни она не могла быть срифмована — иначе песня не могла бы считаться вполне «бардовской».

Как переключить приемник, Троепольский не знал, потому что обыкновенно, кнопкой, он не переключался.

Поток машин пошел порезвее, то ли дорога стала шире, то ли они поразъехались в разные стороны. Снег все летел, мелкие февральские шарики, будто рассыпанные из гомеопатического пузырька.

«Старуха-зима рассыпала, — вяло подумал Троепольский. — Старая-престарая старуха, невесть от чего лечившаяся гомеопатическими шариками».

Он повернул налево, потом направо, чуть наискосок, во двор, а из двора сразу в арку, а из арки за угол.

Он долго искал, куда бы втиснуть машину, втиснул, и очень неудачно. Рядом маячила батарея помойных контейнеров, которые невыносимо воняли, и мусор кучами и грудами был навален вокруг, съезжал почти под колеса машины. Под щегольским итальянским ботинком Арсения что-то отвратительно захрустело, словно он раздавил скорпиона. Пола светлой куртки мазнула по грязному борту ящика, остался коричневый след. Арсений стал отряхиваться и только все размазал.

Стараясь не дышать слишком глубоко, он протиснулся мимо ящиков, задрал голову и посмотрел на дом. Черт его знает, то ли второй подъезд, то ли третий.

Арсений решил, что второй, — и ошибся. Только зря лез наверх — лифт то ли работал, то ли не работал, он так до конца и не понял, но ехать не решился. В предполагаемой Фединой квартире ему открыла какая-то деваха и фыркнула, когда оробевший Арсений осведомился о Феде.

— Какого тебе Федю?! Федю ему! Федя съел медведя, а у нас нету никакого Феди!

— Простите, пожалуйста, — пробормотал Арсений, подаваясь назад.

— Еще пожалуйста! Спасибо! Всем сегодня Федю подавай!

Троепольский предпочел в дискуссии не вступать, быстренько скатился на девять этажей вниз. Деваха сверху еще что-то выкрикивала.

— Пошла к черту, — пробормотал Троепольский себе под нос.

В третьем подъезде был кодовый замок, а номера квартиры он не знал, конечно. Знал, что на девятом этаже, первая дверь справа, и долго маялся, высчитывая номер. Высчитал, набрал номер домофона, устройство запиликало и пиликало долго, но дверь не открывалась. Кризисный Федя вполне мог и не слышать никаких звонков.

Троепольский сбежал с обледенелого бетонного крылечка, поскользнулся, чуть не упал и, задрав голову, посмотрел вверх, на каменную громаду, усеянную желтыми каплями освещенных окон. Что делать дальше, он решительно не знал.

Контора не может жить без печати — если это нормальная контора, разумеется. Федя, впавший в кому, вполне может дверь не открыть, даже если в конце концов удастся попасть в подъезд. Варвара была занята — рожала — и освободится еще не слишком скоро, если он, Арсений Троепольский, хоть что-то понимает в этом многотрудном процессе.

Главное, все договоры повисли, и клиентам не объяснишь, что во всем виноват Федя, у которого привычка совать в портфель все, что под руку попадется, и время от времени впадать в транс!..

Замок на облезлой железной двери щелкнул, и на крылечко вывалились подростки в куртках нараспашку и по-модному спущенных штанах. У каждого в каждой руке — по бутылке пива. У некоторых по две.

Двадцатидевятилетний Арсений Троепольский,

удачливый и расчетливый бизнесмен, придумавший себе профессию, каких свет не видывал, приобретший скверную привычку работать от зари до зари и кучу денег в придачу к данной привычке, переждал, пока они скатятся с крыльца, и перехватил тяжелую, медленно закрывающуюся дверь.

Диалектических противоречий ему не хотелось, а такие запросто могли воспоследовать, если бы он пошел напролом, как ходил всегда и везде.

Он носил очки, имел слишком надменный вид и слишком презирал пиво и спущенные штаны, как образ жизни, чтобы выразители данных идей просто не обращали на него внимания.

Поэтому он благоразумно переждал. Ну их на фиг.

В этом подъезде лифт работал, и лезть по ступеням не пришлось.

Пластмассовые двери, исчерканные чем-то черным и гадким, разошлись, и он шагнул на площадку. Первая дверь справа. Вот она.

Воняло застарелыми «бычками» — от банки, прикрученной проволокой к перилам. Окурков в ней было вровень с краями, из середины поднимался едкий серый дымок. Надписи на стенах сообщали о музыкальных и любовных пристрастиях авторов, их друзей и подруг.

Вот, черт побери, правила человеческого общежития!.. Самое первое и главное — если не можешь переехать за свой отдельно взятый забор с воротами и висячим замком, придется тебе каждый божий день нюхать чужие «бычки» и знакомиться с музыкальными и любовными пристрастиями всех, кому заблагорассудится написать о них на стенах, полах, потолках, подоконниках, ступеньках того самого места, где ты живешь.

Арсений Троепольский ненавидел свинство, хотя и делал вид, что ему на все наплевать.

Первая дверь справа явственно свидетельствовала о том, что за ней находится жилье внаем, — краска облезла, замочек хлипкий, коврика вовсе нет. Троепольский позвонил. За жидкой дверной фанеркой звонок прозвучал неожиданно громко, будто прямо на площадке. Никто не отозвался, и он снова позвонил. Звонок опять колыхнул подъездную тишину, слегка разбавленную телевизионной стрельбой, магнитофонной гульбой и человеческой удалью.

На этот раз Троепольский почему-то насторожился. Что-то вдруг обеспокоило его, и, толкнув дверь, он понял, что именно.

Дверь не была заперта, и, весь подобравшись, Троепольский увидел, как раздвигается черная щель, и темнота квартиры вползает в скудный свет лестничной площадки, смешивается с ним и становится похожей на разбавленные чернила.

Он посмотрел в чернильную лужицу, оперся о притолоку и громко позвал в щель:

— Федя! Ты здесь?

Никто не отозвался и, рассердившись на себя за невесть откуда взявшийся страх, от которого стали влажными ладони, он толкнул дверь — она и не подумала скрипнуть, а он почему-то ждал скрипа.

— Федя! Федь, ты живой?!

Хуже всего было то, что заходить в квартиру ему не хотелось — не хотелось, и все тут, хотя этому не было никаких логических объяснений. Он посмотрел на свои пальцы в перчатках, вцепившиеся в дверь, заставил их разжаться, просунул руку вглубь и зашарил по стене. Ничего не нащупывалось.

Где в этой дурацкой квартире включается свет, а?

Квартира стандартная, сдаваемая внаем, значит, вряд ли кто-то здесь менял проводку и переносил выключатели. С правой стороны, чуть выше пупка, чуть ниже грудной клетки, непременно должен быть пластмассовый квадрат.

— Федя!

За спиной в бетонной шахте загрохотал лифт, поехал вниз. Арсений просунул руку поглубже, и свет наконец зажегся. Он даже зажмурился на секунду — так неожиданно это было. Квадратная передняя с вешалкой и резиновым уличным ковриком под ней материализовалась из черной пустоты. На вешалке болтались Федино кашемировое лондонское пальто, мятое и пыльное, и куртка с капюшоном такой формы, словно в нем долго носили ведро, а потом вынули.

— Федь, ты где?!

«Вряд ли он ушел и оставил дверь открытой, — быстро подумал Троепольский. — При всех странностях он все же вполне нормальный человек, а дома у него техника, стоимость которой вполне может сравниться со стоимостью этой квартиры».

Направо был коридорчик в два шага, налево, кажется, кухня.

— Федя, черт тебя возьми!

Троепольский заглянул в кухню — голое окно, нагромождение какой-то посуды на столе, козлоногая табуретка, черная тень от нее лежала на линолеуме, и никакого Феди.

Ощущение опасности стиснуло горло, а потом стекло вниз по спине. Волосы на затылке встали дыбом.

Что-то размеренно капало в глубине квартиры, и ему казалось, что капает у него за спиной, а там ничего не могло капать! Он нетерпеливо повел шеей, трусливо кося глазами за плечо. Щека, шершавая от вечерней щетины, прошуршала по воротнику куртки, ему показалось, что прошуршала очень громко.

Какой-то посторонний звук, Арсений явственно расслышал. Какой-то очень странный повторяющийся посторонний звук.

Шипение? Шорох?

Он резко повернулся и настороженно обвел глазами квадратную переднюю. Все та же куртка, тот же коврик и разномастные ботинки, наваленные горой в углу.

Троепольский потер затылок, стараясь ослабить давящий обруч паники, и сделал два шага, преодолев коротенький коридорчик.

В комнате было совсем темно, даже не слишком понятно, есть ли там окно, и если есть, то где оно. Правой рукой он опять зашарил по обоям.

— Федя! Ты тут или тебя нет?!

Собственный голос показался ему чужим, и в тишине, которая наступила после этого бессмысленного вопроса, Арсений снова услышал тот самый размеренный звук. Он стал ближе и явственнее.

Что-то здесь не так.

Надо уходить отсюда. Прямо сейчас. Надо выйти на лестницу и вызвать милицию.

Пальцы вдруг наткнулись на пластмассовый квадрат, и в эту секунду в кромешной темноте, к которой уже стали привыкать глаза, произошло какое-то движение, словно сгусток тьмы метнулся на него. Метнулся... и задел. Арсений отшатнулся, чувствуя, как от первобытного страха пустеет в голове, и что-то слабо ударило его в висок, как будто смазало. Очки упали, и, кажется, он наступил на них. Темный силуэт рванулся мимо него, и за спиной погас свет. Стало черно.

Отдаленный удар, размеренная дробь, и больше ничего.

Совсем ничего.

Без очков в темноте он ничего не видел — вот такая особенность его зрения. Он не был фатально близорук, так, слегка, как все много читающие и пишущие люди, но в сумерках становился слепым, как крот.

Впрочем, говорят, что крот, хоть и слеп, все же как-то ориентируется в темноте. Арсений Троепольский в темноте мог только стоять. Двигаться не мог.

Размеренный звук, к которому он прислушивался десять секунд назад — нет, не десять, какие там десять, три секунды назад! — пропал и больше не повторялся. Спина и ладони были мокрыми.

Черт побери все на свете, что здесь происходит?!

Рассердившись на себя за свою панику, беспомощность и еще за то, что ничего не видит, он снова зашарил по стене, нащупал пластмассовое и квадратное и нажал.

Свет послушно зажегся. Словно все в порядке. Будто так и надо.

Большая квадратная комната. Облезлый шкаф, коричневый диван, обои на каждой стене разные. С правой стороны — громадный письменный стол со стеклянной столешницей, неуместный до такой степени, что хотелось протереть глаза. Стол сверкал почти операционной чистотой. На нем — жидкокристаллический монитор, сделанный на заказ, ибо мониторы таких размеров в магазине не продавались, аккуратные стопки дисков и почти никаких бумаг. Панель, предназначенная для компьютерной клавиатуры, наполовину выдвинута, многочисленные шнуры спрятаны в черный кофр, чтобы не болтались под ногами. Кресло, отвечающее всем на свете эргономическим правилам, чуть покачивалось из стороны в сторону.

Между столом и креслом на полу в луже крови лежал человек.

Именно в луже. Она стремительно заливала светлый паркет, подбиралась к колесику щегольского письменного стола.

Троепольский закрыл и открыл глаза.

В ушах зазвенело. Ноги стали ватными. Паника кулаком ударила его в живот.

— Федя!! — крикнул он, прыгнул вперед, отшвырнул кресло и присел на корточки. — Федя!

Бессмысленно было звать Федю — он не слышал своего начальника. Впрочем, он больше никого и никогда не услышит. Вместо головы у Феди было что-то отвратительное, бурое, черное, с вылезшими острыми обломками белых костей. Щека смята неживыми складками, и нос, уткнувшийся в пол, странно сплющен, словно Федю старались вбить в этот самый пол.

Троепольскому стало плохо.

Так плохо, что пришлось взять себя за горло и подержать некоторое время, стискивая пальцы, ледяные даже сквозь перчатку. Потом он выпрямился, все еще держась за горло, перешагнул неживую Федину руку и опрометью ринулся в кухню. По пути попалась козлоногая табуретка. Он опрокинул ее. Табуретка страшно загрохотала.

Ему нужно подышать. Просто подышать. Дышать в одной комнате с тем, что раньше было Федей, он никак не мог. Дернув раму, которая охнула и осталась на месте, он сообразил, что для того, чтобы ее открыть, нужно повернуть какие-то ручки. Он стал крутить эти самые ручки, плохо понимая, что делает, и уверенный только в одном — если он сейчас же, сию же минуту не откроет это гребаное окно, ему придет конец.

Как Феде.

Окно открылось, ледяные гомеопатические шарики брызнули ему в лицо. Арсений задышал, широко открыв рот, и заскреб пальцами по слежавшемуся желтому снегу, захватил немного, щепотку, и сунул ее в рот. Снег отдавал автомобильной гарью и мокрой кожей перчатки. Он сдернул рукавицу и вцепился в снег ногтями.

Стало легче. Или не стало?..

Он оглянулся назад, в темноту квартиры — где-то между пижонским столом и эргономическим креслом лежал его заместитель. Чудовищно, несправедливо и непоправимо мертвый.

Арсений Троепольский стал тем, кем стал, потому что специально учился «владеть ситуацией» — по американским книжкам. Предусмотрительные американцы понаписали кучу книг абсолютно обо всем, в том числе и о том, как следует «овладевать ситуацией», когда она «выходит из-под контроля».

«Данная ситуация из-под контроля не выходит, — подумал Троепольский, рассматривая свои мокрые пальцы. — По крайней мере, из-под моего. Ее контролирует кто-то совсем другой».

Или что?.. Сердечный приступ, упал, ударился головой о «каминную решетку»? В детективных романах кто-нибудь обязательно время от времени падает и ударяется темечком о каминную решетку, экономя таким образом силы и фантазии автора, которому уже не надо ничего больше выдумывать.

Зачем-то он опять натянул перчатку, постоял еще немного, глубоко и размеренно дыша открытым ртом, а потом решительно повернулся. Он должен пойти и «овладеть ситуацией».

Он зажег свет в кухне, потом в коридоре и — после секундного замешательства — вошел в комнату.

Ему очень хотелось, чтобы того, *что лежало на полу*, не стало. Просто не стало и все. Или оказалось бы, что Федя пьян и спит, или что он и впрямь ударился головой о каминную решетку — только не до смерти. Господи, прошу тебя, пожалуйста, пусть окажется, что он жив, и я, матерясь от злости и облегчения, сейчас буду поднимать его, волочь, тянуть, тащить в машину и отвезу в медпункт, где ему зашьют ссадину на лбу!..

И все! Все!..

Но Феди не было. Было мертвое тело — совершенно пустое, так показалось Троепольскому, так он это понял. То есть раньше внутри этого тела был Федя, а теперь его не стало — некого тащить в больницу, нечего зашивать. Кому нужна пустая оболочка без души?!

«Овладеть ситуацией» никак не удавалось.

Кто бил его по голове, так что проломил кости?! Зачем?! За что?!

Что-то хрустнуло под ботинком, и Троепольский стремительно поднялся с корточек. Ему показалось, что он наступил на раздробленную кость, бывшую раньше частью Фединой головы. Опять навалилась тошнота.

Нет. Ничего такого.

Он наступил на свои очки.

Они слетели, когда мимо него пронеслось что-то темное, будто материализовавшееся из Фединой смерти. Арсений отшатнулся, и очки слетели.

Он посмотрел на входную дверь. Она все еще была приоткрыта.

Значит, пять минут назад здесь был Федин убийца. Троепольский его спугнул. Если бы он приехал на пять минут раньше, возможно, Федя до сих пор был бы жив.

Если бы он не ошибся подъездом, Федя был бы жив! Если бы он не пережидал на крылечке юнцов с пивными бутылками, Федя был бы жив. Если бы он догадался объехать пробку, Федя был бы жив!

Они вместе начинали работать — прошли все, и огонь, и воду, и медные трубы, как водится. Они девять лет делали одно дело. Феде не было равных в том, что называлось модным словом «дизайн», — он видел этот мир иначе, чем большинство остальных людей, и умел это выразить так, что все вдруг понимали — ну да, да, конечно, именно так и только так, почему же раньше-то никто этого не замечал?! Он любил всех бездомных собак, и кормил их, и пристраивал знакомым. Еще он любил сосиски, детективы, Стинга, кино про любовь и растворимый кофе, который Арсений однажды в приступе самодурства запретил в конторе, только у Феди в столе была банка, и он потихоньку отсыпал оттуда, играя по всем правилам — в начальника и подчиненного.

Федя то и дело влюблялся, и все в каких-то дурех, и жаловался, и печалился, и вздыхал, а Троепольский только раздражался — он-то никогда и ни в кого не влюблялся, потому что это мешает работе, а он умел только работать, и больше ничего.

Как он станет работать без Феди?!

Он вдруг понял, что сейчас заплачет, что уже плачет, потому что щекам стало горячо, а в горле как-то очень узко, и в глазах странно дрожало и двоилось. Последний раз он плакал, когда ему было лет пятнадцать. Бабушка умерла, и именно тогда он понял, что умрут все, и испугался, и плакал от испуга и горя.

Он прижал пальцы к глазам, очень крепко, чтобы загнать обратно слезы, и загнал.

Он не знал, что ему делать дальше. Что вообще делают в таких случаях? Куда бегут? Кому звонят?

Зачем-то он собрал с пола остатки своих очков и горкой выложил битое стекло на край сверкающего письменного стола.

Он мог бы остановить убийцу — в прямом смысле слова остановить, схватив за рукав. Он не вернул бы обратно Федю, но хотя бы знал, кто во всем виноват. А он не остановил!

Из книжек и фильмов он помнил совершенно точно, что нельзя ничего трогать на «месте происшествия», но он должен был знать, что здесь случилось!

Он перебрал все диски, стопкой выложенные на столе, — музыка, музыка, опять музыка, установочная программа, последний проект, который делали для автомобильного завода. Собственно, пока его делал один Федя, остальные подключатся на более поздней стадии, когда Федя наваяет что-нибудь сказочно красивое, а Троепольский одобрит, добавит от себя немного красоты и «запустит проект в работу».

Из набора дисков никак нельзя было узнать, что случилось. Он огляделся по сторонам с тоской и страхом, чувствуя, как необратимо и навсегда меняется мир вокруг него — и прежний, легкий, свободный, веселый, не вернется больше никогда!

Ни следов, ни оброненного носового платка с монограммой, а лучше бы с адресом, ни сигаретного пепла, ни разорванного в клочья договора, ничего, что могло бы навести Троепольского хоть на какую-нибудь внятную мысль.

Зачем?! За что?!

Так тоскливо ему было, так гадко, так отвратительно в одной комнате с тем непонятным, что раньше было Федей, что он все время заставлял себя смотреть строго на какой-нибудь предмет или в стену, не смотреть на то ужасное, на полу.

Он вызвал милицию — долго объяснял, что не знает адреса, по буквам диктовал фамилию. «Как? — устало спрашивала тетка в трубке. — Еще раз повторите. Тобольский?»

Дожидаясь этой самой милиции, он ушел на лестницу и сел на ступеньку, рядом с прикрученной сигаретной банкой, издававшей немыслимую вонь, и курил, и заставлял себя не думать ни о чем.

Самым трудным было заставить себя не думать о том, что в двух шагах от него был человек, убивший Федю, а он упустил его.

Найти место для машины в тесноте и давке Газетного переулка всегда было задачей не для слабонервных, а Полина в этот вечер как раз оказалась слабонервной. Одного она подрезала так, что он шарахнулся от нее вправо и забился за фонарный столб, второго загнала в сугроб, а третьего просто вытеснила с единственного пятачка, куда он пытался припарковаться.

— Идиотка! — опустив стекло, заорал этот самый третий. — Дура, блин! Куда тебя несет, ты че, не видишь меня, что ли?!

— Вижу, — пробормотала Полина себе под нос, выкрутила руль, прицелилась, нажала на газ. Тот, за опущенным стеклом, ахнул и вытаращил глаза. Ее бампер замер в сантиметре от его бампера, и она лихо сдала назад — зарулила.

На заднем сиденье были портфель, пакет с бумагами и Гуччи. Портфель и пакет она выудила легко, а Гуччи забился в самый угол и трясся мелкой припадочной дрожью.

— Ты че?! В морду захотела?! В морду, что ли, дать тебе?! Дубина стоеросовая! Ты че, не понимаешь, сколько твоя, блин, уродина стоит и сколько моя машина?!

— Гуччи, — позвала Полина, по пояс свешиваясь на заднее сиденье, — иди сюда, Гучинька!

Достать песика было никак невозможно. От страха перед тем, что вопило так близко, за тоненькой автомобильной дверцей, за грязным стеклом, бедный Гуччи уползал в дальний угол, косил выкаченным карим глазом, поджимал лапы и, кажется, начал икать.

— Ездить научись, оглобля! Повезло тебе, что я сегодня добрый! Дура, блин, уродка! В морду бы тебе дать по справедливости, да неохота мне пачкаться об тебя!..

Машины даже не сигналили, а ревели и стонали, потому что жаждавший справедливости мужик, бранившийся у нее за стеклом, бросил свою драгоценную тачку прямо посреди переулка, и движение встало, и пробка образовалась, и порядок нарушился.

— Гучинька, — уговаривала Полина, — пойдем, заинька.

Заинька отодвигался все глубже и теперь уже отчетливо икал от страха.

Порода называлась «Китайская хохлатая». Очень,

очень редкая и драгоценная порода. И главное, дивной красоты. Все тщедушное тельце голое и розовое, как у младенца. Немного жидкой шерстки на лапах, эдакая кисточка на хвосте и подобие дамской прически «с начесом» на макушке и на растопыренных, как у летучей мыши, ушах. Этот представитель китайских хохлатых был как-то по-особому, трогательно несчастен, выкаченные глаза смотрели с каким-то особенным трогательным ужасом, а задница была особенно голой.

Полине его сплавила подруга Инна, улетевшая кататься на лыжах. Инне некуда было его деть — кататься на лыжах с китайской хохлатой в руках было бы невозможно, а только для сидения на руках данная собачка и была предназначена. Инна предполагала, что «хохлатого» заберет мама, которая, как назло, в это время отправилась на Дальний Восток, то ли покупать, то ли продавать какие-то верфи. Решив не откладывать из-за Гуччи покупку или продажу верфей, редкого песика привезли Полине. Общеловали обоих, оставили кучу наставлений, специальной еды, несколько изящных пальто, в которые следовало наряжать зверя перед выходом на улицу, несколько изящных ошейников, которыми следовало украшать зверя перед выходом в свет, и укатили, а Гуччи остался.

Он сидел на полу в Полининой квартире, вовсе не предназначенной для содержания таких тонких натур, тоскливо смотрел на нее выпуклыми карими глазами, встряхивал ушами и трясся крупной дрожью. С тех пор она каждый день брала его с собой в контору, ибо одного его оставлять было никак нельзя, и на работе почти не поднималась с кресла, потому что Гуччи трясся у нее на коленях.

— С-сука! — выдал последний аккорд темпераментный водитель и сделал неприличный жест в сторону своей иномарки, перегородившей тесный переулок. Другие машины, выстроившись за ней, выли, не переставая. — И ты сука, и собака у тебя сука... уродка!

«Сука» как раз была кобелем, но Полина возражать не стала. В конце концов, она сделала то, что было ей нужно, — заехала на единственный свободный пятачок, а уж кто там что при этом про нее подумал или сказал, какая разница!

Она вытащила Гуччи, который от ужаса втиснулся между дверью и задним креслом, и запихала его себе за пазуху. Он тут же поехал вниз, и она потуже подтянула пояс пальто. Водитель вдалеке уже садился в свою машину — слава богу! — но, завидев, что она вышла, повторил свой изысканный жест на этот раз в ее сторону. Она отвернулась. Держать Гуччи, портфель и пакет и еще закрывать машину было очень неудобно, но она закрыла и заковыляла по ледяным кочкам к подъезду. Идти было довольно далеко. Хорошо, что хоть так удалось припарковаться. Обычно она оставляла машину на Никитской. Повезло ей сегодня.

Слава богу, давешний водитель не знает, *как* ей сегодня повезло. Вспомнив, она чуть не уронила пакет, и Гуччи завозился и затрясся сильнее, почувствовав ее беспокойство.

Мимо пронеслась машина.

— Дылда, блин! — крикнул ей в лицо ее обидчик.

— Идиот, — бодро отозвалась она.

Трудно делать вид, что ей все равно, когда на самом деле это не так. Но она делала.

В офисе в восьмом часу был самый разгар дня. Никто и не думал уходить, все ждали шефа, поехавшего добывать у Феди печать.

В круглом кресле скучал курьер, который привез договоры, чтобы на них поставили эту самую печать.

— Давно сидит? — тихонько спросила Полина у новой секретарши, стаскивая пальто. Гуччи вывалился из теплой ткани, она подхватила его и осторожно посадила на стул.

Секретарша сделала круглые глаза и спросила, можно ли потрогать песика. Полина разрешила и вновь спросила про курьера.

Шарон Самойленко заскучала и ответила, что точно она не знает, так как в это время выходила.

— В какое время? — раздражаясь, спросила Полина. Вот, решила Лаптева рожать ни с того ни с сего, и они все теперь без нее пропадут!

Шарон немного подумала и сказала, что этого она точно не знает, потому что в это время выходила.

— Вот теперь все ясно, — подытожила Полина. — А шеф? Не звонил?

Шарон повеселела и радостно ответила, что звонила ему сама.

— Когда он приедет?

Секретарша молчала и смотрела на Полину.

— Или вы выходили и тогда, когда ему звонили?

— Не-ет, — возмутилась бедная юная Шарон, — как же я выходила, когда я ему звонила!

Клинический случай. Помочь ничем нельзя.

Полина подхватила Гуччи, собрала свои многочисленные пожитки и двинулась в сторону своей комнаты.

— Девушка, — с тоской вопросил ей в спину курьер, — вы не знаете, долго мне еще сидеть-то?

— Сейчас узнаю, — не оборачиваясь, пообещала Полина.

Она дошла до своей двери — у нее был отдельный кабинет, Троепольский после ремонта создал ей все условия, — выпустила Гуччи в продавленное кресло и прикрыла его пледом. Плед мелко задрожал.

Она покидала на пол сумки и дошла до Гриши Сизова, именуемого в конторе Гриня, третьего по важности человека в конторе.

— Гринь, прости, пожалуйста, ты не знаешь, когда Арсений будет?

— Понятия не имею, — бодро ответил тот. — У Федьки ни один телефон не отвечает, ни мобильный, ни домашний. Может, Арсений его в больницу поволок или куда там еще...

Полина помолчала.

— А шефу ты не звонил?

— Да не звонил я! — с досадой сказал Гриня и даже на секунду оторвался от своего компьютера, чтобы взглянуть на нее. — Ты что, не знаешь его? Я ему позвоню, а он мне... по лысине, да? — И Гриня энергично постучал себя по заросшей густыми волосами макушке. — Если тебе надо, звони ему сама.

— Да мне не надо, но курьер-то сидит! Сколько ему еще здесь прозябать?

— А чего ему не сидеть? Ты скажи инвалидке нашей, пусть она ему кофе поднесет и бубликов каких-нибудь.

— Бубликов, — пробормотала Полина, — понятно.

— Пошли лучше со мной в кино, — предложил Гриня весело, — фильм — блеск. Про то, как людей пожрали пауки.

— В самый раз тебе такое кино смотреть.

— А какое же мне смотреть? Про любовь-морковь?

Он опять оглянулся, зубы сверкнули на загорелом лице, сказочная улыбка будто полоснула ее — хорош, хорош был третий человек в конторе, только у нее уже иммунитет выработался после того, как она переболела первым.

Полина отступила в коридор, ей не хотелось вести с Гриней игривые разговоры, особенно про то, как людей пожрали пауки, и он закричал вслед ей, что хотел бы посмотреть сайт «Русского радио», если там хоть что-то готово.

— Все готово, — пробормотала Полина.

— Ну что, девушка? — встрепенулся курьер, как только она показалась в коридоре. — Узнали?

— Нет пока, но сейчас узнаю.

Она вернулась в свою комнату — Гуччи под пледом переполошился, поднял голову и встопорщил уши, прислушиваясь, — набрала собственный мобильный номер и нажала на пластмассовую кнопку, как только прозвучал первый далекий сигнал. В сумке что-то пискнуло и затихло.

— Алло, — фальшивым голосом сказала она в тишину и пустоту трубки, — Арсений, это я. Прости, пожалуйста, что отрываю, но когда нам тебя ждать?

Не было в трубке никакого Арсения, но она знала, сколько ушей прислушивается сейчас к ней, в том числе, может быть, и уши лютого врага.

До сегодняшнего дня она и не подозревала, что у нее есть враги.

— А курьеру что делать? Хорошо, передам. Приезжай скорее.

Она еще некоторое время подержала трубку в ладони, а потом осторожно опустила ее в пластмассовое углубление и выглянула в распахнутую дверь.

— Ждать не нужно, — сообщила она курьеру, — он опаздывает. Мы пришлем договоры с кем-нибудь из наших. Завтра, скорее всего.

— Вот спасибо вам, девушка, — прочувствованно сказал курьер и поднялся, и сразу стало видно, что он намного ее ниже. Впрочем, почти все на свете мужики были намного ее ниже, так уж получилось. Надо было идти на подиум и томно шататься под музыку, покачивая костлявыми бедрами, — именно так Полина представляла себе профессию модели, — а она заделалась в компьютерные гении!

Кто-то в глубине офиса работал под «Рамштайн», ритм бил по ушам, раздражал Полину, хотя она умела не слышать, когда не хотела, но сегодня у нее не было на это сил.

— Шарон!

Молчание, рамштайновский ритм, отдаленное компьютерное гудение.

— Шарон!

Телефонный звонок, и Гринин голос, произнесший с неповторимым мужским чувством: «Привет, любимая!» Впрочем, любимыми у Грини были все.

— Шарон!

— А!

Ну, наконец-то проснулась!

— Сварите мне кофе, пожалуйста. И сообразите чего-нибудь поесть.

— А... чего вам поесть?

— Ну, не знаю. Яблоко. Булку. А что? Ничего нет?

— Нет, — весело ответила юная Шарон. — Еще днем все кончилось.

То, что и поесть нечего, доконало Полину Светлову.

— Если ничего нет, какого черта вы спрашиваете, что я хочу! Я хочу три бутерброда с колбасой и апельсин! Или яблоко! Яблока тоже нет?

— Нет.

— Почему вы ничего не купили?!

— Так мне не сказал никто!

— Кто вам должен говорить?! Вас шеф десять раз предупреждал, чтобы вы покупали кофе и какую-нибудь еду. Для этого даже водитель есть и деньги специальные! Варвара всегда покупала...

— Я квалифицированный работник, — неожиданно заявила Шарон Самойленко, которой еще утром мама велела быть самостоятельной, давать отпор домогательствам шефа, которые непременно должны воспоследовать, и ни за что не «прислуживать» остальным. — Я квалифицированный работник, и я не стану покупать вам колбасу!

Полина Светлова, дылда в красных очках и джинсах «Эскада», так удивилась, что дар речи потеряла — вот как ловко ее отбрила феминистка Шарон. Некоторое время дылда еще открывала и закрывала рот, не в силах произнести ни слова, потом повернулась и ушла, и таким образом за Шарон осталась полная победа.

— Полька, ты чего орешь?

— Я не ору. Я хочу кофе. Я не ела целый день и...

— Заходи, — пригласил ее Марат Байсаров. — У меня свой.

Шарон Самойленко отчетливо зафырчала за тонкой перегородкой — выразила свое отношение и к дылде, и к Марату.

— Тебе сколько ложек?

— Чего?

— Сколько кофе на чашку?

— У тебя что?.. — со священным ужасом вопросила Полина. — Растворимый?..

Растворимый кофе в конторе был только у Феди. «Просвещенный монарх» Троепольский, завидев банку, немедленно изымал ее из оборота и больше не возвращал.

— Да нет, — успокоил ее Марат, — у меня кофеварка новая. Идиотизм. Варит по чашке, а больше ни в какую. Сколько тебе ложек?

— А какая чашка?

Марат показал.

— Одну.

— Сигарету?

— А у тебя какие?

— «Честер».

— Давай.

— Одну?

Полина вскользь ему улыбнулась.

Марат покопался в столе, выудил пачку и пустую пластмассовую зажигалку, посмотрел на свет, потряс ею и опять посмотрел, словно от его потряхивания там мог появиться газ.

— Да ладно, у меня своя есть.

— Как твоя собака?

— Кто?.. А, собака! Хорошо, только, по-моему, это никакая не собака.

— Как? — удивился Марат, который все и всегда принимал за чистую монету. — А кто тогда?..

— А, по-моему, тролль.

— Тролль? — недоверчиво переспросил Марат.

Полина кивнула, осторожно отхлебывая огненный кофе. Кофе с сигаретой — вот настоящий рацион настоящего компьютерного гения!

Только булки все равно очень хотелось.

— Полька, ты чего такая мрачная?

Она не любила, когда ее звали Полькой. Это Троепольский придумал, будь он неладен, и прижилось. Теперь, когда ее так называли, ей все время казалось, что он где-то поблизости.

— Есть хочу.

Дело было не только в этом, но она не могла ничего сказать Марату. Она никому и ничего не могла рассказать.

— Да нету у меня ничего!

— Ужасно. Я с голодухи всегда... злюсь.

— Могу еще кофе сварить.

Полина кивнула — в чашке остался один глоток. Впрочем, их и было-то всего два.

— Работать будешь?

— Буду. Я сегодня полдня ездила и ничем больше не занималась.

— А у меня один макет вообще накрылся, представляешь?

— Как?!

— Черт его знает как. Нету, и все тут.

Полина поставила чашку на стол и оглянулась на дверь. Почему-то ей показалось, что там кто-то есть. Она так определенно это почувствовала, что даже шее стало холодно. Она повела плечом и опять оглянулась, будто откидывая волосы назад. Дверь была распахнута — у них в конторе все запирались только в крайних случаях. Когда приезжали клиенты, к примеру.

— Какой макет, Марат?

— Уралмашевский.

— Так его же Федя делает, а не ты!

— Ну, Федя, ясное дело. Он меня просил какие-то хвосты за ним подчистить, я стал смотреть, а макета нет.

Полина ничего не понимала.

— Марат, куда мог пропасть незаконченный макет из компьютера?!

Марат пожал плечами:

— Убить могли.

— Кто?! И кому он нужен?

— Да никому не нужен. Случайно.

— Марат, кто мог случайно убить чужой макет?!

Марат опять пожал плечами и из крошечной колбы подлил ей кофе.

Шея уже не просто похолодела, под волосами словно лежал кусок льда. Полина потерла шею и стала выбираться из кресла.

Она должна посмотреть, есть там кто-то или нет. Наверное, нет. Даже, скорее всего, нет. Это глупые дамские страхи, потому что сегодня такой день. Ужасный.

— Короче, он просил вечером отправить ему переделанный макет, а у меня его нету. Троепольский приедет, шкуру с меня сдерет. Полька, ты куда?!

Она прыгнула и сразу оказалась в коридоре, застланном серым ковром с желтой каймой. Справа в отдалении шел Гриня Сизов с мобильником возле уха. Слева поблизости околачивалась Шарон Самойленко с телефонной трубкой в руке. В круглом кресле, где давеча маялся курьер, сидела молодая девица в стильной кожаной курточке, смотрела в сторону. Рядом на ковре валялся рюкзак.

— Вам что-то нужно? — с негромким презрением спросила Полина у Шарон. До исторического момента провозглашения себя «квалифицированным работником» Шарон нисколько не волновала Полину Светлову. Она относилась к секретарше с определенным сочувствием — в конце концов, та не виновата, что такая тупая уродилась, всякое может быть, и такое тоже. Теперь же Полина оказалась как будто в состоянии конфронтации, хотя это смешно — конфронтация с Шарон!

— Вот девушка, — неопределенно сказала Шарон и показала на сидящую в кресле телефонной трубкой.

Полина смотрела на нее сверху вниз и молчала, помешивала кофе в чашке примерно на уровне макушки бедной юной Шарон.

— Девушка вот, — повторила та чуть более нетерпеливо, очевидно, удивляясь, отчего Полина молчит и ничего не предпринимает. — Видите?

— Вижу, — согласилась Полина и опять ничего не предприняла.

За Полининым плечом Марат Байсаров негромко и обидно засмеялся. Девица быстро оглянулась. Марат перестал смеяться так неожиданно, словно ему заткнули рот.

— Девушка, вы к кому? — вежливо спросила Полина. От Шарон не было никакого толку.

— А... я к Федору Грекову. — Тут девица проворно поднялась из кресла и оказалась сказочной красавицей, как принцесса из американского мультфильма, — неправдоподобно длинные ноги, неправдоподобно белые зубы, неправдоподобно яркие глаза, неправдоподобно нежные щеки. Полине показалось, что Байсаров чуть не упал за ее спиной.

— Федора нет, — кисло ответила Полина Светлова. Трудно сохранять присутствие духа рядом с такими красавицами. Невозможно. И даже утешить себя нечем — разве что тем, что ты умнее. Впрочем, может, красавица тоже чрезвычайно умна.

— Но он сегодня будет?

Полина и Марат переглянулись.

— Вряд ли, — мужественным голосом сообщил Марат. — Он... заболел. У него больничный.

— Как заболел? — изумилась девица.

— Грипп, наверное, — продолжал Марат, — но, если у вас какое-то дело, вы вполне можете переговорить с нами. Марат Байсаров и Полина Светлова. Вы с «Русского радио»?

Девица улыбнулась и стала еще раз в тридцать краше. А может, в сорок. Или в пятьдесят.

«Если ее увидит Троепольский, — подумала Полина мрачно, — все. Мы больше Троепольского не увидим никогда. Хорошо бы он не скоро приехал».

— А почему вы решили, что я с... радио?

— Не знаю, — галантно ответил Марат, — мне так показалось.

— Нет, я племянница, — объяснила девица и засмущалась. — Я племянница Федора Грекова. Меня зовут Лера. Мы вчера договорились, что я приеду к нему в контору, и мы... А он что, правда заболел?

Шарон Самойленко все топталась рядом, рассматривала племянницу, ее длинные волосы, синюю курточку, как будто джинсовую, а на самом деле кожаную, замшевые ботинки и всю потрясающую общую красу.

— У вас к нам какое-то дело? — вежливо поинтересовалась Полина у Шарон. — Если нет, вы свободны.

Та пожала плечами, что означало, что теперь она тоже в состоянии конфронтации с Полиной, и удалилась в свою каморку.

— Зачем вы ее прогнали? — шепотом спросила племянница. — Она на вас обиделась.

— Шут с ней, — небрежно ответила Полина. —

Все равно она ни на что не годится. Даже кофе нам не дает. А что с Федором — мы не знаем. Он сегодня не пришел на работу, и наш шеф поехал к нему. Еще не вернулся.

Как только она выговорила это, внутри у нее похолодело, и лед из горла попал в желудок и еще в легкие, так что трудно стало дышать. Ей даже показалось, что она слышит слабый морозный свист от своего дыхания.

Красотка Лера удивилась, но не слишком — очевидно, семья была отчасти осведомлена о Фединых прихотях.

— Да, — сказала она и улыбнулась прощающей улыбкой, словно отпуская Феде все грехи, — с ним это бывает. Наверное, мне нужно к нему домой поехать. Или маме позвонить? Можно мне от вас позвонить?

— Конечно! — пылко и страстно воскликнул Марат, и Полина Светлова поняла, что в этом сердце она навсегда отодвинута на второй план.

Если Троепольский увидит Федину племянницу...

Господи, о чем она думает! Разве это имеет значение?! Только одно имеет значение — как теперь она, глупая и самоуверенная Полина Светлова, станет спасать свою шкуру, и спасет ли! А Троепольского не было и не будет в ее жизни — никогда. И она отлично об этом знает. Она запретила себе — и у нее получилось. *Получалось* до последнего времени.

Только иногда не получалось — когда он вдруг становился нежен, то ли от усталости, то ли из товарищеских чувств. Примерно раз в году с ним такое бывало — посреди дня он приходил в ее комнату, брал за руку и вел в какую-нибудь кофейню. Он знал их наперечет, все эти кофейни, словно перенесенные на Никитскую улицу с Рю де Риволи.

И в приятной тесноте, полной сигаретного дыма и кофейного духа, они долго сидели рядом, так что она слышала негромкий и очень мужской запах его одеколона, и он что-то говорил ей на ухо, и вертел зажигалку — была у него такая привычка. И прямо перед собой она видела его пальцы, длинные, ухоженные, с расширенными косточками и розовыми мальчишескими ногтями. Блестящая прядь темных волос вываливалась из-за уха, и он заправлял ее привычным нетерпеливым движением, от которого у Полины что-то холодело с левой стороны, словно он трогал холодной рукой ее сердце. У него были очень черные глаза, о которых ей почему-то нравилось думать — андалузские, — и длинные ресницы, и смуглые щеки, и все это так ей нравилось, что хотелось плакать. Ей нравилось даже, что он много и как-то легкомысленно курит, и его невозможно представить себе без сигареты.

И он никому не принадлежал.

Никому, черт бы его побрал!..

Все было бы в сто раз проще, будь у него жена и некоторое количество подрастающих наследников.

У него не было жены и вообще никого не было, ибо всерьез он занимался только работой. Никто и ничто не интересовало его так, как его драгоценная работа. Девиц, со всех сторон бросавшихся на него, он время от времени приближал к себе, очень ненадолго, — пользовался ими легко и с удовольствием, потом снисходительно и ласково целовал прощальным поцелуем, нежно трепал по затылку, отпускал и больше не вспоминал о них никогда. У него хватало порядочности и чувства юмора никому и ничего не обещать, потому и взять с него было нечего, хотя некоторые пытались, и Полина искренне их жалела.

Переболеть Троепольским и не нажить осложнений было трудно. Заразившиеся им непосредственно в стенах конторы страдали у Полины на глазах, и она утешала их, подставляла плечо, выслушивала откровения, давала советы, печалилась, заваривала кофе, самый что ни на есть настоящий, не растворимый, боже упаси!.. Никому, кроме Феди Грекова и Варвары Лаптевой, которые все про всех знали, и в голову не приходило, что у Полины Светловой тот же самый диагноз.

Да, но она вылечилась. Конечно, вылечилась. Ну, почти. Почти.

— Спасибо вам большое, — ни с того ни с сего произнесла вежливая и красивая Федина племянница. — Я, наверное, поеду.

— Может, кофе все-таки, — безнадежно предложил Марат, но племянница посмотрела на него и улыбнулась как-то так, что сразу стало ясно — Марат тут ни при чем. Совсем ни при чем.

Она подтянула с пола свой рюкзачок, откинула назад волосы, еще раз улыбнулась — на этот раз улыбка была прощальной — и пошла по коридору в сторону наружной двери. Полина и Марат смотрели ей вслед.

Полина думала — надо же быть такой красавицей!

Марат думал — сейчас уйдет, и все, черт возьми!..

Охранник открыл запищавшую кодовым замком

дверь, потом она стукнула, закрываясь, и Марат очень озабоченно произнес:

— Кажется, я машину не запер.

— Какую машину?..

— Свою. Пойду проверю.

Это было смешно.

Он заскочил в свою комнату, через секунду вылетел оттуда — рука просунута в один рукав, второй волочится по ковру, в кулаке для правдоподобия ключи от машины.

— Надо проверить, — озабоченно повторил он, хищным взором косясь вдоль коридора.

Полина согласно покивала.

Он был уже у самой двери, когда она крикнула:

— На вечер никаких свиданий не назначай!

— Почему это?!

Держа ключи в зубах, он натягивал куртку.

— Совещание по «Русскому радио».

— Черт возьми, точно!

Дверь опять запищала, приглушенно бабахнула, и все стихло, только рамштайновский ритм остался в пустом коридоре.

Стало грустно и заломило в висках — да что за козел работает под этот самый «Рамштайн»! Сейчас она ему устроит. Или им. Сейчас она всем устроит!

Вообще Полина Светлова была миролюбива, незлопамятна и равнодушна ко всему на свете, кроме работы и Арсения Троепольского, но только не сегодня! Сегодня ужасный день. Самый худший день в ее жизни.

Сзади послышался какой-то странный звук, как

будто мышь скреблась, и еще писк, тоже вполне мышиный. Черт возьми, еще и мыши!..

Но это была китайская хохлатая собака Гуччи, которая выбралась из ее комнаты из-под теплого пледа и теперь тряслась мелкой дрожью посреди коридора. Тряслась, и лапкой скребла ковер, и смотрела с жалобной укоризной.

— Бедный мой!

Полина сунула свою чашку на гостевой круглый стол, подхватила Гуччи на руки, побежала и в своей комнате сразу кинулась за перегородку, где у нее были крохотный диванчик, на котором она не помещалась, кофеварка и кювета для Гуччиных надобностей, стыдливо задвинутая в самый угол. Гуччи в кювете вполне успешно освоился, но все равно ему требовалось, чтобы Полина непременно присутствовала при столь деликатной процедуре.

Полина присутствовала. Гуччи стыдливо оглядывался и дрожал. Потом выбрался, покосился на кювету и содеянную в ней кучку и улыбнулся Полине смущенно.

— Хороший мальчик, — похвалила его она, — умница.

Гуччи вовсе не был уверен в том, что он хороший мальчик и умница. Он вообще ни в чем не был уверен, и несовершенство мира и его собственное приводило его в ужас, и никто, никто этого не понимал!..

Полина подняла его, погладила по прическе «с начесом», опустила в кресло и накрыла пледом. И тут зазвонил телефон. Мобильный, у нее в сумке.

Сердце сильно ударило. Она знала, кто звонит и зачем.

Номер определился, но и без этого все было ясно.

— Да.

— Полина.

— Ты где, Троепольский?

У него был очень сердитый голос. Когда волновался, он всегда говорил быстро и сердито.

— Я у Феди. Он... умер.

— Что?!!

— Полина. Он умер. Его убили, по-моему. Милиция считает, что это я его убил.

— Как?!

— У Сизова заняты все телефоны. Скажи ему, чтобы он положил трубку и перезвонил мне. Немедленно.

— Как... убили?! Арсений, что случилось?!

Ноги не держали ее — впервые в жизни она поняла, что это такое, когда ты пытаешься стоять и никак не можешь. Пошарив рукой, она приткнула себя в кресло. Гуччи взвизгнул. Она не обратила на него внимания.

— Ты поняла меня?

— Кто считает, что это... ты?!

— Милиция так считает. Потому что я ее вызвал. Это даже забавно.

Слово «забавно» в устах Арсения Троепольского означало крайнюю степень бешенства.

— А... адвокату позвонить?

— Пусть мне перезвонит Сизов. Прямо сейчас. Все, Полина.

Телефон тренькнул, разъединяясь. Полина зачем-то наклонилась и положила его на пол. Оглушительная тишина висела в конторе — никакого шевеления или рамштайновского ритма. От этой тишины невозможно было дышать.

Она перешагнула через телефон и выбралась в коридор.

Сизов маячил на пороге своего кабинета. Саша Белошеев выехал в коридор вместе с креслом и теперь вытягивал шею в ее сторону, откинувшись на спинку. На коленях у него была компьютерная клавиатура. Ира выглядывала из своего кабинета — на кончике носа очки, в одной руке папка, а в другой ручка.

Все слышали, как Полина кричала. У них в конторе никто никогда не кричал.

— Федька умер, — сказала Полина негромкой скороговоркой. — Троепольский вызвал милицию, и они теперь думают, что это он его... убил.

Ирка ахнула и сорвала с носа очки.

— Гриш, он просил тебя позвонить. Прямо сейчас. Или он имеет право только на один звонок?

— Иди ты к черту, — рыкнул Сизов и скрылся за своей дверью.

Саша с грохотом обвалил с коленей клавиатуру.

— Господи, — пробормотала Ира, — господи, какой ужас.

Из-за чьей-то двери грянул «Рамштайн» — финальный аккорд сегодняшней мистерии.

...Или трагедии?

Вода и так была очень горячей, но, стоя под душем, он все делал ее погорячее — пока мог терпеть. Потом терпеть стало невозможно, и он перестал. Весь мир заволокло паром — он даже руку свою не мог рассмотреть, плечо видел, а пальцы нет.

Вода катилась по лицу, он слизывал ее с губ, и ему все казалось, что она невыносимо воняет. Отвратительно воняет тюрьмой.

Кто-то из его «временных удовольствий» однажды оставил у него в ванной гель для душа «Лавандовый». «Лавандовый» имел крепкий косметический дух, и он вылил на себя уже полфлакона, но ничего не помогало.

Вода на губах была на вкус, как тюрьма.

Забавно.

Его продержали в кутузке три дня, а потом выпустили, «за отсутствием улик». Наверное, если бы улики «присутствовали», его посадили бы всерьез. Вот черт, ему даже в голову не могло прийти ничего подобного!..

Вода попала в горло, и он закашлялся. В голове сильно и быстро стучало — от горячей воды и кашля.

Нужно выходить, иначе он свалится в обморок, ударится головой о «каминную стойку», и ему придет конец, как Феде.

Феде проломили голову в его съемной квартире, и менты решили, что проломил он, Арсений Троепольский, который оказался на месте происшествия первым, — больше свалить не на кого, больше там никого и не было.

Троепольский работал с Федей всю жизнь. Он не помнил уже, когда работал один. О том времени ничего не осталось — ни воспоминаний, ни побед, ни потерь.

Насмешница Варвара Лаптева называла их с Федей

«Тарзан и Чита». Тарзан — начальник. Чита — заместитель. Идеальная пара. Тройка, если прибавить Сизова, последнего из могикан.

Кто, черт возьми, посмел убить Федю?! Кто?! Зачем?!

В голове вдруг зашумело так сильно, что пришлось опереться о мокрый горячий кафель и даже приложиться щекой к распластанной ладони. Жестяные струи лупили затылок, обжигали кожу под волосами.

Невыносимо воняло тюрьмой.

Держась за стену, Арсений выбрался из душа, вытерся, морщась от отвращения, и напоследок немного полил себя туалетной водой из прохладного и гладкого флакона. Вода называлась «Картье» — серебристые тонкие элегантные буквы по кругу. Он посмотрел на флакон и сунул его в шкафчик. Шкафчик полыхнул ему в лицо отраженным светом, и пришлось зажмуриться, и хорошо, потому что смотреть на себя в зеркало он не мог.

От «Картье» тоже несло тюрьмой.

И в квартире был стойкий запах кутузки, должно быть, из-за одежды, кучей сваленной перед входной дверью. Он вошел в свой дом и первым делом сбросил с себя все, в чем был, включая очки. Теперь, покосившись на зловонную кучу, он трусливо перебежал в спальню, выхватил из гардероба чистые джинсы, напялил их прямо на голое тело и некоторое время думал.

Только один вопрос его занимал — кто? И, пожалуй, еще один — зачем? И он ничего не испытывал, кроме горячего и острого, как давешние водяные струи, бешенства. Еще брезгливость, пожалуй, к самому себе, к своему отвращению и страху.

И все. Больше ничего.

Он сунул ноги в летние кроссовки, валявшиеся на полу под одеждой, дернул створку шкафа, закрывая полки и вешалки, и решительно вышел в холл.

Ему нужна трезвая и холодная голова — собственно, только такая у него и имелась в наличии! — но куча барахла на полу не давала ему покоя.

Запах кутузки приблизился, вполз в голову, занял там много места, освободившегося за три дня бездействия и бешенства, — пожалуй, теперь он точно знает, что именно испытывает дикий зверь, ни за что ни про что посаженный в клетку. Три шага вдоль, два шага поперек, стена, решетка, вонь.

Очки валялись сверху, он подцепил их и кинул в кресло, надевать не стал, а одежду сгреб в кучу — ботинок вывалился, и Арсений осторожно присел, чтобы поднять его. Той рукой, в которой был зажат ботинок, он открыл замок, ногой толкнул тяжелую дверь и вышел на лестничную площадку.

Площадка была чистой и просторной, напротив всего одна квартира, и он даже толком не знал, кто в ней живет. Хорошо бы никто не жил, ничего не видел, ни о чем не спрашивал!..

— Что ты делаешь?!

Голос грянул из пустоты, и он остановился посреди лестничного пролета. Куча барахла мешала ему, кроме того, он был без очков.

— Господи, Арсений, что ты делаешь?!

Ну, конечно. Картина Репина «Не ждали».

— Помоги мне.

Она секунду помедлила, потом подбежала, процокали ее каблучки, и сняла немного барахла сверху кучи. Сняла и оказалась с ним нос к носу.

— Что это такое? Куда ты это тащишь?!

— На весеннюю распродажу, — ответил он любезно. — Иди за мной.

Она послушно потащилась за ним. Она почему-то всегда его слушалась.

Троепольский дошел до первого этажа, до каморки консьержки, и свалил одежду на пол.

Консьержка вытаращила глаза.

— Что это вы, Арсений Михайлович? Никак переезжаете?

— Не дождетесь, — под нос себе пробормотал Арсений Михайлович. Полина расслышала, а консьержка нет.

— Эдита Карловна, это мои... старые вещи. Вы посмотрите, если вам что-то нужно для кого-нибудь, возьмите, а если нет, выбросьте. — И добавил: — Пожалуйста.

Он рос в хорошей семье и вырос вежливым мальчиком.

— Давай. Кидай. — Это уже к Полине.

Она опять секунду помедлила и не кинула.

— А ты карманы в этих... старых вещах проверил?

Про карманы он даже не вспомнил. Эдита Карловна смотрела на них, разинув рот, полный золотых и серебряных зубов. Переводила взгляд с них на барахло и обратно.

Полина стремительно присела — Гуччи в элегантном полосатом пальто завозился и занервничал у нее под мышкой — и стала решительно копаться в одежде Арсения, отыскивая карманы.

Консьержка неожиданно взвизгнула и подскочила так, что чайная ложка звякнула о подстаканник.

— Господи Иисусе, это что у вас?

— Где? А, это моя собака.

— А чего это она такая? Лишайная, что ли?

— Это такая редкая порода. Специальная.

— Без шерсти, что ли?

В одном кармане был бумажник, в другом ключи от машины. Полина достала бумажник и сунула Троепольскому. Он взял, и она продолжила шарить.

Ручка. Сложенный вчетверо листок бумаги. Десять копеек. Кажется, все.

— А телефон? Паспорт?

— Дома.

— Точно?

— Страсть какая-то, а не собака. И чего только не придумают, а? Собака на то и собака, чтобы в шерсти быть, хозяев охранять. А это? Разве ж это собака?

— Такая порода.

— Точно, не лишайная она?

Прямо у Полины перед носом были гранитные плиты пола и его ноги без носков, всунутые в старые кроссовки. Она отвела глаза и поднялась, сразу оказавшись одного с ним роста.

— Арсений Михайлович, так чего мне делать-то?

— Что хотите. Если вам ничего не нужно, выбросьте.

— Выбросьте, — пробормотала консьержка с презрением к богатым недоумкам, вроде Троепольского, которые время от времени начинают «чудить», — как бы не так! Такие вещи, да выбрасывать!..

— Пошли. Извините нас, Эдита Карловна. — За руку он потащил Полину к лестнице, и примерно на середине пути она выдернула руку.

— Ты что? С ума сошел?

— А что такое?

— Да ничего такого! Зачем ты все... выбросил?

Арсений Троепольский не мог сказать Полине Светловой, что выбросил все потому, что в его доме от этих вещей невыносимо воняло тюрьмой, и, как выяснилось совсем недавно, он просто не в состоянии жить в этом запахе.

И он сказал:

— Какое тебе дело?

Собака Гуччи из-под ее локтя посмотрела на него укоризненно. Гуччи не понравился его тон.

— Да мне никакого дела до этого нет, но тебя три дня продержали в кутузке.

— И что? У меня теперь подмоченная репутация? Эдита Карловна не сможет подарить мои штаны своему сыну по идейным соображениям?

— А то, что приедут менты, и она им скажет, что от одежды, в которой ты был у Феди, ты моментально избавился. И что тогда?

Она была права, и от ее правоты он раздражался все сильнее.

— И что?

— Ничего. У тебя будут неприятности.

— У меня и так их полно. Заходи.

Он пропустил Полину в квартиру, захлопнул дверь, обошел ее и исчез. Гуччи затряс ушами и посмотрел на Полину с вопросительной укоризной. «Он просто хам и совсем не джентльмен, — вот что выражали выпученные Гуччины глазки. — Зря ты с ним связалась».

— Да я и не связывалась, — прошептала Полина и ссадила собаку на пол.

— Что? — Троепольский стоял в дверях, вид у него был крайне раздраженный.

— Тебя давно отпустили?

— Два часа назад.

— Почему ты никому не позвонил?

— Кому, например?

— Сизову. Или... мне.

— Почему я должен вам звонить?

— Ты не должен, — тихо ответила она, — но мог бы.

— Ну хочешь, — предложил он, — я тебе позвоню. Прямо сейчас.

Она ехала и мечтала утешать его, если он окажется дома. Адвокат, с которым она разговаривала накануне, уверял, что в ближайшее время Арсения непременно выпустят, ибо держать его дальше «под стражей нет никаких законных оснований», и она поехала на свой страх и риск, изо всех сил надеясь, что его уже выпустили.

Арсения выпустили, но о том, что его нельзя утешать — никому не позволено, — она забыла. Его никогда нельзя было утешать, он не давался.

— Ты на машине?

Полина посмотрела на него — бледный, смуглый, заросший, очень раздраженный.

— Конечно.

— Я сейчас оденусь, и ты меня отвезешь на работу. Кстати, тебе тоже неплохо бы на работу сходить.

— Мне нужно с тобой поговорить.

— О чем, черт возьми?!

— О Феде.

Тут он внезапно повернулся и ушел, а Гуччи, семеня тонкими лапами, подбежал и прижался к Полине, как актриса мелодраматического жанра. Полина подхватила песика и отправилась разыскивать шефа в недрах его собственного жилья.

В отличие от Феди Троепольский вовсе не считал, что должен опроститься и снизить потребности не просто до нуля, а прямо-таки до абсолютного нуля. У него была просторная и в меру уютная квартира, очень мужская и приспособленная только для одного человека. Полина всегда чувствовала себя в ней не то чтобы странно, а как-то... не на месте, что ли. Лишней как будто. Впрочем, она и была здесь лишней.

Троепольский в спальне ожесточенно рылся в шкафу и на Полину даже не взглянул. Она постояла-постояла в дверях, вошла и села на плетеную корзину, которая помещалась в ногах императорской кровати. Гуччи трясся у нее на руках, лохматые уши дрожали.

Троепольский мельком глянул на них и продолжал рыться.

— Зачем ты его сюда приволокла?

— Он все время со мной. Он один не может.

— Здорово, — оценил он.

— Что ты ищешь?

— Очки, черт возьми!

— В кресле лежат какие-то очки.

— Они мне не подходят.

Не мог же он сказать ей, что это те самые, в которых он был в кутузке, и теперь вряд ли он сможет когда-нибудь их носить! Надо было выбросить их вместе со всем остальным барахлом, а он пожалел.

Полина смотрела ему в спину — длинная мужская спина с цепочкой позвонков.

— Арсений, поговори со мной, пожалуйста.

— Я говорю.

— Что случилось? Ты понимаешь, *что* случилось?

Он наконец нашел очки, нацепил их и посмотрел на нее — так, что она непроизвольно подвинулась на плетеной корзине. Гуччи тоненько заскулил.

— Я понимаю, что случилось. Федьку убили.

— Зачем?! За что?!

— Вот этого, — сказал он любезно, — я как раз не понимаю.

— У него что-то украли?

— У него нечего красть. Компьютер на месте, а больше у него ничего нет.

— Ты... посмотрел?

— Нет. Я не смотрел. Но красть у него нечего.

— А с компьютером?.. Все в порядке?

Он дернул вторую полированную дверь, откры-лись полки от пола почти до потолка, и опять стал ожесточенно копаться. Очки взблескивали на носу.

— Полька, о чем ты меня спрашиваешь?

— О Федином компьютере.

Он перестал рыться, но не обернулся.

— Ты спрашиваешь, не влез ли я в Федькин компьютер сразу после того, как нашел его с проломленной башкой?..

Именно об этом она его и спрашивала, потому что это был очень важный вопрос. Самый важный вопрос. Полина знала это, а Троепольский не знал.

— Я не копался. Ты что? Идиотка? Я приехал к нему за печатью, открыл дверь и... и... — Теперь он смотрел на нее, не мигая, и от неловкости она еще подвинулась назад и нервным движением закинула за плечо прядь черных волос. И перехватила свою придурочную собаку, которая возилась у нее под мышкой.

— Если бы я не парился в пробке, если бы не ошибся подъездом, если бы лифт быстрее приехал, он был бы жив! Жив! А ты, твою мать, говоришь — «компьютер»! За каким хреном мне сдался его компьютер, когда я не успел! А мог успеть!..

— Ты ни в чем не виноват, — быстро сказала она, — жизнь не знает сослагательных наклонений.

Про эту жизнь, которая «не знает сослагательных наклонений», он был наслышан. Только что по всем телевизионным каналам отгремели поминки по тирану, почившему полвека назад, и во всех репортажах, зарисовках и «документальных детективах» то и дело употреблялось это самое «сослагательное наклонение», — а вот если бы телефон позвонил, охранник зашел, да еще почту привезли, может, он еще и очухался бы, тиран-то!..

Неизвестно почему вспомнив про телевизионные поминки, Троепольский пришел в бешенство.

Если бы не вспомнил, не пришел бы, но жизнь не знает сослагательных наклонений.

Лицо у него изменилось.

— Ты что? — испуганно спросила Полина. Гуччи заскулил еще тревожней и затрясся еще сильнее. Элегантное полосатое пальтецо его пошло складками.

— Ничего! Федьку прикончила какая-то сволочь, а ты — компьютер! Да при чем тут компьютер! Ему полголовы снесли до... до костей, до мозгов, ты понимаешь это или нет?! Дура! И они решили, что это сделал я, понимаешь?! Я! Что это я подошел к нему сзади, когда он за компьютером сидел, что я с собой топор принес или что там, что я... Федьку!

Он сорвал очки и швырнул их в сторону кровати. Полине показалось, что еще секунда, и он ее ударит, или начнет биться головой о стену, или заплачет — потому что глаза у него стали дикие, она никогда не видела у него таких глаз.

Лучше бы ударил.

— У него в двери даже замок... дерьмо, а не замок! Он же ни о чем никогда не думал! И какая-то сволочь его по голове... когда он не видел! Он спиной сидел! А они решили, что это я!..

Полина спихнула Гуччи на императорское покрывало — от ужаса уши у песика сложились, как крылья, — проворно поднялась и обняла Троепольского вместе с его слезами, гордостью, горем и желанием немедленно перегрызть горло хоть кому-нибудь, ей, к примеру.

Он выворачивался. Ругался. Он стискивал зубы и обзывал ее, и прятал лицо, и злобно и коротко дышал, но она пересилила его.

Он перестал вырываться, обнял ее за шею — он всегда так обнимал ее, как маленький, — и некоторое время они постояли молча. Ладони, державшие ее шею под волосами, были влажными и жесткими.

— Я найду того, кто его... ударил.

— Конечно.

— Я найду и убью его.

— Найдешь и убьешь.

— Сам. Потому что менты все равно никого и ничего не найдут!

Полина тоже была абсолютно убеждена, что никого и ничего не найти, именно поэтому ей так важно знать, трогал ли Троепольский Федин компьютер!

— Я не понимаю, зачем? — вдруг с силой произнес он. — За что, я не понимаю?! Федька! Он безобидный, как... дождевой червяк, черт возьми! Он вообще никогда ни во что не вмешивался, он за дверь всегда выходил, когда я... на Марата орал или на Сашку!..

— Тише.

Даже сейчас, в горе, и неизвестности, и потрясении, ей трудно было обнимать его... просто так. Слишком давно и слишком всерьез он был «мужчиной ее жизни», чтобы она могла взять и «выключить» все свои мысли о нем, все тяжкие думы о том, что все могло быть совсем по-другому, только захоти он, чтобы так было. Его вирус, когда-то отравивший ей кровь, никуда не исчез, она-то это точно знала!

Лучше б ей не знать.

Она знала, как он спит, как целуется, какие у него зубы и волосы на груди. Она знала, как он ест, — все равно что, лишь бы быстро и запивать молоком. Почему-то он все запивал молоком, даже водку, это было очень смешно, и очень по-детски, и нравилось ей, потому что ей все в нем нравилось! Она знала, каково это — заснуть и проснуться рядом с ним, в его запахе, тепле, в его мыслях, — они все были о работе и только одна — о ней, Полине. Но ей и одной было достаточно, правда!

Как-то сразу, в самом разгаре их романа, он понял, что на этот раз все гораздо серьезней, чем обычно, а дальше станет еще серьезней, и осторожно и нежно свел все на нет, как будто создал оптический обман — вроде ничего не меняется, и каждый новый день повторяет предыдущий, а когда она очнулась, он был уже далеко. Не вернуть.

Впрочем, его нельзя было вернуть, если он сам не хотел возвращаться, а он не возвращался никогда. Только вперед! Всегда.

— Ты что? — Кажется, он вдруг уловил ее напряжение, потому что отодвинулся и глянул ей в лицо.

Полина улыбнулась принужденной фальшивой улыбкой, взяла его за запястья и осторожно развела руки.

Он посмотрел на нее серьезно, моментально догадавшись, в чем дело. Он всегда и обо всем сразу догадывался — по крайней мере, о том, что касалось Полины.

— Брось ты, — сказал он негромко.

— Нет.

— Что — нет?

Все нет. Нет. Один раз она уже это проходила. С нее хватит.

Слишком близко он опять оказался и слишком... не вовремя. Никогда и ничего между ними не было возможно, а сейчас стало невозможно вдвойне — из-за того, что она знала, а он не знал.

Из-за Фединого компьютера. Из-за врага, неизвестного и оттого еще более опасного.

Троепольский вдруг обо всем позабыл — о раскуроченной Фединой голове, о собственном малодушии, о сослагательном наклонении, поминках тирана, о страхе и бессилии, которого он никогда не испытывал раньше. И о запахе тюрьмы позабыл, и о том, что должен спешить.

Очень давно он был с ней наедине. Тысячу лет назад, а может, десять. «Чашка кофе в середине рабочего дня» не в счет, а именно это он практиковал в последнее время.

Кажется, зима была или вот как сейчас — зыбкая грань, безвременье, смутное перетекание из одного в другое, ни в том, ни в другом нет ничего хорошего. Арсений тогда уже принял решение, только она еще ничего не знала. Он занимался с ней любовью, словно прощался, а ей померещилось, что наконец-то он понял что-то такое, чего не понимал никогда, — поэтому все так ярко, и остро, и необыкновенно. Вдруг ему показалось страшно важным вспомнить то, что он уже позабыл, — какая она с ним, как она дышит, двигается, молчит, стискивает зубы и таращится на него. Почему-то она никогда не закрывала глаз, все время смотрела на него.

Зачем вспоминать, когда так хорошо, так безболезненно все забылось?

Нет, не забылось, а словно окаменело и покрылось льдом. Эта самая глыба льда, внутри которой была их кратковременная сумасшедшая страсть друг к другу, словно торчала прямо посреди его сознания, и он все время натыкался на нее, обходил, перескакивал, старательно соблюдая правила, — не приближаться слишком, не рассматривать, не вспоминать.

Опасность он чувствовал, как волк.

Опасность, неотвратимость, неизбежность — приговор отложили на неопределенный срок, и точной даты приведения в исполнение он не знает.

Он понимал, что рано или поздно нужно будет избавляться от глыбы, потому что она постоянно угрожала ему, и знал, что вместе с ней придется выворотить изрядный кусок собственной души. До появления в его жизни Полины Светловой он вообще не подозревал, что эта самая душа у него есть.

А теперь она страшно ему мешала.

Все его инстинкты вопили, что сейчас самое время сделать шаг назад, перевести дыхание, осмотреться, обрести независимость и равновесие, насколько вообще возможно обрести равновесие после того форштеля, что выкинул с ним Федя! Он злился на Федю потому, что тот так непоправимо и глупо взял и оставил его одного — не должен был.

Все инстинкты вопили, и только один, самый распоследний, запасной, шептал вкрадчиво — ничего, ничего, не спеши. Она твоя, и ты всегда знал, что твоя. Она была и осталась твоей — с той самой минуты, как пришла к тебе в контору на собеседование, несколько лет назад.

Тогда все было не то — жизнь не та, и контора не та, и столы, и стулья, и двери, только она была такой же, как сейчас, — очень высокой, с очень черными волосами и непонятными глазами. Они просто покоя ему не давали, эти глаза, может, потому, что за очками их было не рассмотреть, и он только и делал, что пытался заглянуть в них — все пятнадцать минут разговора. Это потом он узнал, как она умна, насмешлива, как неуверенно заправляет за ухо волосы, когда волнуется, как постукивает карандашом по зубам, когда думает, как помешивает кофе в большой голубой кружке со сложной двойной ручкой, когда выслушивает его руководящие указания. Троепольский сам придумал для конторы эти кружки и ручки и очень ими гордился.

С тех пор прошло десять тысяч лет.

— Ты... собирайся, — из глубины этих тысяч лет сказала она почти ему в ухо. — Нам ехать надо. И машину я поставила... кое-как.

— Да, — согласился он. Уху было тепло от ее дыхания.

— В этом вашем Центре машину поставить целая проблема!

— Да, — опять согласился он.

Она зачем-то оглянулась на свое ушастое чудовище, которое тряслось посреди кровати. Волосы, мазнувшие его нос, пахли духами, свежими и легкими, как она сама.

Он потер нос и поморщился. Она мешала ему, раздражала его, особенно когда была так близко.

— Ты бы... оделся, — настойчиво повторила она,

и от этой ее настойчивости, означавшей, что она все понимает и дает ему шанс отступить достойно и красиво, он разозлился.

Не нужно ему никакого понимания и такта. Он сам может проявить сколько угодно понимания и такта! Зачем она приехала, черт бы ее побрал? Жалеть и раздражать его?!

От раздражения, воспоминаний, от того, что чужие равнодушные люди посмели думать, будто он, Арсений Троепольский, виновен в смерти своего заместителя, от запаха тюрьмы, который изнутри грыз его, ему показалось, что во всем виновата она.

Ну, конечно, она. Не он же, в самом-то деле!

Чтобы наказать ее — и себя! — за то, что она вечно лезет не в свое дело, за то, что смущает его, и он послушно смущается, Арсений решительно взял ее за подбородок и поцеловал. От злости, а не от нежности.

Подбородок был хрупкий и узкий, и совсем рядом — беззащитное и открытое детское горло, в котором что-то пискнуло, когда он приналег посильнее.

Ему требовалось выместить раздражение, и ни о чем другом он не думал, когда начинал, но он все забыл, оказывается. Все-таки забыл, несмотря на глыбу, торчавшую в сознании.

Он забыл, что с ней у него никогда не получалось так, как со всеми. Не получалось, и все тут. Всем на свете он всегда управлял сам — эмоциями, своими и чужими, выбором времени и места, любовным пылом, когда таковой время от времени настигал его.

Нет, не так. Пыл его настигал, только когда *он сам разрешал* себя настичь. Никто не мог им манипулировать, и позиция у него была совершенно неуязвимая, как у мальтийского рыцаря, защищающего родной остров.

Если хотите, вы можете меня получить, но только на тех условиях, которые ставлю я сам. Не раньше и не позже, не больше и не меньше, и за последствия я не отвечаю, потому что мне наплевать. И всегда было наплевать, и всегда будет. Если вам это не подходит — я никого и ни к чему не принуждаю. Путь свободен, дверь открыта — «этот ливень переждать с тобой, гетера, я согласен, но давай-ка без торговли», или как-то в этом духе.

А с ней — нет, не получалось. В *этой* игре их всегда было двое, от начала до конца. Он как будто каждый раз попадался, а инстинкты вопили — берегись, берегись!.. И только тот самый, запасной, шептал вкрадчиво — попробуй.

Ты только попробуй, и сразу все поймешь. То, что там, «с гетерами», не имеет никакого отношения ни к чему, правда. Ты попробуй вот это, когда ты ничего не контролируешь, когда зависишь от нее, боишься ее и побеждаешь ее. Ты только попробуй, и больше тебе не захочется ничего другого, потому что с самого начала всей пикантной затеи с появлением рода человеческого предполагалось, что в этом деле должны участвовать двое, именно двое, а не один, пусть даже такой сильный, как ты!

Губы раскрылись, дыхание стало глубоким и горячим, и руки обожгли его кожу.

Он не был к этому готов. Он все забыл.

В голове ничего не осталось — это происходило с

ним всегда, когда она трогала его. Сердце остановилось. Мысли остановились. Потом сердце ударило, как электрическим разрядом, и оно рванулось аллюром, или галопом, или вскачь, или еще быстрее. А мысли так и не догнали его, остались позади, в оцепенении и безмолвии.

Волосы ее были черными, как у цыганки из песни, что день и ночь неслась теперь из всех машин и пивных палаток, черт знает, он забыл, как ее звали, ту цыганку. Очки с этой он снял — очень медленно, потому что ему страшно нравилось снимать с нее очки. Что-то необыкновенно сексуальное было в этом, запредельное, странное. Он снял и, пошарив рукой, пристроил их позади себя, и взял ее за шею, и придвинул к себе близко-близко, и стал рассматривать ее глаза, и белую кожу, и висок с длинной прядью. И она медленно покраснела — она всегда краснела, когда он ее рассматривал, и это он тоже забыл.

— Обними меня, — приказал он. Именно приказал, а не попросил, потому что он всегда ей приказывал, а она слушалась — или делала вид, что слушается? Впрочем, сейчас ему некогда было вникать в такие тонкости. Она посмотрела на него со странным, будто укоризненным, изумлением. Он не обратил на это внимания. Заставил себя не обратить.

— Обними меня.

— Мы должны... ехать.

— Сейчас поедем. Обними меня.

— Там... все тебя заждались.

— Где?

— На работе.

— Подождут.

— Мы... правда должны ехать.

— Я знаю. Обними меня.

— Я... не могу.

— Почему?..

Он почти не отрывал губ от прохладной, бархатной, твердой щеки, которая словно отодвигалась, когда он прижимался к ней, и его это злило. И еще она так ни разу и не посмотрела ему в глаза, а ему неожиданно этого захотелось.

— Посмотри на меня.

Она взглянула и отвернулась.

— Что?..

— Арсений, нам... правда, надо в контору.

— Пока еще там начальник я. Когда захочу, тогда и приеду.

— Не... надо. Нам нельзя.

— Что ты заладила! — крикнул он. — «Нельзя, нельзя!..» Ты что, мусульманская жена, что тебе ничего нельзя?!

— Я не могу! — тоже крикнула она и даже топнула ногой.

— Зато я могу.

Он сжал руками ее голову и поцеловал по-настоящему, как не целовал уже тысячу лет. Или десять тысяч. И почувствовал движение нежного горла, и еще как она переступила ногами, чтобы прижаться к нему. Раскрытой ладонью она провела по его руке, от запястья до плеча, потом по шее, опять по плечам, а потом длинные пальцы оказались у него на груди. Он посмотрел на них.

В детстве ее учили музыке, он знал.

— Полька.

— М-м?..

— Ты...

— Что?..

— Ты меня... боишься?

Конечно, она его боялась, еще бы! Она нервничала в его присутствии, даже когда они были так называемыми любовниками и регулярно спали в одной постели.

Кроме того — и это всегда было понятно, — для него она оставалась просто еще одним эпизодом его бурной мужской биографии. А он для нее — «мужчиной жизни». Эта разница в их положении всегда заставляла ее нервничать.

— Я не хочу, чтобы ты меня боялась.

— Я постараюсь.

— Черт возьми, можно подумать, что мы в первый раз!..

Она посмотрела на него, и он моментально прикусил язык. Вовсе она не была пай-девочкой, Белоснежкой, Золушкой, послушной, нежной и благовоспитанной. С ней надо держать ухо востро — ошибок она не прощала. Он был уверен, что и в постели она его оценивает, и до смерти боялся на чем-нибудь проколоться. Об этом он тоже позабыл, а вот теперь вспомнил и перепугался. Да еще ее невозможная собака таращилась на них с покрывала — уши в разные стороны, в выкаченных карих глазах скорбь и отчаяние.

Троепольский, изо всех сил стараясь быть на высоте, стянул с Полины тонкий свитерок, прицелился и поцеловал ее в изгиб длинной шеи, а потом пониже, над самой грудью, и, решив, что все сделано уже достаточно правильно, потянул ее на диван. Ждать ему было некогда.

И дернул его черт в эту самую секунду посмотреть на нее!

Да не черт. Тот самый запасной инстинкт все шептал — посмотри да посмотри. Он посмотрел.

У нее было насмешливое лицо — вот-вот расхохочется, даже губы сложились эдаким бантиком, и подбородок выпятился.

— Ты что?!

Она помолчала секунду, а потом ответила жалобно:

— Ты очень смешной, — и все-таки засмеялась осторожно.

— Почему смешной?!

— Не знаю. Ужасно смешной. И что тебе в голову взбрело ни с того ни с сего, что мы должны прямо сейчас?..

Ничего они не были «должны», наоборот, они как раз были «не должны», но она засмеялась, черт ее побери!

Женщины никогда не смеялись над ним. Особенно в постели.

Он резко притянул ее к себе, так что локтем она стукнула ему в грудь, и заставил перестать смеяться, и разметал в стороны все ее связные мысли, и принудил смотреть себе прямо в глаза, и захватил ее в плен, и поработил ее волю, и подчинил себе ее разум. Он умел это делать.

Очень быстро он пошвырял на пол ее одежду, и его джинсы тоже куда-то делись, и они оказались вдвоем на императорской кровати. Китайская хохлатая собака Гуччи тявкнула то ли вопросительно, то ли жалобно.

Он все забыл. Он забыл, каково это — попробовать на вкус ее ключицы, или лодыжки, или сгиб локтя, или местечко на шее, под самыми волосами, и теперь вспоминал все, и оказалось, что ничего лучшего с ним не было последнюю тысячу лет. Или десять тысяч, он точно не помнил.

Почему-то в ту же секунду, когда они упали на императорскую кровать и собака Гуччи подалась от них в сторону, перестало иметь значение то, что они «не должны» и нужно спешить на работу, забылись запах тюрьмы и Федина смерть, и еще то, что никто не смел над ним смеяться, а она засмеялась, и теперь он «должен» вылезти из кожи вон, чтобы доказать ей... чтобы показать ей... чтобы заставить ее... чтобы... чтобы...

Она глубоко и коротко дышала и таращилась на него, и от ее взгляда в голове у него будто что-то взрывалось, и осколки осыпались со стеклянным шорохом. Сквозь этот шорох в ушах он слышал, как ревет кровь, и не понимал, чья это, его, или ее, или их общая — может, у них общее кровообращение?..

Все его инстинкты, основные и запасные, заткнулись и трусливо порскнули по углам, оставив его наедине с *этим*. *Оно* настигало его, и он уже понимал, что немного ему осталось, долго он не протянет, а почему-то казалось, что надо долго, чтобы она в другой раз не смела... или не могла... или не решилась... или... или...

Стало темно. Наверное, кончился день. Наверное, началась ночь. Или это что-то другое кончилось и началось?..

Вдвоем. И только вперед.

Однажды он видел волну — в Австралии, кажется, а может, в Малайзии. Океан был лохматый и страшный, взъерошенный трехдневным шквальным ветром. Пальмы стонали и почти ложились на песок, и ничего живого не было на берегу на многие десятки миль вокруг. Волна пришла издалека. Где-то там серое тяжелое мрачное небо навалилось на океан, взметнуло волну. Она шла, неотвратимая, огромная, стремительная, и было понятно, что, когда она рухнет на берег, настанет конец всему. Наверное, именно так выглядел Вселенский потоп, который видел перепуганный Ной в узкой щели своего ковчега.

Ничего нельзя изменить. Ничего нельзя отвратить. Ничего нельзя поправить, потому что поздно, поздно, потому что вот она, уже близко, и это вовсе не миллион тонн воды, а конец мира.

Он оглядывался на волну, ждал ее и боялся. И знал, что женщина, которая рядом, тоже ждет и боится. И все это было так же не похоже на обычные удовольствия, которые он практиковал, как вечерний прибой в городе Анапа на ту самую волну!..

Он смотрел ей в лицо и, кажется, понимал, что это катастрофа, катастрофа!.. И кто-то управлял им, потому что сам собой управлять он никак не мог и был весь мокрый, и от стиснутых зубов ломило в висках и в затылке, и он знал, что больше не может, не может, совсем не может, и тут волна рухнула на пустынный берег, залитый пеной яростного дождя, где на сотню миль вокруг не было ничего живого! Волна ударила его, потащила за собой, захлебывающегося, раздавленного, бездыханного, потому что внутри ее никак нельзя было дышать, и легкие словно выгорали изнутри, и, кажется, в эту секунду он увидел что-то такое, чего никогда не видел раньше, и понял, что катастрофа — это совсем не страшно, и очень просто, и в ней, правда, есть что-то другое, чего не видно со стороны. И ему почудилось, что он видит это, и знает, и понимает — и тогда волна отшвырнула его, и он остался на берегу, залитом яростным отвесным дождем.

Совершенно один, на многие десятки миль вокруг.

Катастрофа.

Он очнулся, потому что рядом с ним происходило что-то странное, чего не должно было происходить. Он открыл глаза и посмотрел.

Потолок — белый. По краям лепнина. Бригада строителей делала ремонт и намеревалась положить полированные доски как раз по этой самой лепнине. Троепольскому было все равно, доски так доски. Приехала его мать и дала бригадиру по шее, это она умела. «Вы что, уважаемый? — спросила сердито. — Или вы тупой? Этим потолкам двести лет, а вы хотите безобразий сверху наколотить!» Бригадир раскаялся и «безобразий» не «наколотил».

Троепольский так и эдак изучил лепнину. Голова болела, как с похмелья, и по телу словно проехался паровой каток. Глазам в орбитах тоже было неудобно, песок, что ли, насыпался?..

Опять шевеление где-то рядом. Что за черт?!

Он стремительно приподнялся, охнул, потому что чернота вдруг залила мозг, сел и помотал головой.

В ней с шелестом осыпалась чернота, и он все понял.

Волна. Мировая катастрофа.

Придерживая голову рукой, он посмотрел вокруг и обнаружил Полину Светлову, сотрудницу и бывшую любовницу, только что опять ставшую настоящей. Она лежала на животе, на краю императорской кровати, довольно далеко от него. Никаких признаков жизни не подавала.

Неужели умерла?..

— Полька?..

Писк, похожий на мышиный, шевеление, он в панике отдернул руку, которой коснулось что-то мокрое и живое. Ему показалось — змея.

Конечно, это была никакая не змея, а голая хохлатая собака Гуччи, которая в истерическом припадке тряслась рядом с его ладонью, поскуливала, подергивалась и тыкалась в него то боком, то носом, косила карим глазом, встряхивала ушами «с начесом».

— Полька, тут... твоя собака.

— М-м...

Так как она даже не шевельнулась, Троепольский подхватил Гуччи под голый розовый живот и, морщась от отвращения, ссадил на пол. Тот посмотрел на него с печальной укоризной и затрясся с утроенной силой. Троепольский отвернулся.

— Полька.

Она шевельнулась и осталась лежать. Арсений сверху задумчиво посмотрел на нее.

Он очень быстро остывал и знал это за собой. Он уже думал «про другое», и теперь это «другое» не давало ему покоя. Не то чтобы он раскаивался в содеянном, но ему очень хотелось, чтобы этого «содеянного» уже как бы и не было. Может быть, именно потому, что этот раз оказался каким-то особенно... впечатляющим.

— Полька, ты слышишь меня?

— Нет.

Он изумился.

— Нет?

— Нет.

Он перекатился на ее сторону и положил руку ей на спину. Спина была очень горячей, как будто температура поднялась. Она изогнулась — волосы перетекли по спине, — сняла его руку и сунула себе под щеку.

Троепольский замер.

Нежностей он не любил, считал, что они «расслабляют», а расслабляться ему было решительно некогда.

Федьку убили. Его самого три дня продержали в КПЗ. Он давно должен быть на работе. Он должен найти убийцу и вернуть разум сотрудникам, которые наверняка там без него совсем пропали, и работа пропала, и... Все, больше «падать в любовь» он не мог.

— Полька, нам надо... На́до вставать и ехать.

Она повернулась, не отпуская его руки, и он моментально отвел глаза.

— И собака твоя, наверное...

— Наверное, — согласилась Полина Светлова.

— Надо ехать.

— Понятно.

— Да ничего тебе не понятно!

Она разжала свои па́льцы, державшие его ладонь, словно отпустила на волю.

— Тебе хочется сделать вид, что ничего не было? Черт бы ее взял!

— Полька, мне некогда делать вид. Мне надо ехать и разгребать завалы.

— Разгребание завалов — очень благородное дело, — заключила Полина Светлова, подтянула длинные ноги, села и двумя руками откинула за плечи волосы. Троепольский опять отвел глаза. Волна, выбросившая его на пустынный берег, все еще не откатилась назад, и океан продолжал бушевать за спиной, и в висках ломило, оттого что он изо всех сил стискивал зубы, когда его швыряло внутри волны, и... и...

Зря он все это затеял. Не надо было. Недаром инстинкты вопили.

Неизвестно зачем он поцеловал ее в веко независимым и неловким поцелуем, имевшим условное название «спасибо тебе за чудный секс», слез с императорской кровати, суетливо подобрал с пола свои джинсы и резво потрусил в сторону ванной. Полина Светлова смотрела ему вслед, прищурившись. Собака Гуччи, в свою очередь, смотрела на Полину, выпучив глаза.

— Понял? — спросила Полина у Гуччи. — Вот такой он весь. Зачем мне его любить? Получается, незачем.

Гуччи потряс ушами в знак того, что совершенно незачем.

— Я его давно разлюбила. И вообще не любила.

— Полька, что ты там бормочешь?!

Она вздохнула. Разгромленная кровать приводила ее в смущение. Она встала и скинула на пол подушки и одеяло, чтобы разгром был более полный и менее красноречивый.

— Полька?!

— Варвара родила, — громко сказал она. — Иван Александрович звонил.

— Да ну?!

— Ну да.

— Кого?!

Полина нацепила трусики и лифчик и натянула свитер.

— Мальчика, конечно. Четыре килограмма, пятьдесят четыре сантиметра. Большой такой мальчик.

— Почему «конечно»?

— Что — почему?

— Ты сказала — «конечно, мальчика». Почему «конечно»?

Она раскинула на постели одеяло, от движения воздуха со столика разлетелись какие-то бумаги.

— Ну, это трудно объяснить. У них с Иваном мог родиться только мальчик. По-моему, это очевидно. Девочки бывают у несколько других родителей.

Троепольский показался на пороге, уже полностью одетый — джинсы, черный свитер, очки, — но босиком. Полина отвела глаза.

— Шаманство какое-то, — сказал он, подумав. — Статистика свидетельствует, что...

— Вот у тебя точно будет девочка, — перебила она его, присела и собрала с пола бумаги. — И статистика тут ни при чем.

Он помолчал, а потом переспросил:

— Девочка?.. — и скрылся.

Полина посмотрела на бумаги, которые держала в руках. Все они были с работы. Дома Арсений почти никогда не работал, просто потому, что все делал в конторе.

Договор с Уралмашем, Полина посмотрела, подлинник или копия. Оказалось, подлинник. Зачем он принес сюда договор?..

— Троепольский!

— Что?.. Собирайся, сколько тебя ждать?

— Откуда у тебя дома договор с Уралмашем?

Он пожал плечами в отдалении.

— Шут их не знает. Захватил с собой, наверное.

Полина задумчиво перелистала бумаги. Синяя печать стояла на последней странице — та самая, за которой он поехал к Феде. Что-то мелькнуло у нее перед глазами, когда она листала, что-то черное, чего не должно быть на оригинале договора. Она перехватила плотные белые страницы и снова перелистала.

На обратной стороне третьей страницы черным фломастером было написано: «Смерть врагам».

Лера Грекова собиралась на работу. Работу она ненавидела, поэтому собиралась медленно, долго, уныло, раздражаясь все больше. Иногда она специально выискивала, на что бы обозлиться, и злилась от души, чтобы утро стало уж совсем гадким.

— Лерочка, — закричала мать из комнаты, как раз когда она достаточно обозлилась — все йогурты оказались вишневыми, а ей хотелось черничного, — ты еще дома, девочка моя?

— Да, — сквозь зубы отозвалась дочь так, чтобы мать точно не услышала.

— Лерочка!

Та молчала, глядя в розовую жижицу йогурта.

— Лерочка! Ты ушла?

Лера взялась обеими руками за крышку стола и ответила перехваченным от ненависти голосом:

— Я не ушла, мама.

— Лерочка, во сколько ты вернешься?

— Мама, я еще не ушла! Я не знаю, во сколько вернусь!

— Лерочка! — Мать показалась на пороге в пижаме и пушистых тапочках. Всю жизнь она любила оборочки, рюшечки, бантики, ленточки, пуховки и лебяжьи перышки неизвестного назначения. — Девочка моя, ты же знаешь, какие у нас проблемы!

Лера знала о проблемах. Федю убили. Конец прежней беспечной жизни.

Хуже всего то, что, хоть ей было очень жалко Федю, она чувствовала известное облегчение, как будто у нее вырвали давно болевший зуб, и ей все еще больно, и страшно, что будет, когда отойдет наркоз, и все же — свобода, свобода!..

Это чувство свободы было еще более гадким и скверным оттого, что она своими глазами видела убийцу. И теперь ей остается только повеситься — потому что она видела, потому что все это *из-за нее*, потому что тот человек очень умен, очень опасен, и она, Лера, кажется, готова на все, только бы отвести от него подозрения!..

— Лерочка, ты должна мне помочь, девочка. От бабушки никакого толку.

— Мама, отстань от меня!

— Лерочка, не надо так говорить с мамой!

Мать говорила о себе в третьем лице, когда хотела быть более убедительной.

— Лерочка, я сейчас поеду к бабушке и к тете, а ты должна съездить к Феде на работу и попросить их, чтобы они нам помогли. В конце концов, мы просто слабые женщины, оставшиеся без единственного мужчины!

Лера ненавидела выражение «слабые женщины».

— Господи, — вдруг воскликнула мать и окунула руки в волны фестонов и кружев на груди, — за что, за что нам такие испытания!..

— Ладно, мам, — буркнула Лера. — Прекрати.

— Лерочка! Впереди еще уголовное дело! Потому что мой брат, мой родной брат убит! В это невозможно поверить!

— Мама, замолчи.

— Нам даже не сказали, кто это сделал!

— Мама! — закричала Лера и шваркнула на стол почти полную баночку с йогуртом. Йогурт плюхнул наружу, забрызгал ее водолазку и джинсы. Лера сорвала с крючка полотенце и стала яростно оттирать пятна. Мать смотрела на нее с кротким недоумением — это она умела.

— Никто не знает, кто его убил, мама! Поэтому нам не сказали, черт побери!

Никто не знает. Только она, Лера.

Мать приблизилась, села на краешек стула и отломила кусочек сухого хлебца. Положила в рот и стала жевать, сделав задумчивые глаза.

— Такое несчастье, — прожевав, сказала она. — Жизнь несправедлива.

— Это точно, — буркнула Лера.

Федина смерть все упрощала — во много раз, но мать не должна об этом знать. Лере было жалко своего непутевого дядьку, ночью она даже поплакала потихоньку, чтобы никто не услышал, но подлая мысль, что он ни за что не дал бы ей жить так, как она собиралась, перевешивала все остальные.

Мать попечалилась немного и спросила деловито:

— А наследство? Когда мы сможем его получить?

— Я не знаю.

— Лерочка, это непременно нужно выяснить! Это очень важный вопрос. И налоги! Какие налоги мы должны заплатить? Марья Семеновна говорила, что сейчас с этим делом очень строго.

Марью Семеновну и налоги Лера вынести не смогла — в конце концов, Федя ничего этого не заслужил! Да, он мешал ей, и в последнее время она ненавидела его, остро и бешено, но все равно он не заслужил, черт возьми, таких разговоров, еще даже до похорон!

— Мама! Замолчи сейчас же!

— А что такое я сказала? И завещание! Он ничего не говорил тебе про завещание?

Дочь выскочила из-за стола, посмотрела бешеными глазами, кое-как обулась, и дверь бабахнула, закрываясь.

Мать пожала плечами, хотя никто не мог ее видеть — впрочем, как правило, ей было достаточно одного зрителя, самой себя.

— Вся в отца, — сказала она и пересела так, чтобы видеть себя в полированной дверце кухонного шкафа. — Тот был совершенно, совершенно ненормальный!

Полированная дверца отражала розовую щеку, пижамные оборочки и рюши, растрепанную легкую стрижку. Такая стрижка в салоне стоила сто пятьдесят долларов, а на туфли и стрижки денег она не жалела никогда.

Брат иногда кривлялся, давал меньше, чем нужно, но все-таки давал. Она усмехнулась, потянулась гладким и тоже розовым под пижамой телом и налила себе остывшего кофе из кофеварки.

«Галка, иди работай! — бушевал он в последний раз. — Ты же молодая, диплом у тебя есть! Ну сколько это будет продолжаться?! Я не могу всех содержать до смерти!»

До смерти, подумала сестра, прихлебывая кофе. До смерти. Смерть пришла гораздо раньше, чем предполагал ее брат. Как странно.

«Я не могу работать, — отвечала она ему, чуть не плача, — ты же знаешь, Феденька! Я не переношу чужих людей. Я... я устаю от них. Я не могу с ними. Они на меня... давят!»

«Ничего, совсем не задавят, — отвечал ее непробиваемый братец, — приходи к нам в контору, у нас как раз секретарша рожать пошла! Троепольский орал на всю контору. Давай, Галка! Я тебя возьму».

Но одна мысль о том, что она пойдет на работу — да еще секретаршей, прислугой, девочкой на побегушках! — внушала ей отвращение и ужас. Брата она уже почти ненавидела — как он смеет предлагать ей подобную дикость?! Она окончила университет, она человек «с университетским образованием», и работу ей надо соответствующую — красивую, не требующую усилий, такую, чтобы все могли смотреть на нее и восхищаться ею! Какая еще секретарша!

Брат отвязался от нее, потому что она заплакала, а он не выносил женских слез. Но на этот раз плакать ей пришлось довольно долго. Между затяжными детскими всхлипами ее вдруг поразила ужасная мысль — ибо она всегда рыдала и думала о своем. Неожиданно она поняла, что в следующий раз ее рыдания не помогут. Федя даже не смотрел на нее, таращился в свой компьютер, качал ногой в стоптанной тапке.

Она рыдала, а он качал ногой!

Она унижалась, а он смотрел в компьютер!

Она просила, а он раздумывал, дать денег или не дать — вполне мог и не дать!

А потом ему позвонили, и Галя поняла, что дело плохо — совсем. Просто хуже некуда. Брат говорил две минуты, и моментально вытолкал Галю взашей, и денег дал, даже немножко больше, чем она просила, — все из-за звонка.

Она растерялась. Она не знала, что предпринять.

Она начала было его расспрашивать, но Федор весело и решительно выставил ее за дверь, так и не ответив ни на один ее встревоженный вопрос.

«Ты должен быть осторожен, — умоляюще сказала она на прощание. — Очень, очень осторожен! С такими вещами не шутят, это... опасно!»

«Я и не шучу», — уверил он очень серьезно, и Галя ему поверила. Он не шутил.

Она ушла от него с явственным ощущением неотвратимости надвигающейся катастрофы и сознанием, что нужно что-то срочно предпринять — такое, что образумило бы ее несчастного брата.

Только... что? Что?!

Советоваться с дочерью было бессмысленно — она глупа, хоть и очень хороша собой. Впрочем, может быть, она так хороша собой именно потому, что глупа.

С матерью? Она еще глупее, чем дочь.

И Галя посоветовалась с Толиком.

Толик был ее любовником много лет — верный, славный, проверенный Толик, гораздо более надежный, чем самый преданный муж. Толик подумал и подтвердил, что дело плохо.

А потом... потом...

Галя поднялась со стула, зачем-то передвинула его к окну, потом вернула на место и поставила в раковину кружку. Смотреть на свое отражение ей больше не хотелось, словно она боялась увидеть там нечто такое, что свело бы ее с ума — вполне могло.

На засыпанном крошками кухонном столе валялись какие-то мятые бумажки, вытряхнутые Лерой из сумки. Она была патологической неряхой, ее дочь.

Галя некоторое время раздумывала, что делать, — соблазн оставить все, как есть, был велик. Лерка приедет ночью, есть, пить и скандалить не будет, а завтра утром придет домработница и... что-нибудь придумает. Галя очень любила это выражение.

Федя «что-нибудь придумает», и деньги появятся как по мановению волшебной палочки.

Мама «что-нибудь придумает», и маленькая Лера целую неделю, а то и две, поживет с бабушкой, чтобы Галя могла спокойно отдохнуть.

Домработница тоже «придумает», и белье постирается, суп сварится, посуда помоется.

Чем разгребать этот дурацкий стол в неаппетитных крошках, гораздо лучше... полежать часок в ванне. Правда же лучше?

А если Лерка приедет раньше? Увидит, что мать даже чашку не помыла, разорется, и не остановить ее будет — вся в отца.

Двумя пальцами Галя взяла тряпку с края раковины — тряпка была мокрая и холодная, как жаба, — плюхнула в середину стола и повозила. Крошки посыпались на пол.

Вполне удовлетворенная результатами своего труда, она поволокла тряпку обратно, заехала в кучу бумаг, они разлетелись по всему полу, одна даже под плиту спланировала.

Галя поморщилась, переступила пушистыми тапочками, присела и стала собирать бумажки.

Перед глазами мелькнуло что-то черное, непонятное, и, перевернув мятый листок, она прочла.

«Смерть врагам» — было написано толстым черным фломастером на обратной стороне какой-то официальной бумаги.

Галя прочитала еще раз, шевеля губами, замерла и взялась рукой за сердце.

— Давай здесь направо! — велел Марат и незажженной сигаретой чуть не ткнул Белошееву в глаз. Тот отшатнулся.

— Не лезь ко мне, я сам все знаю!

— Я не лезу. Давай направо, кому говорят!

— Нам прямо.

— Прямо мы сейчас в пробку впендюримся! Да поворачивай ты!

Белошеев поворачивать не стал — если каждый раз поворачивать, когда тебе советуют, пожалуй, так по кругу и станешь кататься!..

— Да говорю же, пробка там, и мент стоит! Где ты теперь повернешь?!

— Где надо, там и поверну! Я каждый день на работу езжу!

— И я каждый день езжу! Если пробку можно объехать, значит, надо объехать!

— Да где она, пробка-то?!

И вправду, Тверская ехала как-то подозрительно быстро — мэра, что ли, ждали или еще кого? Гаишников было пруд пруди, за каждым углом.

Марат, обеспокоенный отсутствием пробки и тем, что Белошеев оказался прав, старательно закурил и независимо посмотрел в окно. Они жили в соседних подъездах и возили друг друга на работу по очереди. Когда за рулем был Белошеев, руководил Марат.

Когда за рулем был Марат, руководил Белошеев. Каждый из них искренне полагал, что ездит лучше другого.

Переулок был перегорожен металлическими турникетами, но зато гаишник в некотором отдалении проверял чьи-то права, следовательно, оставалась некоторая надежда на то, что он не метнется следом за «десяткой», если та протиснется в узкую щель между турникетами и высоким бордюром Центрального телеграфа. Белошеев прицелился, придавил тормоз и выкрутил руль. «Десятка» протиснулась, гаишник посмотрел издалека, поднял было палку, но передумал и вновь уткнулся в права.

— Вот и все дела, — сказал Белошеев с некоторым превосходством, — а ты: «Поворачивай, поворачивай!..»

Марат пожал плечами.

— Не знаешь, шеф приехал?

Марат опять пожал плечами, но уже не так равнодушно.

Они сильно опаздывали, и Троепольский спустит с них шкуру, если приедет раньше. Они и так в последние дни почти не работали — все только «перекуривали последние новости», а Марат еще придумывал ходы и заходы, как бы ему «зацепить» Федину племянницу, тягостно поразившую его воображение. Телефон у нее он так и не заполучил и теперь придумывал, как бы предложить ей помощь — ведь наверняка понадобится помощь, после того, что... случилось с Федькой! Лера произвела на Марата именно такое впечатление, которое красивые и юные женщины всегда производят на подготовленных мужчин. Марат был вполне подготовлен — предыдущую барышню он бросил месяца полтора назад, а предпредыдущая бросила Марата сама, и ту, вторую, он завел с досады, только чтобы насолить первой, и сразу знал, что в качестве постоянной подружки она не годится. Леру Грекову невозможно было даже сравнить ни с первой, ни со второй — Голливуд, Николь Кидман, весенний показ мод в Париже, номинация на «Оскар», Коко Шанель, черт возьми!..

— Ты чего вздыхаешь?

— Я не вздыхаю.

— Вздыхаешь.

— Не вздыхаю я!.. А он наверняка злой приедет, после КПЗ-то!

Белошеев искоса посмотрел на Марата — в гневе их «просвещенный монарх» был страшен и непредсказуем.

— Да как пить дать.

Повисла пауза. Белошеев искал, куда бы втиснуть машину.

— А у меня уралмашевский макет пропал, — признался Марат и задавил в пепельнице сигарету.

— Как пропал?!

— Да так. Нету.

— Как нету?!

— Иди ты на фиг! — обозлился Марат. — Нету, и все. Я Светловой три дня назад сказал, что его нету, только ей не до меня было.

— И не до Уралмаша, — поддакнул Белошеев, — она по шефу убивалась.

Почему-то его поддакивание только обозлило Марата.

— Да при чем тут она-то?! Не она же за него отвечала!

— За кого?

— Да за макет!

— А кто за него отвечал?

— Федька, кто, кто!

— Федька, — задумчиво проговорил Белошеев, — больше ни за что не отвечает.

Марат промолчал. Машина стояла недалеко от проходной — можно вылезать и отправляться на работу, но они сидели. В контору им совсем не хотелось.

— Покурим?

— Ну давай покурим, что ли!

Они достали сигареты — каждый свою пачку — и глубокомысленно прикурили, каждый от своей зажигалки.

— Так чего с макетом-то? — осторожно поинтересовался Белошеев.

— Пропал, — ответил Марат и независимо посмотрел в окно. — Черт его знает. Он почти готов был. Федька домой в тот день поехал как раз его доделывать.

— И чего?

— А меня кое-что подчистить просил.

— Ты подчистил?

— Да нет! Я до вечера с машинками ковырялся, а потом... потом хотел Уралмаш посмотреть, а его нету.

— Н-да, — сказал Белошеев. Все это звучало на редкость дико. — И на дисках нет?

— Да не знаю я! Может, у шефа в компьютере есть, но я у него не спрашивал!

Саша Белошеев примерно представлял себе, что сделается с шефом, если спросить у него, нет ли в его компьютере почти готового Фединого макета, который исчез неизвестно куда из всех остальных компьютеров конторы!

— А... Светлова что сказала?

— А Светлова вообще этим макетом не занималась! Она машинками занималась, ты же знаешь!

— А Сизов?

Марат решительным щелчком отправил в окно сигарету и стал выбираться из машины — все равно придется идти сдаваться, чего теперь тянуть! Перед смертью не надышишься, говорили у них в конторе, когда шеф был особенно зол и собирал народ на совещание! Кроме того, может, он еще и не приехал, шеф-то!

Саша Белошеев посмотрел Марату в спину.

Он знал о том, что макет пропал, уже давно. И помалкивал — ему знать об этом не полагалось, и он вроде как бы и не знал. Он был уверен, что после Фединой смерти никому не будет никакого дела до уралмашевского макета, — и ошибся.

Странно. Он редко ошибался.

Федина смерть произвела на него ужасное впечатление — он был слишком молод, слишком уверен в себе и в жизни, он еще никого не хоронил, ни близких, ни дальних, и в голове у него не укладывалось — как это?

Вот был Федька Греков — странный, веселый, гениальный. Часы у него вечно останавливались, сигареты всегда кончались, он все терял, забывал, упускал, но его картинки были сказочной красоты. Троепольский только похрюкивал восторженно, когда смотрел его работы, даже замечаний почти не делал! А теперь нет никакого Федьки Грекова, и где он — неизвестно. Саша Белошеев все-таки до конца не понимал, как это — умер.

Федя Греков не умер. Его кто-то убил.

Никто не знает, кто его убил, и не узнает никогда, Саша был в этом совершенно уверен.

Спине стало холодно под модным норвежским свитером с модным норвежским узором, и он вдруг засуетился, отшвырнул ремень, полез в «бардачок», хотя ничего ему не было нужно, двинул ногой и старательно отряхнул джинсовую коленку. Марат отошел довольно далеко и не мог подсмотреть и подслушать, что делается в голове у Саши Белошеева. Это невозможно подсмотреть и подслушать, даже если раскроить череп на две неровные части, как кокосовый орех, — снаружи немного коричневой шерстки, внутри все белое, вылезающее острыми костями, а еще глубже черное и красное месиво, бывшее когда-то центром человеческого существа.

Сашу затошнило так сильно, что он подался к двери, наотмашь распахнул ее, чуть не вывалился в сырой и грязный сугроб и задышал ртом. Словно в замедленной съемке, он видел, как, почти дойдя до проходной, Марат медленно поворачивается и что-то говорит без звука, только шевелятся его губы, и сигарета дымится медленно-медленно, и машина ползет за спиной, и грязная вода веером медленно летит из-под неторопливых колес и с глухим звуком летит в его джинсы.

— ...что такое?! Сашка! Ты что?

Картинка перед глазами дернулась и пошла в реальном времени, и Белошеев смог перевести дух.

Марат таращился на него во все глаза.

— Все нормально.

— Ты чего, в обморок упал?!

— Нет.

— Ты пил, что ли, вчера?!

— Я не пил.

— Тогда что такое с тобой?!

— Марат, — выговорил он сквозь зубы, — отстань от меня. Все в порядке.

Ничего не было в порядке, и в эту секунду он понял это как-то особенно остро. Больше ничего и никогда не будет в порядке — он знал это с тех самых пор, как увидел на белой бумаге надпись толстым черным фломастером:

«Смерть врагам».

— Значит, так, — сказал Троепольский унылой толпе сотрудников, — если кто-то думает, что на этом работу можно бросить, лучше сразу пишите заявления. Я всем подпишу. Кто так не думает, расходится по местам и работает, как обычно. Без вопросов и восклицаний.

Сотрудники в его кабинете не поместились, и собрание происходило в круглой комнате «для гостей». Пришли все, даже полоумная Шарон Самойленко маячила за спинами, вытягивала любопытствующую куриную шейку. Троепольский старался на нее не смотреть, но, как только отворачивался, сразу натыкался на Полину Светлову с собакой Гуччи на руках. Собака дрожала и перебирала тонкими розовыми лапками у нее на коленях.

Гадость какая.

— Подожди, — неторопливо сказал из-за спин Гриня Сизов. — Что значит — без вопросов и восклицаний? Федька с нами всю жизнь работал. Сколько там? Девять лет?

Троепольский хмуро оглянулся на него, но Гриня, как и Полина Светлова, никогда не боялся его дурного настроения или мрачных взглядов.

— Мы должны знать, что с ним случилось. Кто его... убил? И за что?

— Я не знаю, кто его убил, — пробормотал Троепольский и закурил. «Давыдофф» имел отчетливый вкус и запах тюрьмы. — И за что, не знаю тоже. Менты сказали, что из квартиры ничего не пропало.

— Откуда они знают? — Это Полина спросила, и вопрос почему-то показался Троепольскому странным.

— Не знаю откуда, но, когда я его... увидел, вокруг все было... — Горло сильно стиснуло, но он справился, и голос не изменился, и в мелодраму его не повело. — Когда я его увидел, вокруг все было в порядке. То есть я хочу сказать, что в квартире ничего не искали. Вещи на месте. Компьютер на месте. Диски все на месте.

— Ты смотрел их? — это опять Полина спросила,

и он покосился на нее. Этот вопрос показался ему еще более странным.

— Не смотрел я никакие диски, — отчеканил он мрачно. — Что они тебе дались? И менты мне потом сказали, что деньги тоже на месте.

Федя держал деньги в письменном столе — очень умно! В среднем ящике между справочниками, дисками с «Властелином колец», «Гарри Поттером» и несколькими словарями — Троепольский всех приучил пользоваться этими самыми распроклятыми словарями! — были рассыпаны деньги, довольно много. Миролюбивый молодой майор по фамилии Никоненко, прикидывающийся деревенским дурачком, вежливо сообщил Троепольскому, что денег там рассыпано около десяти тысяч.

— Североамериканских долларов США, — смешно и задумчиво сказал он, посмотрел на Троепольского испытующе, да и отправил его в КПЗ. Как подозреваемого.

— Выходит, ему просто так, ни за что ни про что, дали по голове, — подытожил Гриня. — Ничего не взяли, даже деньги оставили.

— Выходит, так.

— Так не бывает, хоть и выходит, — жестко сказал Сизов. — А ты, пока менты не приехали, ничего подозрительного не видел?

Он видел убийцу — тот пролетел в сантиметре от его носа, даже очки задел, а Троепольский не понял, что это и есть убийца, не остановил, не сделал ничего, хотя мог бы, мог бы!..

Он не рассказал об этом ни майору, который

смотрел на него обидно и насмешливо, качал ногой и посвистывал, ни Польке, караулившей его приезд, — никому. Сотрудникам и Сизову тем более не расскажет. Почему-то ему казалось, что он умрет от стыда, если только кто-нибудь узнает, что он ничего не смог сделать, что он перетрусил, как девчонка, что уронил очки, шарил по полу, а потом скреб перчаткой желтый твердый снег с подоконника и совал его в рот — все только для того, чтобы прийти в себя.

Поэтому он сказал:

— Я не видел ничего подозрительного. Я вообще не понимаю, что такое это подозрительное. Мужик в маске и с топором в руке?! Или что?! Бумажка с адресом на полу?

— Неплохо бы, — пробормотал Белошеев. Он рисовал в блокноте. Такая у него была затея, что всякий настоящий дизайнер непременно должен что-нибудь рисовать. Желательно на глазах у шефа. Карандаш поблескивал в руке.

— Но я найду того, кто прикончил Федю, — неожиданно для себя поклялся Троепольский. — Все меня слышали? Я найду и... убью его. Я вам обещаю.

Сотрудники растерянно молчали — словно он собирался убить прямо у них на глазах и немедленно.

Шарон Самойленко внезапно ожила и сказала в потолок и в спины:

— С такими рассуждениями и под суд недолго.

На нее оглянулись все до одного, а Ира даже сильно дернула ее за руку. Шарон посмотрела независимо и руку убрала.

— Себе позволять никому не разрешается! А милицейская работа не каждому подходит! Если каждый начнет убивать кого попало, милиции тогда что останется делать?

— Замолчите, — сквозь зубы велела Ира и опять дернула ее за руку, — что это вы выступить решили!

— А вы мне рот не затыкайте, — решительно изрекла Шарон Самойленко, новое и ценное приобретение конторы Арсения Троепольского. — Привыкли помыкать! А наше время такое, при котором каждому по способностям, и работа для каждого найдется, а на вашей свет клином небось не сошелся!

Тут, к необыкновенному облегчению всех собравшихся, в секретарской комнате затрезвонил телефон, и Шарон величественно двинулась по коридору.

— Гриш, — приказал Троепольский, проводив ее глазами, — завтра же поменяй ее на кого-нибудь!

— Да на кого ж я поменяю?!

— Найди.

— Да где я найду?! Я не контора по найму персонала!

— Эту нашли, и еще одну надо найти, только не такую идиотку!

На слове «идиотка» Троепольский вдруг вспомнил, что должен был устроить коллективу разборку, и все остальное, включая Шарон Самойленко, моментально вылетело у него из головы.

Когда он думал о работе, в голове не оставалось места ни для чего другого.

— Кстати. Кто писал слоган для моторного масла?

Коллектив как-то странно шевельнулся, словно решил было броситься в разные стороны, но вдруг замер — бросаться было некуда. Все равно настигнет. Спасения нет.

— Я, Арсений.

— Так. Что за слоган?

— А-а... М-м... Я хотел, чтобы было коротко и ясно.

— Отлично. Коротко и ясно. Продекламируйте.

— Прямо... здесь?

— Здесь и сейчас, — подтвердил Троепольский, — в самый раз.

— М-м-м... — протянул несчастный, — м-м-м... А может...

— Нет, не может. Светлова, вам тоже неплохо бы принять участие. Реклама, между прочим, ваша.

— Я не слышала слогана, Арсений.

— Это просто здорово, — оценил Троепольский. — То есть все здорово. И слоган, и то, что разработчик проекта его даже не слышал. Ну, говорите, говорите.

Несчастный, терзаемый самодуром-начальником, совсем сник.

— А-м-м... — Он перевел дыхание и выпалил, чего уж теперь: — Возьми качество за правило!

— Возьми качество за правило, — повторил Троепольский любезно, — забавно.

Григорий Сизов в отдалении усмехнулся, повернулся к лэп-топу, водруженному на ближайший стол, и сыграл неслышную гамму на клавиатуре — он знал, что будет дальше.

Троепольский прав. У него нюх, безупречный вкус и некоторое представление об этом языке, как о родном.

— Речь, если я не ошибаюсь, идет о моторном

масле. Госпожа Светлова! Речь идет о моторном масле?

— Да, господин Троепольский.

— Значит, именно качество этого самого масла надо взять за это самое правило. Кто мне скажет, где оно у него?

Последовала пауза.

— Кто... у кого? — неуверенно спросил страдалец, придумавший дивный слоган.

— Правило, за которое надо взять качество. Да еще у моторного масла.

Коллектив молчал и отворачивался — каждый в свою сторону.

— И все-таки. Я не понимаю, что за что нужно взять, и где это у моторного масла. Если даже я не понимаю, то потребитель что должен делать? Где он будет искать это самое качество, которое нужно взять за правило, или правило, которое нужно взять за качество? И вообще о чем это? Что за информация содержится в этой фразе?!

— Что масло... качественное.

— Да ни черта подобного! И почему потребитель должен брать качество за это самое правило, а не ОТК?! Это что, дело потребителя — разбираться, качественное масло или не качественное и что-то брать за правило?!

— Да нет, — выдохнул разработчик, вытянул шею и глянул на Полину Светлову, которая гладила свою голую трясущуюся собаку. Поддержки от нее не было никакой. — Имелось в виду, что все моторные масла этой фирмы качественные, что для них качество — это правило...

— Для кого — для них?

— Для того, кто их... делает.

Троепольский кротко вздохнул.

— Гена, мы не придумывали слоган для межрегионального слета производителей моторных масел! И рекламой этого слета не занимались. Всем остальным наплевать, что они берут за правило, а что за качество! Потребителю важно знать, что на этом масле двигатель будет работать дольше, лучше, быстрее или черт знает как!.. Оценкой качества занимается соответствующий контролирующий орган, который сертифицирует продукт. Вот орган пусть кого угодно берет за что угодно, а не мы! Госпожа Светлова, отстаньте вы от вашей собаки! Вам понятно или не понятно, что слоган никуда не годится?

— Понятно, — призналась Полина. — Мы переделаем.

— Да уж, пожалуйста. — Он взял с круглого столика распечатки будущего сайта — реклама отечественных автомобилей, — посмотрел, еще посмотрел, быстро усмехнулся и поднял глаза. Очень темные андалузские глаза за стеклами высокомерных очков.

Полина Светлова на всякий случай покрепче взялась за Гуччи.

— Все, — объявил Троепольский, — концерт окончен. Гриш, мне надо с тобой поговорить.

Сизов кивнул, не отрываясь от монитора, — он все время работал, даже на собрание приперся с лэптопом, чтобы время даром не терять. Федор ни за что не притащил бы лэп-топ. Он сидел бы на диване, занимал очень много места, не давал бы никому слушать, всех смешил, производил ужасный шум, курил, сыпал пепел на ковер, требовал кофе, минеральной воды и куриную ножку, а соскучившись, непременно встал бы и ушел.

Как Троепольский теперь без него будет?..

Коллектив потянулся в разные стороны, и Троепольский потянулся в сторону своего кабинета и был остановлен Маратом Байсаровым.

— Арсений, мне нужно тебе два слова сказать.

Троепольский кивнул на свою распахнутую дверь, подхватил с круглого столика распечатки — идея ему нравилась. Веселый ушастый ослик тащил огромные тюки с поклажей, а арабский скакун в некотором отдалении наблюдал за ним с невыносимым высокомерием. Скакун был похож на кого-то, только Троепольский никак не мог сообразить, на кого именно.

— Что, Марат? — Он обошел стол, посмотрел в монитор, ткнул длинным пальцем в стоящий слева белый телефон и проговорил в его сторону: — М-м... Как вас... Шарон, сделайте мне кофе и Светловой скажите, чтобы зашла, я забыл. Что тебе, Марат?

— Макет пропал, — сказал Марат мрачно. — Уралмашевский. Ты только не ори.

— Как — пропал? — изумился Троепольский, который отродясь ни о чем таком не слыхивал. — Куда пропал? Конкуренты украли, что ли?

— Не знаю. Нет макета, и все тут.

— Да как нет?! Куда ему деться-то?!

Троепольский открыл в компьютере папку, в которой всегда лежал этот самый макет, уверенно ткнул в самую середину, компьютер моргнул, как ему показалось, с недоумением. Папки не было. Целая куча разных папок была, а уралмашевской не было.

— Подожди, — неизвестно кому велел Троепольский — то ли Марату, то ли компьютеру. — Куда он девался?

— Не знаю. — Марат обошел стол и встал у него за спиной. То, что макета не было и в компьютере Троепольского, с одной стороны, значительно облегчало его собственное положение, а с другой... С другой, он вдруг почувствовал странное беспокойство, между лопатками будто зачесалось.

Происходило что-то странное, настолько странное и необъяснимое, что ему до смерти захотелось кому-нибудь об этом рассказать.

До смерти. До смерти.

Нет, он никому и ничего не расскажет.

— А у Феди? Смотрел?

Марат пожал плечами.

— Пошли посмотрим!

Федин кабинет был рядом с комнатой Полины Светловой и недалеко от приемной, в которой до последнего времени царила и правила Варвара Лаптева, родившая мальчишку — четырех килограммов весу и пятидесяти с лишним сантиметров росту — и оставившая шефу в наследство Шарон Самойленко. Светлова, Лаптева и Греков вечно секретничали, пили чаи, шушукались, и Троепольского это время от времени раздражало.

— Разгоню всю богадельню! — грозился он, но эти трое нисколько его не боялись, в отличие от всех остальных.

Нет больше богадельни. Некого разгонять.

В кабинете у Феди был сказочный бедлам и бардак, только не висела на стене куртка с капюшоном, по форме напоминающим мусорное ведро, а все остальное в точности повторяло интерьеры его квартиры. На столе, как и там, красота и порядок. Посреди красоты и порядка — монитор, чуть поменьше, чем у Троепольского, но зато чуть побольше, чем у Сизова. Рядом фотография в рамке, которую Федя называл «Пес Барбос среди роз», — четыре разновозрастные дамы, от мала до велика, а в центре он сам. Мать, тетка, сестра и племянница. Все четверо красотки, каждая в своем роде, самая невразумительная племянница — может быть, потому, что на фотографии ей лет четырнадцать. Именно в четырнадцать лет на лице почему-то преобладает странной формы нос, окруженный россыпью юношеских прыщей, губы сложены презрительно, прическа всегда нелепа, а в глазах выражение вроде: «Я так долго живу, что мне уже давно все это надоело». У племянницы всего было с избытком — и носа, и прыщей, и повисших прядей неопределенного цвета длиной до попы, и подросткового идиотизма в томном взоре. Несмотря на это, как-то угадывалось, что и племянница станет красоткой, и Федя уверял всех, что стала, и все твердил, что «ей бы теперь жениха хорошего, а не такого придурка, как я сам!».

Троепольский включил компьютер, но в Федино кресло садиться не стал — стоял, опершись ладонями о стол.

В компьютере не было уралмашевского макета,

даже следов никаких. Троепольский посмотрел на Марата, а Марат на Троепольского.

— Чушь какая-то.

Марат промолчал. Он боялся, что, если скажет хоть слово, Троепольский как-то догадается, поймет — и тогда все, конец, недаром он сегодня принародно поклялся найти и убить того, кто...

— Ты что-нибудь понимаешь?

Марат отрицательно покачал головой и опять не сказал ни слова.

В дверях послышалось легкое цоканье, как будто мышь бежала на кончиках розовых лапок, сопение, шорох, и в Федину комнату впорхнула необыкновенная собака Гуччи в полосатом пальтеце. Увидав Троепольского и Байсарова, Гуччи сконфуженно замер на месте — раскидистые уши с прической неистово затряслись, — потоптался и ринулся прочь с видом горничной, поутру заставшей молодого господина голым.

— Полька! — заорал Троепольский. — Что ты его... ее выпускаешь?!

— Кого?!

— Да эту свою Гуччи!

— Я не выпускаю. Гуччи, Гучинька, где ты?

Придушенный, словно предсмертный писк, бросок, и в дверях появилась Полина с китайской хохлатой собакой на руках.

— Где уралмашевский макет?

— Что?

— То. Где макет?

«Вот оно, — пронеслось в голове у Полины Светловой. — Я так и знала. На что я только надеялась, когда думала, что... пронесет? Почему я на это надеялась?! Почему была уверена, что если он и догадается, то... не сразу, не сейчас, а... когда-нибудь потом?!»

Она перехватила Гуччи, так что щекой тот припал к ее заколотившемуся сердцу. Оно колотилось так, что песик отстранился и посмотрел на нее вопросительно.

— Марат, ты так и не нашел макет?

Марат отрицательно покачал головой. Вид у него был странный, словно он последним усилием воли намертво держал себя за язык.

Намертво. Ну, конечно.

— Что значит — не нашел? Я три дня назад... — начал Арсений.

— Три дня назад он и пропал. Как раз когда Федя... Федю... Ты уехал к нему, а Марат сказал мне, что макет пропал.

— А мне? Никто не мог сказать, что он пропал?!

— Как же тебе скажешь, если тебя только сегодня отпустили? — пробормотала Полина и подошла поближе. — А ты... везде посмотрел?

«Не надо было утром заниматься с ней любовью, — решил Троепольский мрачно. — Куда меня понесло? Чего такого... космического захотелось? — А все ты виноват, прикрикнул он на свой запасной инстинкт, — тебе чего-то все не хватало!» Теперь ее запах, тепло, прядь волос, вывалившаяся из-за уха, заставляла его думать только о волне, пришедшей то ли из Австралии, то ли из Малайзии, конце света, о «я не то что схожу с ума, но устал за лето», о катастрофе и одиночестве.

Он заставил себя вернуться в Федину комнату, к монитору, распахнутому в «виртуальный мир», потому что те двое выжидательно смотрели на него. Даже трое — Гуччи смотрел тоже.

— Куда мог деться макет? — спросил Троепольский у всех троих. — А копии где? Диски?

Кинулись искать диски, но тоже ничего не нашли.

Полина знала, что не найдут, но все-таки надеялась. Договор с отвратительными черными буквами на обороте — «Смерть врагам!» — был у нее в портфеле. Троепольскому она ничего не сказала — он ничего не понял бы и не смог изменить, а она должна была как-то спасать положение.

Как он мог оказаться дома у Троепольского, этот договор? Почему Троепольский с ходу соврал, что «прихватил его случайно»? Он не Федя и ничего и никогда не «прихватывал случайно»! Видел или не видел он надпись на обороте? Как узнать? Как спросить?

Спросить Полина Светлова не решилась. В его спальне, выждав время, когда он отвернется, она осторожно сунула договор в свой портфель — неопровержимая улика, только она до сих пор не знала, кого и в чем именно уличает.

— Так, — сказал Троепольский. — Забавно.

Марат и Светлова смотрели в разные стороны — вид у обоих был беспомощный и несчастный. Гуччи выглядел еще более несчастным.

Один Троепольский не мог себе позволить быть ни беспомощным, ни несчастным. Он всегда и за все отвечал — даже книжка такая была в его детстве, называлась «Я отвечаю за все». Арсений Троепольский не был таким благородным максималистом, как герой этой книжки, но всегда и за все отвечал сам.

— У кого какие предположения? — неприятным голосом спросил он, словно проверяя свою теорию о том, что он один такой, и больше никто и ни за что не отвечает.

Они вразнобой пожали плечами, а Гуччи потряс ушами, покосился, оскалился было, но передумал и опять припал к Полине.

— Никаких, значит?

— Арсений, что ты хочешь, чтобы мы сказали?

— Я хочу знать, куда из конторы мог подеваться проклятый макет? Я хочу знать, что именно мы скажем заказчику. Я хочу знать, кто последний с ним работал.

На последний вопрос ответить было проще всего, и Марат ответил:

— Федька работал. Он макет увез, а меня попросил хвосты за ним подчистить. Я «Русское радио» делал, вечером стал смотреть, а макета нет.

Предположение о том, что Федор, уехав с работы, зачем-то «убил» на всех компьютерах все версии своего макета, было диким и невозможным. Если не Федор, то кто? И зачем? Зачем?!

Кажется, совсем недавно Троепольский уже задавал себе эти самые вопросы — кто и зачем?

Преодолевая себя, он выдвинул легкое вращающееся кресло, все-таки сел на Федино место и, как давеча Сизов, тоже сыграл на клавиатуре гамму, сначала в одну, потом в другую сторону. Полина пристально смотрела на его пальцы.

Не надо было спать с ним.

Ты же все про себя знаешь. Он уже забыл, а ты теперь наворотишь черт знает чего и будешь вылезать из этого, и не вылезешь никогда, и решишь «вышибать клин клином», как уже было однажды. Только клинья никуда не годились, ничего нельзя было ими вышибить. Троепольский был слишком... не похож на всех остальных известных ей мужчин, чтобы отделаться от него с помощью каких-то примитивных клиньев. Она потихоньку восхищалась им и — вот что странно! — при этом видела насквозь.

Он упрям и чудовищно самоуверен. Он искренне полагает себя гением от дизайна — и следом за ним так полагают все окружающие, от самых последних журналистов до самых больших бизнесменов. Он все делает по-своему. Он никому не позволяет контролировать себя и свою драгоценную работу — несколько раз таким образом он упускал очень выгодные заказы только потому, что глупые заказчики непременно хотели знать, что именно станет ваять для них Троепольский на их же собственные деньги. Без работы он моментально становился раздражителен и зол. Во время работы он не видел и не слышал ничего вокруг. Тех, кто не признавал его дизайнерских заморочек, а его самого гением, он попросту не замечал. Ему некогда было тратить время на дискуссии с коллегами и конкурентами, на получение премий, на участие в церемониях, и он не тратил, не получал, не участвовал. Ему недосуг было купить машину — и он не покупал, хотя все вокруг время от времени произносили какие-то правильные слова, вроде «статус» и «положение обязывает». Его репутация была надежной, как депозитарий швейцарского банка, и терялась в заоблачных высотах, как Джомолунгма. Он искренне считал, что нет таких денег, которые нельзя было бы заработать. Он не верил ни во что и ни в кого, кроме себя, и был абсолютно убежден, что сможет переделать этот мир так, чтобы он стал для него максимально удобен.

Он эгоист, трудоголик и гордец, каких мало. У него андалузские глаза, блестящие черные волосы, достававшие почти до плеч, и привычка сидеть в кресле, по-турецки скрестив ноги. Ему нельзя возражать и с ним бесполезно спорить — он все равно не услышит.

Просвещенный монарх.

Зачем она в него влюбилась, идиотка? Он не годится для жизни, он годится только для работы — той самой, которую он придумал себе девять лет назад, когда никаких таких работ еще не существовало в природе. Дизайнер сайтов! Параллельно и перпендикулярно он занимался еще десятком разнообразных вещей — вроде промышленного и еще какого-то дизайна, разработкой сложных программ, еще он рисовал немного, придумывал обложки для журналов и кофейные кружки для конторы с необыкновенными ручками — шалил. И был совершенно, совершенно непригоден для жизни, Полина прекрасно об этом знала. Еще она знала, что озеро Байкал — самое чистое в мире, ну и что?

Ничего.

— Арсений?

— М-м?

— Что ты ищешь?

— Я ищу какие-нибудь следы уралмашевского макета, — ответил он любезно. — А ты что думала? Золото?

Ничего такого она не думала, просто знала, что следов он не найдет.

Конечно, он ничего не нашел.

Тогда он оторвался от монитора, выдвинул все шесть ящиков Фединого письменного стола и принялся последовательно выгружать на пол их содержимое. Марат переглянулся с Полиной, снизу вверх кивнул ей и тихонько вышел, прикрыв за собой дверь.

Ему нужно было кое-что выяснить. Ему непременно нужно выяснить, кто допоздна оставался в конторе накануне Федькиной смерти, а кто уехал раньше. Ему нужно подстраховаться, а он все никак не мог придумать, как это сделать.

Троепольский все выгружал справочники, проспекты, словари, растрепанные журналы — среди «Electronic Letters», «Nature» и «Science» попался вдруг «XXL — хороший мужской журнал», — какие-то распечатки старых проектов, о которых он сам давно позабыл. Потом, тяжеловесно громыхая, из-под пальцев покатилась банка растворимого кофе — Троепольский быстро и виновато усмехнулся, — кодаковский пакет с фотографиями, диски в пластмассовых конвертах, диски в коробках, пакетиках и вообще без коробок и пакетиков.

Полина сунула под мышку свою суперсобаку, присела на корточки и стала рассматривать журналы.

— Там макета точно нет, — сухо сказал Троепольский, и она ничего не ответила.

Федина жизнь, вывернутая на ковер, производила странное и болезненное впечатление — как будто без согласия хозяина они вторглись в его личный, интимный мир, как мелкие отвратительные жулики, а он не может прийти и дать им за это по шее! А они... пользуются этим.

— Ничего не понимаю, — пожаловался Арсений, выпрямился и сцепил на затылке руки. — Ты что-нибудь понимаешь, Полька?

Она понимала, но сказать не могла, как китайская хохлатая собака Гуччи.

Троепольский покачался в кресле туда-сюда, наклонился, потянулся и выудил из кучи бумаг на полу разноцветный кодаковский пакет. На пакете были изображены счастливые до идиотизма люди на роликовых коньках. Тоже, наверное, какой-нибудь умник придумал, вроде того, что решил «взять качество за правило».

Идиоты на картинке Троепольского раздражали, и он перевернул пакет другой стороной. Фотографии веером разлетелись по столу — довольно много. Он стал смотреть по одной. Подошла Полина и тоже стала смотреть из-за его спины. Гуччи часто дышал ему в ухо.

На всех фотографиях был примерно один и тот же сюжет, близкий по идиотизму изображенному на пакете. Федя Греков на фоне разных пейзажей и ландшафтов обнимался с какой-то девицей. Иногда девица позировала в гордом одиночестве. Иногда в одиночестве позировал Федя. Неописуемая красота.

— Кто это, ты не знаешь? — спросил Троепольский, рассматривая девицу. Полина отрицательно покачала головой. Он не мог этого видеть, но почему-то понял.

— Племянница, что ли?

— Нет, племянницу я видела. Это не она.

— Когда ты видела племянницу?

— Три дня назад. Когда ты... к Феде уехал. Она за ним заезжала, а его не было, и тебя не было.

Троепольский откинул голову и снизу вверх посмотрел на Полину, и она посмотрела в его перевернутое лицо.

Вот черт побери.

— Почему ты мне не сказала?

— Что?..

— Что за Федей заезжала племянница.

— Троепольский, ты что? Дурак? Какое это имеет значение, заезжала она или нет?

Он вдруг подумал, что это имеет огромное значение.

— Последний раз она заезжала лет восемь назад, еще в старый офис. С мамашей. А тут вдруг приехала, и именно в день его... убийства.

Он выговорил это слово, как-то странно складывая губы, и Полина вдруг подумала уныло — никто никогда не любил тебя так, как я.

Вот до чего дошло.

— Она сказала, что они ужинать собирались или куда-то пойти. В кино, что ли. Я забыла.

— У тебя есть ее телефон?

— Телефон? — поразилась Полина. — Фединой племянницы?!

— Ну, не моей же! — сказал Троепольский нетерпеливо, отвернулся, и ей стало легче дышать. — У меня где-то есть телефоны матери или сестры. Наверное, надо позвонить...

— Наверное.

— А это тогда кто? Если не племянница? — И он опять стал перебирать фотографии. Краски были сочными, а лица счастливыми.

— Подружка?

— Полька, ты когда-нибудь видела, чтобы он фотографировался с подружками? И вообще, его подружек ты видела?

Полина призналась, что, пожалуй, нет.

— А я видел, — заявил Троепольский. — Фотографировать их не было никакого смысла. Во-первых, они все на одно лицо, во-вторых, для фотографирования совершенно непригодны.

— А для чего пригодны? — наивно спросила Полина, которая и вправду не поняла.

Троепольский объяснил — для чего, очень точно и ясно сформулировал, это он умел.

— А тут явно не проститутка. — И он помахал фотографией у Полины перед носом. Она проследила за его рукой.

Ее не интересовали Федины снимки, и она не понимала, почему они интересуют Троепольского.

Ее интересовал договор, на котором кто-то написал черным фломастером: «Смерть врагам» — и то, как он попал к Троепольскому в спальню.

Она была уверена, что, как только узнает ответ на этот вопрос, узнает ответ и на все остальные — имя врага вдруг проступит на поверхности, как детская переводная картинка проступает из-под туманного слоя скользкой и мокрой бумаги.

— Где ты взял договор с Уралмашем, который я у тебя видела?

— Не знаю, — сказал он быстро, и Полина поняла — соврал. Опять.

Зачем?! Зачем?!

— А почему ты спрашиваешь?

— Потому что это странно — макет пропал, а договор почему-то оказался у тебя дома! Ты же никогда не берешь домой бумаг!

— Не знаю, — повторил он упрямо, — понятия не имею.

Он врал, и это пугало ее ужасно!

Он не мог быть причастен, она точно знала, что не мог, но почему-то он врал! Что он задумал? Имело ли это отношение к Фединой смерти? Или он впутался во что-то такое, из чего не знает, как выбраться? И тогда Федина смерть — только начало?!

На столе тренькнул телефон, и они оба вздрогнули, словно Федя мог позвонить с того света. Они посмотрели друг на друга и на аппарат, который опять нетерпеливо тренькнул. Полина протянула было руку, но Троепольский опередил ее.

— Я сам.

— Арсений Михайлович? — спросила в трубке Шарон Самойленко. — Это вы?

Троепольскому ничего не оставалось делать, как признаться, что это он.

— Вам Грекова звонит, — сообщила Шарон. «Звонит» она произнесла с ударением на первый слог, разумеется. Троепольский поморщился — он не мог слышать ничего такого.

— Какая Грекова?

— А такая, что покойника нашего родная сестра Галина. Она звонит. Будете говорить или не будете?

— Да. Буду, — и, закрыв трубку рукой: — Полька, если вы завтра не найдете ей замену, я ее убью, меня посадят, контора развалится, и вы все останетесь без работы и без зарплаты. Здравствуйте, Галина, это Арсений Троепольский.

— Арсений! Господи, какое несчастье!

— Да, — согласился Троепольский, — несчастье.

— Мы остались совсем одни, сироты. У нас был только Федя, и его не стало! Арсений, кто мог... как мог... такой чудесный, чудесный был человек.

— Чудесный, — опять согласился Троепольский.

Полина стояла у него за спиной, Гуччи как будто придвинулся — сопение раздавалось прямо у него над ухом. Троепольский слегка повернул голову и оказался нос к носу с китайской хохлатой. Она — он то есть — выкатила глаза, подумала и лизнула его в щеку.

И когда его лизнула китайская собака, ему вдруг полегчало — так, что он даже смог слушать рыдание Фединой сестры в трубке, оставшейся «сиротой».

— Гуччи! — перепуганно прошептала Полина и отдернула мохнатую морду от щеки Троепольского. Напрасно она перепугалась — он совсем не сердился.

— ...что нам теперь?! Как нам теперь?! Как мы станем жить?! Из-за... из-за какого-то негодяя! Мой брат, мой родной брат!

— Галина, вы... успокойтесь, пожалуйста.

— Как я могу успокоиться, Арсений! Наша жизнь кончилась! Мы теперь никому не нужны, совсем никому! Кто это сделал? Скажите мне, кто это сделал?

— Я не знаю, — сказал Троепольский, морщась. — Я попробую узнать.

— Ко мне приходила милиция, — прорыдала Федина сестра, — задавала мне вопросы! Господи, они думают, что я знаю, кто его... убил!

Милицейский майор Никоненко Игорь Владимирович упек Троепольского в кутузку — именно потому, что думал, что Федю убил именно он. И вопросы всякие задавал, и смотрел насмешливо, и даже его брови выражали, что он не верит ни одному слову, которыми тот пытался оправдываться, и что дело за малым — поймать его на чем-нибудь, «зацепиться», как говорят в детективных сериалах, и больше Троепольский «не отмажется».

«Бандит должен сидеть в тюрьме», — энергично говорил Глеб Жеглов, и Троепольский был с ним полностью согласен до тех самых пор, пока в роли бандита не оказался сам. А про себя он точно знал, что он — не бандит.

— Вы должны нам помочь! — выдохнула в трубке безутешная Федина сестра. — Вы столько лет знали Федю! Вы... вы просто обязаны!

— Да я и не отказываюсь, — пробормотал Троепольский.

Бедный Федя.

— Вы должны помочь нам с похоронами и со всеми... траурными мероприятиями. По-хорошему вы должны были бы все это взять на себя. Разве нет? Милиция наконец разрешила забрать тело.

— Наверное, да, — согласился Троепольский.

— Тогда, может быть, вы подъедете, и мы все обсудим? Да, и в морг надо позвонить, договориться насчет тела и насчет забора.

— Какого забора? — тускло спросил Троепольский. Жить ему не хотелось.

— Когда забирать, — с некоторым недоумением ответила Федина сестрица, — когда забирать тело. Значит, насчет забора и еще насчет...

В трубке вдруг послышался какой-то посторонний звук, как будто удар, и отдаленный вскрик: «Мама!»

Троепольский выпрямился в кресле.

— Галина? — позвал он осторожно.

— Да-да, но я больше не могу говорить, вы мне перезвоните, или нет, вы мне не перезванивайте, а я лучше сама!..

— Мама!!

— Галина, что происходит?

В трубке захрипело и будто покатилось, Троепольский оглянулся на Полину, но она не слышала возни и криков.

— Галина, что там у вас происходит?!

— Это не Галина, — вдруг сказали ему в ухо. — Меня зовут Лера. Я племянница Федора Грекова. Вы кто?

— Арсений Троепольский.

— Вы-то мне и нужны, — жестко сказала племянница. — Вы можете со мной увидеться?

— Когда?

— Прямо сейчас. Приезжайте в кофейню на Пушкинскую. Забыла, как она называется, то ли «Кафе Тун», то ли «Кафе Бин». С правой стороны от метро. Знаете?

— Не знаю, но найду.

— Тогда приезжайте.

— Постойте, — крикнул Троепольский. — Как я вас узнаю?

— Это просто, — холодно сказала племянница. — Я очень красивая.

Григорий Сизов смотрел в разверстые недра своего монитора и думал. У него только так и получалось думать — глядя в компьютер. Думать отдельно от компьютера он никак не мог, как все люди, которые проводят за ним очень много времени.

Жизнь встала на дыбы так неожиданно и так безнадежно, что Сизов, привыкший к тому, что он — свободный, образованный, в меру богатый, ничем особенно не озабоченный, — никак не мог с ней справиться.

Пришла пора брать ответственность на себя, а ему не хотелось ничего такого брать. Как-то и в сорок два года ему удавалось оставаться милым, избалованным, славным, чуточку эгоистичным мальчиком «с прошлым». Это самое прошлое было таинственным и недоступным, а будущее он заказывал себе сам, как ему хотелось, и это было просто и приятно.

В минувшую субботу первый раз в жизни он крепко поссорился с партнером.

Вообще у них было замечательное партнерство —

они никогда не ссорились, не делили деньги, не дышали друг другу в спины. Они предоставили Троепольскому возможность делать все, что ему заблагорассудится, в обмен на известную свободу и еще на то, что он не нагружал их глупыми административными вопросами, вроде подбора персонала или поиска нового офиса, когда старый становился маловат, а на памяти Сизова он становился маловат уже трижды.

В субботу Федор Греков без предупреждения явился к нему домой. Когда Сизов открыл, тот отшвырнул дверь, чуть не стукнув хозяина по носу, обежал все комнаты с видом мужа, который ищет дорогую супругу в объятиях полюбовника, даже в ванную заглянул, и там что-то с грохотом обрушилось.

— Федь, ты чего? — лениво спросил Сизов из коридора. Федя все еще шуровал в ванной. — Постирать приехал?

И откусил от яблока, которое держал в руке.

Он прекрасно знал — для чего тот приехал. Он все знал, и чувствовал себя погано, и яблоко кусал от того, что ситуация была дурацкая, — в такие Сизов не попадал никогда.

Федя показался из ванной, вид у него был свирепый и одновременно как будто смущенный.

Он не нашел ничего, что подтверждало бы его подозрения, — еще бы! — и чувствовал себя дураком. Еще он не знал, как именно нужно ссориться, потому что раньше они не ссорились.

Так они стояли и молчали — Сизов с яблоком,

старательно прикидывающийся равнодушным, и Федя, похожий на большую несчастную гориллу.

— Ты вот что, — сказал Федя через некоторое время, — ты брось все это, Гриня. Еще не хватает!

Сизов знал, что ни за что не «бросит». Впервые в жизни он столкнулся со сложностями такого рода и давно отступил бы, если бы было куда отступать. Отступать Сизову было некуда, да и не хотелось.

— Федь, — начал он, рассматривая яблоко со всех сторон, словно это была бог весть какая интересная штука, — тебе не кажется, что ты вмешиваешься не в свое дело?

— Да не кажется мне, твою мать!..

— А мне кажется.

— Это, блин, — с напором выговорил Федя, — именно мое дело!

— Не твое!

Федя покачал из стороны в сторону дверь ванной, словно никак не мог решить, закрыть ее или оставить открытой.

— Я Троепольскому скажу, — вдруг пригрозил он.

— И что?!

— И он тебя выгонит.

— Федь, ты несешь ерунду.

— Он тебя выгонит! — заорал Федя. — А я еще добавлю! Как ты себя ведешь, твою мать?! Ты что, не знаешь, что дальше будет?!

— А что будет дальше?

То ли тон — насмешливо уверенный, который Сизов виртуозно умел применять, — а может, то, что он еще раз откусил от яблока и стал жевать, совершенно вывело Федю из себя. Он замычал, кинулся головой вперед и схватил Сизова за горло.

— Ты... ты сволочь последняя, Гриня, — в лицо ему выпалил он и приналег на его слабое горло.

Сизову стало нечем дышать, стены поехали, столкнулись и обрушились ему на голову.

— Ты бы... поостерегся, Гриня! А то рука у меня тяжелая, могу ненароком и повредить что-нибудь.

— Отпусти, — прохрипел Сизов. — Отпусти меня!..

Перед глазами все плыло, и что-то лиловое и колышущееся занимало все больше места в голове, и тогда Федя отпустил его.

Чтобы не упасть, Сизов схватился за стену, оперся, и воздух рвал ему горло, которое сильно саднило, и раздирал легкие и, попадая в голову, разбухал там, и лопался где-то на уровне висков.

Сизов разлепил глаза — прямо перед ним маячила Федина физиономия, ставшая еще более несчастной.

— Пошел отсюда.

— Ты смотри не упади, — пробормотал Федя виновато, и Сизов опять сказал, чтобы тот шел, но уже другими словами.

Федя еще некоторое время топтался рядом, словно соображал, не надо ли оказать Сизову экстренную медицинскую помощь.

— Я тебя предупредил. Ты... это учитывай.

Сизов, кашляя, распахнул входную дверь. Все это было смешно — даже подраться как следует они не умели!

Федя еще помаялся немного, а потом ушел, Сизов долго слышал его топот и тяжкие слоновьи вздохи.

Он никогда не думал, что все сложится так погано. Он вообще не любил сложностей, вернее, не признавал их. Даже от женщин, которым непременно хотелось сложностей, он моментально избавлялся — так, чтобы потом его ни в чем нельзя было обвинить и навязать еще немного этих самых сложностей.

Впервые в жизни он не знал, что ему делать дальше. Федька всерьез решил ему мешать, и уже было понятно, что на этот раз обойтись без «сложностей» ни за что не удастся.

Троепольскому рассказать нельзя. Бросить все тоже никак нельзя, да и что-то похожее на мужскую гордость в нем взыграло. Бросить означало бы подчиниться, сделать так, как приказал ему Федька, и Сизов вдруг решил, что одновременно это означает потерять уважение к себе. Хоть бы даже из упрямства он должен стоять на своем.

Все выходные он бесился, вспоминая постыдную сцену с партнером, и к понедельнику так обозлился, что не знал, как теперь пойдет на работу — ему казалось, что, завидев Федю, он немедленно даст ему по физиономии и получится еще одна отвратительная сцена. Даже хуже, потому что у всех на глазах.

Федю он отчаянно ненавидел. От ненависти сохло во рту.

Дать ему по физиономии Сизову не удалось. Федя скакал по конторе, всем совал в нос свой новый макет, целовал распечатки, прижимал их к груди — в горильих глазках горели восторг, умиление и радость жизни.

— Гриня! — прогремел Федя как ни в чем не бывало, едва завидев Сизова. — Ну, ты только посмотри, какой красавец! И всего за один день, прошу заметить! Вот что значит вдохновение! Вот что значит гений! Гений — это я, — пояснил он высунувшейся на шум новой секретарше Шарон Самойленко.

Тут Федя поцеловал Шарон — та отшатнулась и спряталась, потом поцеловал макет и вознамерился было поцеловать и Сизова, но тот Федину физиономию оттолкнул и прошел к себе.

Федька бушевал еще недолго, а потом затих.

А потом его убили.

Больше он Сизову не мешал. Больше Сизову никто не мешал.

Об этом никто не должен узнать — о том, чего не знал никто, кроме Феди, о том, что Сизов даже придумывал, как ему избавиться от полоумного партнера, о том, что Федя приходил к нему и они почти подрались.

Сизов смотрел в монитор и думал.

Узнать об этом проще простого. Когда Федька топал по лестнице, на площадке находилась пенсионерка Сидорова Тамара Петровна. По нескольку раз в день она выносила свой пенсионерский мусор и подолгу торчала на площадке, хотя ничего хорошего там отродясь не было. Таким образом Тамара Петровна всегда была в курсе всех соседских дел — кто спал и громко храпел, кто любовью занимался, кто по телефону ругался, а кто, как Сизов, участвовал в потасовке.

Если ментам придет в голову расспросить Сидорову, она все выложит и счастлива будет, что кому-то понадобились ее «сведения». А если это придет в голову еще кому-то... не ментам, тогда дело плохо. Совсем плохо.

Нужно их опередить или придумать что-то такое, что отвело бы от него все подозрения — раз и навсегда. Кажется, в кино это называется «алиби».

Три дня он ждал звонка, потом позвонил сам. Мобильный не отвечал, к домашнему никто не подходил. Рабочего он не знал.

Подозрения, одно хуже другого, вдруг заняли все свободное место в его голове и стали грызть висок и лоб, и от этих подозрений и страха Сизова как будто все время выворачивало наизнанку. Он ловил свое отражение во всех полированных поверхностях, чтобы убедиться, что у него все на месте — лицо, шея, руки.

Приехал Троепольский, и Сизов полдня прятался от него, потому что, в отличие от всех полированных поверхностей, вместе взятых, шеф моментально «отразил» бы вывернутого наизнанку Сизова.

На собрании он сидел далеко, смотрел в монитор лэп-топа, усмехался загадочно, это всегда помогало. И даже специально вылез с какими-то умными вопросами, чтобы отвлечь шефа от себя.

Потом Троепольский велел ему зайти, и он совсем упал духом, но что-то случилось — Полина осталась в Федькином кабинете, а шеф побежал куда-то, потом вернулся и потребовал у нее ключи от машины, и она побежала за ключами, и невиданная собака затявкала тоненьким гнусным голосом, и Марат предложил громко:

— Давай я тебя отвезу!

Но Троепольский только отмахнулся.

Объяснение откладывалось, и Сизов был рад передышке.

Нужно было что-то придумать, а он не мог. Ничего не придумывалось.

— Вы знаете, кто это сделал?

— Нет, — честно ответил Троепольский, очень стараясь не пялить на нее глаза, так она была красива. Гораздо красивее, чем положено быть обыкновенному человеку.

Кажется, она рассердилась и не поверила ему.

Ноздри раздулись, и тонкие бледные аристократические пальцы стиснули кофейную ложечку. Троепольский отвернулся и посмотрел на официантку в синем переднике. Официантка была замученной и очень молоденькой и бегло ему улыбнулась.

— Что-нибудь еще?

— Пока нет, спасибо.

— Как вы можете не знать! — шепотом воскликнула Федина племянница, переждав официантку. — Его убили... из-за работы!

— Почему из-за работы?

— Потому что он больше ничем не занимался! Он только и делал, что ходил на работу!

— Лера, — сказал он, чуть споткнувшись на ее имени, — на нашей работе нет ничего такого, из-за чего можно было бы убить. По крайней мере, я ни о чем таком не знаю.

— Вы не знаете, а Федю убили!

— Да, — согласился Троепольский.

— А милиция? К вам приходила милиция?

— Я провел в камере последние три дня, — сообщил Троепольский. — Милиция как раз уверена, что вашего дядю прикончил я.

— Вы?!

— Я его нашел. В этом все дело. Я их вызвал. Они приехали и... арестовали меня.

— Ужас какой, — пробормотала Лера. — А это... правда не вы?

Он глянул ей в лицо, а потом опять по сторонам, чтобы чуть успокоиться.

— Это не я, — сказал он наконец. — И я правда не знаю, кто мог это сделать, но я обещаю вам, что найду его.

Она смотрела на него с таким страхом, что он вдруг заподозрил неладное.

— А вы? Не знаете, кто его убил?

— Нет! — крикнула она все тем же придушенным шепотом. — Я знаю, что из-за работы! И... и все!

— Он говорил вам что-то?..

— Он никогда и ничего не говорил про работу! — перебила она его. — Он только говорил, что вы гений, и все.

— Это нам и так известно, — пробормотал он, и племянница улыбнулась, став примерно раз в сто пятьдесят краше. А может, в сто восемьдесят семь.

«Что же теперь делать-то, — жалостливо подумал Троепольский. — Как теперь быть?!»

— И маму не слушайте, — попросила она, шмыгнула носом и вытянула из-под чашки салфетку. В этом движении было что-то очень трогательное, детское, непосредственное. Он полез в карман и достал носовой платок. Лера взяла платок и потерла нос. — Маму нельзя слушать. Она у нас... неприспособленная. Она всегда такая была, на Федю только надеялась, а теперь не на кого надеяться.

— Конечно, мы поможем, — неожиданно для себя пообещал Троепольский, — вы маме передайте, чтобы она не убивалась из-за похорон и всего остального.

Лера вдруг ожесточилась.

— Нам не надо помогать. Мы сами справимся. Мне только очень нужно знать, кто его убил.

— Мне тоже, — признался Троепольский. — Но пока я не знаю.

Из-за ее необыкновенной, сказочной, невсамделишной красы он стал медленнее соображать, мысли загустели и стали похожи на малиновое варенье — сладкие и темные. Все это было странно — настойчивость, с которой она убеждала его, что Федю убили «из-за работы», и ее уверенность в том, что Арсений должен знать, кто убил ее дядю, и срочность этого свидания. Но он все увязал в своих малиновых мыслях, а вокруг шумело переполненное московское кафе «в центре», и музыка гремела, и телефоны трещали, и машины медленно ползли за громадными стеклами, и официантки разносили кофе и треугольные ломти сказочных тортов — и этот гам не позволял ему додуматься до чего-то определенного.

Еще ему хотелось пригласить Леру на свидание и почему-то казалось, что это очень глупо. Глупее ничего не придумаешь.

Троепольский посмотрел в окно и подвинулся на

алюминиевом стуле «с подушечкой», подтянул длинные ноги.

— Лера, вы часто виделись с Федей?

— Ну конечно! — ответила она с досадой. — Он только и делал, что меня контролировал! Он по три раза в день звонил!

— Зачем?

— Ну-у... — она поболтала ложкой в остывшем кофе, — ему все казалось, что я маленькая, он боялся, что я глупостей наделаю.

И она улыбнулась грустной улыбкой, от которой Троепольский впал в полное уныние.

— Каких... глупостей?

— Знаете, Арсений, мне кажется, он переживал, что я стану похожа на маму, а он этого не хотел.

Троепольский тоже был бы опечален, если бы Лера оказалась похожей на свою маму, даром, что он эту самую маму видел полтора раза в жизни. Зато сегодня он разговаривал с ней по телефону.

— Это касалось... вашей работы?

Она не поняла:

— В каком смысле?

— Он хотел, чтобы вы работали?

— Как вы деликатно это сформулировали! — сквозь зубы выговорила она и посмотрела вызывающе. — Да, мы все сидели у него на шее. И мама, и бабушка, и тетя Вера, и я. Ну, так получилось! Я зарабатываю мало. Бабушка болеет, тетя за ней ухаживает, а мама... Мама просто неприспособленная!

Троепольский понимающе покивал. Он терпеть не мог тунеядцев и тунеядок и искренне считал, что человек, который не работает, вообще не человек, а просто биологическая субстанция.

— Вы не думайте, у нее хорошее образование. Университет, филфак. Просто она не нашла себя.

— А искала?

— Она работала учительницей, но недолго. Потом познакомилась с папой, когда родилась я, папа умер, а я осталась. На работу она больше не вернулась.

— Но вы ведь уже давно взрослая девочка, — неторопливо сказал Троепольский, — вас не надо кормить кашей шесть раз в день. Или сколько раз в день кормят младенцев?

Варвара Лаптева, которая шесть раз в день кормит мальчика весом четыре килограмма и ростом — пардон, длиной! — пятьдесят четыре сантиметра, вдруг вспомнилась ему, и он подумал виновато, что так и не позвонил ей. Ей не позвонил и ее мужу не позвонил, а муж «большой миллионэр», как говорят перебравшиеся на Брайтон одесситы, он сам слышал!

— Я не знаю, сколько раз в день кормят младенцев, — ожесточенно сказала Лера, — но маме всегда было трудно с детьми. Кроме того, у нее слишком хорошее образование, чтобы работать... никем. Вот у вас какое образование?

— У меня, Лера, его и вовсе нету, — поделился сокровенным Троепольский, чем поразил собеседницу до глубины души.

— Как?!

— Так получилось.

— У вас... нет диплома?!

— Нет, — покаялся Троепольский. — Нету у меня диплома. Можете себе представить?

Тут Лера совершенно растерялась, и это было так забавно, что он улыбнулся потихоньку — чтобы она не оскорбилась.

— А как же вы работаете?

— Все равно тому, что мне нужно для дела, не учат ни в одном институте. Нет таких институтов.

— А тогда откуда?..

— Из книг, — перебил он ее. — На самом деле образование — это только чтение книг. Или ты умеешь читать, или не умеешь. Ходить для этого в некое место, где тебе говорят, что именно нужно читать, вовсе не обязательно.

— А... вам кто говорил, что нужно читать? Или вы вот так сразу все знали сами?

— Сначала родители говорили. Они у меня очень образованные люди. Потом я стал выбирать сам, а они мне просто не мешали.

Лера никак не могла осознать, что человек напротив — блестящий, насмешливый, знаменитый, склоняемый в «правильных» журналах, вроде «Власть» и «Деньги», и «правильных» телепередачах, вроде «Времена» и «Свобода слова», — только что признался ей, что он «необразованный», да еще так легко!

Или он... шутит?

И она спросила:

— Вы шутите?

— Я три года проучился в университете, на журналистике. Потом ушел, потому что это пустая трата времени на болтовню и ненужные книги. Мне жалко времени. Мне ничего так не жалко, как времени.

Выходит, не шутит.

— А где вы научились... всяким вашим компьютерным штукам?

— Компьютер ни при чем! — сказал он с досадой, словно она спросила невесть какую глупость. — Компьютер — это инструмент, как ручка или краски, если вы рисуете красками! Вы же пишете ручкой и не восхищаетесь поминутно, что умеете писать, хотя это большое достижение, конечно! Компьютер все упрощает.

Он глотнул кофе и провозгласил:

— Компьютер составляет алгоритмы моего графического и архитектурного сознания!

Лера смотрела на него во все глаза.

Полина Светлова на этом месте обязательно засмеялась бы, а Лера Грекова не засмеялась, и он вдруг почувствовал себя неловко, как столичный десятиклассник-пижон, припершийся в сельскую школу на лекцию по искусству.

Получилось что-то вроде «эстрадной миниатюры» Аркадия Райкина — закрой рот, дура, я уже все сказал!

Он допил кофе, закурил, ткнул сигаретой в пепельницу, стряхивая пепел, которого не было, переложил левую ногу на правую — все от неловкости.

Лера старательно переваривала только что услышанное, кажется, даже губами шевелила.

— И у вас никто и никогда не спрашивал... диплом?

— Я никогда не был на государевой службе, и мне просто не перед кем отчитаться. Моим клиентам все равно, есть у меня диплом дизайнера или нет. Их интересует только конечный результат, а результат в моем случае блестящий.

— Вы хвастаетесь? — уточнила Лера.

— Я констатирую факт, — поправил ее Трееполь-ский.

— Федя всегда говорил мне, что без диплома я никому и никогда не буду нужна. Никто не возьмет меня на работу, если не секретаршей или уборщицей, а вы...

— Вы хотите начать собственное дело?

— Не-ет, — перепугалась Лера. — Как я могу?!

— Если не можете, значит, получайте диплом. Начальников, которым наплевать на него, как мне, мало. Все остальные берут на работу именно дипломы, а не сотрудников. Так что прав Федя. Вам что, не нравится учиться?

— Мне не нравится, что он меня контролирует, — вдруг сказала она с силой, — каждый вздох, каждый шаг! Господи, от этого можно сойти с ума! Я все время прячусь, будто я беглый преступник! Дома мама, а вокруг Федя! Я как в осажденной крепости, понимаете?! Он даже мои телефонные распечатки проверял!

— Зачем? — не понял Трееопольский.

— Как зачем?! Чтобы знать, с кем я разговариваю, нет ли у меня подозрительных друзей и подруг! Раньше было не так. Раньше он был не такой... безумный, это в последнее время началось что-то ужасное.

— В последние дни?

— Да нет, ну что вы! Ну, может быть, год или около того. Правда, когда я была маленькой, он не так старался, а сейчас что с ним сделалось, кошмар просто!

Он разогнал всех моих приятелей, он проверял всех моих подруг, где я, что я!..

— Мне кажется, что мы с вами имеем в виду двух совершенно разных людей, — сказал Троепольский. — Вы племянница Феди Грекова? Я ничего не путаю?

— Ничего вы не путаете!

— Или вы что? Очень баловались в детстве?

— Ничего я не баловалась!

— Тогда почему у вас такой... строгий режим содержания?

И тут она чуть было не попалась. В самый последний момент, на самом последнем вздохе она поймала себя за язык, чтобы не сказать — почему.

— Не знаю.

Это прозвучало так фальшиво, что Троепольский моментально понял — знает. Все она знает, эта голливудская красотка. И то, что она знает, очень важно.

Может быть, это и есть самое важное из всего необъяснимого, случившегося в последнее время.

Он посмотрел на нее оценивающе, и все его романтические порывы вдруг как-то растворились в шуме и табачных облаках многолюдного кафе «у метро», осталась только настороженность и, пожалуй, страх.

Ему не хотелось, чтобы она оказалась замешана.

— Мои сотрудники сказали, что вы приходили к нам в контору.

— Какие у вас сотрудники, — ответила она небрежно, — все замечают!

— Ну, вас трудно не заметить.

— Это что? Комплимент?

Троепольский кивнул и опять закурил — все-таки она его смущала.

— Ну да, да, приходила. Федя позвонил и сказал, что вечером мы пойдем ужинать. В ресторан «Русские гвозди». Знаете такое место?

Троепольский пожал плечами — он не был знатоком ресторанов.

— Ну, он позвонил и велел, чтобы я за ним заехала. Я заехала, а девушка в очках и такой парень... довольно симпатичный, но нахальный, между прочим, сказали мне, что его нет, и не было, и вряд ли сегодня будет. Ну, я посидела и ушла. А парень пошел меня провожать. Но телефон я ему так и не дала!

Это было заявлено с необыкновенной гордостью.

— А когда Федя позвонил?

— Он больше не звонил, — ожесточенно произнесла она. — Его убили. Я приехала в вашу контору, а его... убили.

— Нет. Когда он звонил, чтобы пригласить вас в «Русские люди»?

— «Гвозди», а не люди!

— Ну, в «гвозди», шут с ними! Когда?

— Утром, — очень бойко ответила Лера Грекова, и Троепольскому не понравилась эта бойкость. Вообще говоря, врала она не слишком искусно.

— Утром?

— Господи, да не помню я! Вроде бы утром. Или днем. Наверное, днем. Да, по-моему, я была в институте, когда он звонил.

— Значит, это?..

— Господи, ну, допустим, в два часа. Да, в два часа. А что? Почему вас это беспокоит?

— В два или все-таки раньше?

— Я не помню, — сказала Лера капризно, — что вы ко мне пристали! Или вы думаете, что я помню все свои звонки?

И он моментально понял — это специальный тон для специальных случаев и специальных мужчин.

Скучно быть таким умным.

— А где ваш институт?

Она удивилась.

— На Таганке.

— Вы ехали на метро?

Она удивилась еще больше.

— Ну да, а что? Нет, у меня, конечно, есть машина, но она в сервисе была.

— Машину вам Федя подарил?

— На двадцать лет, — гордо сказала Лера. — Три года назад. Такая хорошая машинка!

Федя контролировал все — даже ее телефонные звонки. Федя подарил ей хорошую машинку. Федя позвал ее в ресторан «Русские гвозди» и назначил встречу в конторе. Позвонил и назначил.

Странно это.

Ему нужно поговорить с Полиной Светловой. Срочно. Ему нужно, чтобы она слушала, заправляла за ухо волосы, перебивала его, а он чтобы все время пытался заглянуть за ее очки, вот тогда все будет правильно!

А этой он все-таки назначит свидание — уж больно хороша!

— Лера, а что за девушка у него была?

— У кого? — изумилась Лера. — У Феди?! Девушка?! Господи, что вы говорите?!

— А что такого я сказал? — не понял Троепольский. — Или что, Федя Греков был тайный гомосексуалист?

— У него не было никаких девушек!

— Лер, на моей памяти их сменился десяток, — нетерпеливо сказал Троепольский. — Вы ничего не замечали?

— Нет, просто это... никакие не девушки. У него были какие-то связи, но... так, очень временные.

Это Троепольский и сам знал.

— То есть всерьез он ни с кем не встречался?

— Сколько вам лет, Арсений?

— Двадцать девять.

— Вы женаты?

Он покачал головой.

— Ну конечно.

— Почему «конечно»?

— Вы же помешаны на работе, Федя так говорил. А сам он не просто был помешан на работе, он жил только для того, чтобы работать! Какие там... девушки! Кроме того, мужчине определенного возраста трудно менять привычки. Он значительно старше вас и холостяк с головы до ног. Вряд ли он смог бы завести семью.

«У него уже была семья, — подумал Троепольский. — Некоторая часть этой семьи сидит сейчас передо мной. Мама не работает, тетя ухаживает за бабушкой, а девочке к двадцатилетию нужна была машинка. Ни для какой другой семьи не было ни времени, ни денег — конечно же».

— Мама рассказывала, — продолжала Лера, — что

у него была в молодости какая-то очень печальная история, и после этой истории...

— Не говорите ерунды, — перебил Троепольский довольно сердито. Ему было жаль Федю, за которого все решили. — У всех в молодости были печальные истории. Они не имеют никакого отношения к жизни.

— И у вас была? — вдруг спросила Лера.

— И у меня была, — соврал он. Просто так соврал, чтобы походить на «байроновского героя» — что за герой без печальной истории вначале!

— Но если его убили не из-за работы, значит, на него напали бандиты. Напали и убили.

Троепольский знал совершенно точно, что бандиты ни при чем, и работа ни при чем, что-то совсем другое убило Федю Грекова — ненависть, зависть, может быть, сумасшествие?..

Но чье?! Чье?!

— Вы... скажете мне, если что-то узнаете?

— Вы оставите мне телефон? Раз уж не оставили Марату?

Она улыбнулась — снова специальной улыбкой, — вынула ручку, крохотный, очень дамский блокнотик, умиливший Троепольского своей женственностью, и записала номер.

Он вернулся на работу, когда сумерки уже синели над Тверской, и от разноцветных огней небо казалось темнее и ближе, а в переулках была весна — лужи, хрусткий ледок, запах тающего снега и мерзлой воды. В лужах отражались холодное перевернутое небо и голые ветви деревьев.

Он заезжал в МТС на Дмитровку и долго маялся там в очереди, злился, и жарко ему было, и нетерпение одолевало, но он все-таки выстоял и получил то, что ему требовалось.

— Варвара! — крикнул он, едва открылась толстая металлическая дверь и охранник пропустил его внутрь, в привычный яркий мир родной конторы — фотографии и плакаты на стенах, длинный коридор, застланный серым ковром, запах кофе и сигарет. — Варвара, найди мне Светлову! И Сизова, если он еще не уехал! А если уехал...

Тут из секретарской комнаты показалась Шарон Самойленко. Вид у нее был довольно кислый.

— Вам чего?

Этот неожиданный вопрос так поразил Троепольского, что он замер, будто лбом стукнулся в стену, даже куртку до конца не стянул.

Про Шарон-то он позабыл. Начисто.

— Мне Светлову. И Сизова найдите.

— Григорий Ильич уехали.

— Я не сказал — «пригласите», — произнес Троепольский любезно. На Шарон Самойленко он старался не смотреть, от греха подальше. — Я сказал — «найдите». Вы понимаете слова? Или не очень?

— Я-то понимаю, — решительно ответила Шарон, — только там, где я раньше работала, было гораздо компетентнее в смысле моральных норм!

Троепольский вытаращил глаза. Куртка упала на пол.

— А ваши трудящиеся сотрудники сидят целый день в полном отрыве в смысле горячей пищи. А потом с меня требуют сухомятки, а я квалифицированный работник, а не буфетчица! Если вы, как руководство, этот вопрос не обеспечиваете, то я, как представитель трудящихся, ставлю ребром.

Троепольский с силой выдохнул. Его новая секретарша величественно приблизилась, покачивая костлявыми бедрами — он подался от нее назад, — нагнулась, подняла его куртку, зачем-то отряхнула и перекинула через руку, как лакей в пьесе Островского «Бешеные деньги». Перекинувши, Шарон поглядела на шефа и сказала с отвращением:

— Надо нормальный пищеблок наладить. А от вашего кофейного духа головокружение идет и трещит что-то. Организм у меня тонкий на предмет давления в сосудах. Или опять вам кофе подавать?

Несколько секунд Троепольский думал, что ему делать дальше, а потом захохотал. Хохотал он долго и с чувством.

— Светлову позовите, — сказал он, перестав хохотать. — Найдите Сизова и соедините меня с ним.

— Вам звонил город Челябинск по делу, — проинформировала его Шарон. — Фамилие, кажется, Хромов.

Уралмаш хочет получить свой сайт. Ну, конечно же.

Сайта нет, даже следов никаких, словно и не было его вовсе, хотя три дня назад он был почти совсем готов.

— Что вы ему сказали?

— Сказала, что вас нет по причине отсутствия. А они сказали, что позвонят вам на мобильный.

— Когда?

Шарон пожала плечами.

— Про это не говорили.

— Я буду в кабинете Грекова. Светлова пусть придет туда.

— А милиция сказала, чтобы мы там ничего не трогали в смысле бумаг и обстановки.

— Какая милиция? — не понял Троепольский.

— Какая звонила! Звонила милиция и сказала, что в кабинете покойника ничего без ихнего спросу брать нельзя. В смысле бумаг и обстановки вещей. Сказали, что завтра приедут утречком и все посмотрят, что имеет, а что не имеет.

— М-м-м, — сквозь зубы промычал Троепольский, которого Шарон больше не веселила, и большими шагами ушел от нее в сторону Фединого кабинета.

Через несколько секунд туда влетела Полина Светлова с собакой Гуччи на руках. Завидев Троепольского, собака оскалилась и тявкнула. Троепольский мельком глянул на них. Он выдвигал и задвигал ящики Фединого письменного стола.

— Ты что? Встречался с его племянницей?

Он кивнул. Да где же этот чертов пакет с полоумными роллерами на картинке?!

— Что она тебе рассказала?

Троепольский задвинул последний ящик, перегнулся на другую сторону и стал выдвигать там.

— Она очень красивая, — неизвестно зачем сказала Полина. — Правда?

— Правда.

— Она тебе понравилась?

Он кивнул, не отрываясь от ящиков, и это было хуже всего. Это было то же самое, что и всегда — «Я сижу у окна. За окном осина. Я любил немногих. Однако сильно».

Ему нет дела до Полины Светловой, и не было никогда, и никогда не будет. Сейчас ему есть дело только до смерти Феди Грекова и до его племянницы, поразившей его сегодняшнее воображение. А потом и про племянницу он позабудет, как забывал про всех и всегда, — зачем же она, Полина, так убивается по нему?!

Не надо было спать с ним, черт возьми!

Он мельком глянул на нее — сверкнули стекла очков, а за ними очень темные андалузские глаза, в которых была усмешка. Все-то он всегда видел и замечал, за какими бы вывесками она ни пряталась!

— Полька, ты помнишь, во сколько она приехала? Ну, в тот день?

— Вечером. Темно было. Да! Ты позвонил около восьми, значит, она уехала где-то в полвосьмого. А что?

Троепольский нашел пакет, вытащил и бросил его на стол.

— Она сказала мне, что в два часа дня Федя позвонил ей и пригласил в ресторан.

— Ну и что?

— Он не мог ей звонить — я так думаю.

— Почему?! — поразилась Полина.

— Потому что он уже с утра не отвечал на звонки. Я первый раз позвонил ему, когда сказали, что едет курьер, это было часов в одиннадцать. Ну, тот курьер с договором, на который нужно было поставить печать! И он уже не отвечал. Очевидно, работал, отключил мобильник и трубку не брал. Да и вообще он пригласить в ресторан ее в тот вечер никак не мог!

— Почему?!

— Потому что на вечер было совещание назначено, по «Русскому радио»!

— Точно, — пробормотала Полина и перехватила свою собаку, которая заинтересованно принюхивалась к ее волосам.

— Вот именно. Федька ни за что не пропустил бы совещание ради ресторана с племянницей. Понимаешь?

Гуччи замолотил в воздухе голыми тонкими крысиными лапками в облаке редких светлых волос, покосился виновато и сделал движение боками. Полина ссадила его на ковер.

— Зачем она приезжала? — задумчиво спросила Полина, не поднимаясь с корточек.

— Зачем она наврала, что он ее приглашал?

— Может, ей что-то нужно было в конторе?

— Уралмашевский макет? — предположил Троепольский неторопливо. Он вытряхнул фотографии из пакета и теперь раскладывал их, как пасьянс, по одной. Поверхность Фединого стола стала похожей на акварельную картинку.

Полина посмотрела на «картинку», а потом на ее создателя. У него был сосредоточенный вид.

— Арсений, она никуда не ходила. Она все время сидела... здесь.

— Где — здесь?

— В круглой комнате. Потом вошли мы с Маратом, и она при нас же ушла. Марат ее провожал.

— Я знаю, — сказал Троепольский. — Он просил у нее телефон. Ему она не дала, а мне дала.

— Понятно.

— Что тебе понятно?

Полина Светлова промолчала. Собака Гуччи нервно и беспорядочно бегала по кабинету, очевидно, удрученная его несовершенством.

— А сколько она была здесь до того, как появились вы с Маратом?

Полина открыла и закрыла рот. Этого она как раз не знала. Явилась Шарон Самойленко и сказала, что пришла какая-то девушка. А... дальше что?

Племянница сидела на диване. Шарон мыкалась рядом, Полине показалось, что она подслушивала, потому что беспокойство ее в тот вечер вплотную приближалось к истерике. Больше не было никого, только «Рамштайн» гремел. Да, еще Сизов шел по коридору, но далеко, в районе своей двери.

— Я не знаю, Арсений. Шарон сказала, что девушка дожидается, а сколько дожидается, я не спросила. Но в любом случае не больше пятнадцати минут, потому что до этого я в коридор выходила — там был курьер. Я его отпустила.

— Пятнадцать минут — это много, — все так же неторопливо сказал Троепольский.

— Зачем тебе фотографии?

— Затем, что я хочу понять, давние они или не слишком.

— А как это можно понять?

— Очень просто, — серьезно объяснил Троепольский, — если изображенный сидит на коне, в буденновке и с шашкой, значит, давняя. А если в шортах и с доской для серфинга, значит, свежая.

Китайская хохлатая собака Гуччи подбежала к Полине и потряслась около нее немного — дала понять, что оценила юмор шефа.

— Там что, есть дата?

— Нет даты, в том-то и дело! Но это явно зима. Зима?

Полина подошла и встала у него за плечом.

— Зима.

— Подмосковье?

— На Альпы не похоже.

— Альпы в расчет не берем. В отпуске он был три года назад, когда пристраивал племянницу в институт. Я точно помню, потому что тогда Лаптева пришла и мы переезжали. Значит, зима. Скорее всего, февраль, да?

— Почему февраль?

Троепольский вытащил из пасьянса несколько составляющих и разложил отдельно.

— Смотри, сколько снега. В январе все растаяло, а в феврале опять насыпало. И солнце очень яркое, такого в декабре не бывает. Ну что?

— Что?

— Останавливаемся на том, что это февраль?

Ему очень нужно было, чтобы она его слушала, поддакивала или, наоборот, не соглашалась, а лучше бы сказала: «Ты что, дурак?» и еще «Пошел к черту», так она иногда говорила, когда ни в чем не могла его убедить, когда он бывал не прав, когда...

— Какая разница, февраль или нет?

— Да большая!

Он нагнулся — из-за уха вывалилась блестящая темная прядь, — покопался в портфеле и извлек какие-то длинные белые листы с колонками цифр.

— Что это такое?

— Распечатка звонков с его мобильного. Мне дали в МТС. Телефон общественный, записан на контору, так что...

— Зачем тебе распечатка его звонков и при чем тут месяц февраль?! И еще фотографии?!

— Затем, что я хочу знать, что это за женщина на них, — жестко сказал Троепольский. — Между прочим, Федина семья о ней ничего не знает, а она очень отличается от всех своих... предшественниц. Наверняка он звонил ей со своего мобильного.

Полина перебрала листы. Их было очень много, и номеров было очень много.

— Как ты поймешь, какой номер именно ее?!

— Между прочим, — сообщил Троепольский в потолок, — искать этот номер будешь именно ты. Мне некогда.

— Троепольский, ты что, дурак?

— Возьмешь распечатки за январь и февраль. Вычеркнешь все наши номера — мой, свой, Гринин, Марата, Сашки, Ирки, Варвары и так далее. Племянницу тоже вычеркнешь, ее номер я тебе сейчас дам. Все незнакомые выпишешь. По одному из них он должен был звонить довольно часто, а потом три дня в феврале не звонить вообще.

— Почему?!

— Да потому что она с ним была, эта баба! Какого хрена ей звонить, если она и так под боком! Ну?! Поняла? Или на тебя Шарон Самойленко плохо действует?!

— Зачем тебе эта баба сдалась-то?!

— Затем, что она и есть большая любовь его жизни, — вдруг моментально изменив тон, сказал Троепольский задумчиво. — А это важно. И странно, что семья ничего о ней не знает. Или врет, что не знает. Мне, кстати, надо переговорить с его сестрой. По телефону мне показалось, что она не слишком вменяемая. И еще мне надо знать, что произошло в Федькиной жизни год назад.

— Почему год?

— Потому что год назад он стал изо всех сил опекать свою племянницу, понимаешь? Он проверял ее звонки, сумки, подруг, друзей. Зачем? Что за глупости? Она очень красивая, конечно, но все-таки довольно взрослая девочка! Почему до этого он ничего такого не делал, а тут вдруг ударился во все тяжкие? Эта Лера сказала, что жила, как в осажденной крепости, что Федька самодур, и так далее, но я уверен — она точно знает, в чем дело.

— Может, спросить у нее?

— Конечно, спрошу, — ответил Троепольский и потянулся, — приглашу ее на свидание и спрошу.

Ближе к ночи все затихло и улеглось, как будто кипятильник выдернули из розетки и поверхность воды стала гладкой и спокойной. Впрочем, действительно выдернули — уехал он, кипятильник-то. Два часа они со Светловой просидели в Федином кабинете, и даже близко нельзя было подойти, чтобы послушать, о чем они там говорят, — дверь, как обычно, стояла нараспашку, а говорили они не громко, ни слова не разобрать.

Потом шеф вышел и громогласно объявил в пространство, что уезжает, а завтра утром переговорит со всеми разработчиками по всем сайтам. Просьба заранее занимать очередь и не толпиться.

Шарон Самойленко убралась сразу следом за шефом — по коридору проволокся резкий, словно жестяной, запах ее духов, от которого моментально стало тяжело в голове. Потом Светлова ушла — долго утешала свою собаку, которая отчего-то была сильно расстроена, тряслась и по-мышиному попискивала. Полина искала ключи от своей машины, которые Троепольский бросил неизвестно где. Через некоторое время выяснилось, что ключи начальник увез с собой, и она потащилась на метро — высоченная, в необыкновенных очках и с трясущейся голой собакой на руках, самое ей там место, в метро!

Все разбрелись, никого нет — слава богу! Осталось сделать совсем немного — загрузить уралмашевский макет и посмотреть, как он работает, и сделать это можно только в конторе, потому что дома нет компьютера!

В коридоре было пусто, и от пустоты казалось, что очень просторно — цепочка сильных лампочек на потолке заливала беспощадным белым светом стены, фотографии и немыслимые плакаты, которые неизвестно где находил шеф, приволакивал и развешивал по стенам. «Проходя по эскалатору, стойте справа»! И это его забавляло, придурка.

Все у шефа получалось, все ему удавалось, все его гнусные теории подтверждались, вот как удача его любила, а он даже этого не понимал. Он был убежден, что все сделал сам, что это он такой молодец, а не стечение обстоятельств, которые только и делали, что «стекались» в его пользу! Даже то, что он не желал работать под контролем и терял заказчиков, потому что те хотели «проверять» его работу, шло ему только на пользу! О нем легенды слагали — вот как ловко он сумел запудрить всем мозги, и он еще поплатится за это.

Федя Греков — только начало. Посмотрим, как ты теперь повертишься, как локти начнешь кусать, как весь изойдешь яростью и злостью — ведь тебя уже отволокли в ментуру, и ты на себе испытал, что такое бессилие, полное, окончательное, бесповоротное!

Какое это сказочное, почти болезненное удовольствие — думать, как заносчивого, гордого, такого уверенного в себе шефа обыскивали, «шмонали», швыряли его одежду, очки, часы, телефон! Жалко, что не избили — а может, и избили, мало ли что на морде никаких следов не осталось, по морде, наверное, нынче не очень-то и бьют, грамотные стали насчет «физических методов воздействия» и «звонка своему адвокату»!

Жаль, что его выпустили. Странно, что его выпустили, — все равно никаких других подозреваемых у ментов нет и быть не может! Вот бы опять посадили, только всерьез! Сначала судили бы, а потом посадили, и надолго, «на зону» или как там это правильно называется! Каково тебе будет на зоне, дорогой и любимый шеф? Арсений Троепольский — зэк, убивший собственного зама от ревности или от зависти, мало ли что можно придумать!

Мысли были острые и сладкие, обжигающие счастьем. Троепольский проиграет — так не бывает, чтобы выигрывать всегда. Когда-то его необыкновенное везение должно ему изменить, оно уже почти изменило, осталось еще чуть-чуть, самую малость.

Серьезные заказчики — очень, очень, очень серьезные, ибо всем хорошо известно, что с Тимофеем Кольцовым, владельцем этого гребаного Уралмаша, шутки плохи, — будут недовольны, да еще как! Во-первых, тем, что сайта никакого нет, во-вторых, тем, что Троепольский втянул их «в неприятную историю», а уж представить все так, будто он убил зама, потому что тот вышел из-под контроля, а сам шеф ни на что не способен, проще простого!

Менты — черт с ними, пусть они и не поверят, хотя хорошо бы поверили и засадили его всерьез! Заказчики поверят, потому что разбираться им некогда и недосуг, а Троепольский при всем своем величии слишком мал, чтобы такой монстр, как владелец Уралмаша, стал разбираться, кто прав, а кто виноват. И тогда конец всему — репутации, славе, легендам!

Еще чуть-чуть. Только подтолкнуть в правильном направлении — и все.

Макинтош мигнул, словно льдом подернулся, и на мониторе взорвалась картинка — сказочная, яркая, не имеющая никакого отношения к трубам, дымам и чугунным болванкам Уральского машиностроительного завода. Федя Греков, как и сам Троепольский, все и всегда делал против правил — завод меньше всего был похож на завод, автомобиль на автомобиль, телефон на телефон.

«Все это смертная скука», — говорил Троепольский, когда ему показывали «телефонную» рекламу, в которой говорилось о «центах за минуту» и о том, что «ночью дешевле». И переделывал по-своему, так что в «телефонной» рекламе не оставалось ни слова о телефонах, и заказчики в припадке восторга закатывали глаза, и продажи росли как на дрожжах, и придуманные шефом слоганы цитировались в газетах, на радио и еще черт знает где, а он так и не поехал за присужденным ему каннским «Львом», все некогда ему было, и «Льва» получал Федька!

Самым убийственным было то, что все идеи шефа казались простыми и аскетичными до идиотизма, ничего не было в них такого, чего нельзя было бы повторить, разобрать по частям, разложить по полочкам, но вот беда — разложив, их невозможно было собрать обратно! И повторить невозможно — похоже, да, похоже, пожалуй, но вот не то, не то!..

«Мы, гении, — говорил Троепольский, — всегда неповторимы». И непонятно было — шутит он или нет.

Посмотрим, как ты теперь пошутишь, избалованный скверный мальчишка! Гений, твою мать!

А Федька подозревал. Давно подозревал, и приходилось прятаться, улыбаться, хвостом вилять, «отводить подозрения»! Опасность миновала — больше его подозревать некому. Все остальные «гении», которых

Троепольский подбирает себе под стать, дальше собственных Макинтошей не видят ничего, и слава богу!

Сайт искрился и переливался на мониторе, и смотреть на него было невыносимо. Можно и вовсе не смотреть. Все в порядке. Дело почти сделано.

Бабахнула тяжелая металлическая дверь в отдалении, и потянуло сквозняком. Паника рухнула откуда-то сверху и почти придавила его. Стало трудно дышать. Мокрые пальцы поехали по выпуклой спинке компьютерной мыши и нажали что-то вовсе не нужное.

Кто это может быть?! Охранник?! Что ему надо?! Сотрудники?! Нет, не может быть, все давно ушли!

Сайт на мониторе горел, как жар-птица из сказки, и пальцы все промахивались, никак не могли потушить его.

Шаги. Ковер глушит звук, но все-таки слышно. Шаги. Очень близко.

Нет, это не охранник.

Это свои.

То есть те, кто работает здесь, какие еще свои! Нет никаких своих!

Попасться?! Вот так, в последнюю минуту, бездарно и пошло проиграть только потому, что кому-то из «гениев» пришла фантазия ночью вернуться на работу?!

«Нет. Нет! Нет!!!» — Кто-то будто визжал в голове. Визжал, и корчился, и изнемогал от страха.

Что-то словно заскреблось очень близко, и волосы у него на макушке встали дыбом.

— ...Гуччи, ты где?! Гучинька, иди сюда. Я больше не могу, я домой хочу. Гуччи!

Полина Светлова, любовница шефа, шпионка, доносчица, карьеристка и мужененавистница.

У женщины не может быть рост метр восемьдесят пять. Фотомодели не в счет, живьем их все равно никто и никогда не видел. Она не должна быть умнее окружающих мужчин — или она их возненавидит, или они возненавидят ее. Она не должна носить странные очки и обтягивающие джинсы. Она не должна «находиться на особом положении» только потому, что когда-то начальник с ней спал.

И именно она явилась, чтобы всему помешать и все разрушить!

— Гуччи, мальчик, ты чего?!

Двери в конторе никогда не закрывались — Троепольский не закрывал и всех приучил. Длинная темная тень, похожая на скорпионью, задрожала на сером ковре — дьявольская собака была уже на пороге. Тень почти касалась ножки кресла.

Прыжок, стремительное движение — тень шарахнулась, словно скакнула, — мерцание сайта на мониторе, шаги совсем рядом.

Есть только один шанс. Только один удар.

— Гуччи!

Она замерла на пороге — ее сломанная пополам тень доставала до Макинтоша. Сайт все горел, как жар-птица из сказки.

— Господи боже мой, — отчетливо прошептала она и откинула за плечо черную прядь волос. Выражения лица было не разобрать, сильный свет из коридора бил ей в спину.

Собака тявкнула. Она может помешать.

Всего только один удар.

— Кто здесь? — Голос неуверенный, какой-то детский. — Кто-нибудь здесь есть?!

О да! Есть.

Стремительное движение, чтобы не раздумывать и не отступить.

Дверь вдруг что есть силы ударила Полину в переносицу, так что она покачнулась на каблуках и стала валиться на спину, и удар в лицо догнал ее. Что-то хрустнуло — арбуз хрустел, когда отец весело резал его длинным хлебным ножом, — короткий и хриплый взвизг, и все.

Только темнота и тишина, и внутри темноты и тишины блеск уралмашевского сайта.

Кажется, дождь пошел, решила она. Лицу было тепло и мокро.

Интересно, где я уснула, если на меня льет дождик? Или я в отпуске?

Что-то странное творилось вокруг, что-то неестественное, и сразу было не сообразить, что она лежит на полу и смотрит вверх, и смотреть ей неудобно. Что-то мешает.

Она подняла руку — рука была словно чужая — и дотронулась до лица. Лицо было теплым и мокрым, потом она нащупала что-то твердое и острое. Сняла со щеки что-то, блеснувшее изломанным краем под светом мощных лампочек.

Кусок стекла. Разбились очки.

И как только она подумала про очки, сразу все вспомнилось — светящийся в темноте монитор,

Гуччи, залаявший в глубине комнаты, и странное чувство, словно кто-то смотрит на нее из темноты.

Наверное, и в самом деле смотрел. Ждал. Примеривался.

Стало так больно, что она вдруг заплакала, слезы сами по себе полились из глаз, Полина вяло подумала: хорошо, что они льются, значит, у нее остались глаза.

Что-то тоненько зазвенело рядом с ней, и она не сразу поняла, что это Гуччи скулит.

— Гучинька, — пробормотала Полина и не узнала своего голоса. — Гучинька, ты жив?

Она не видела его и не знала, почему тот скулит — потому, что жив, или потому, что умирает, и эта мысль заставила ее подняться. Очень осторожно она повернулась и встала на четвереньки. Черные волосы сосульками болтались у нее перед носом, и от их колыхания у нее так закружилась голова, что пришлось зажмуриться и опереться рукой о стену, чтобы не упасть лицом в серый ковер, который вдруг приблизился прямо к глазам.

Значит, глаза все-таки целы.

Слезы капали и казались почему-то черными.

Нет, сказал кто-то внутри Полины. Они не черные. Они темно-красные, от крови.

Из глаз у нее течет кровь.

Она поползла и выбралась в коридор. На полу, прямо под дверью валялась ее сумка и — отдельно от нее — мобильный телефон.

Забыв про Гуччи, Полина подобрала мобильник, села спиной к стене и нажала кнопку.

Сейчас. Потерпи. Еще немного.

Долго никто не отвечал, а потом трубку вдруг сняли.

— Ты что, с ума сошла?! Я три ночи подряд не спал.

— Приезжай.

— Куда?!

Он ничего не понимал. Наверное, она его разбудила, и, если он бросит трубку, она ни за что не сможет позвонить еще раз, потому что у нее просто не хватит сил на это.

— Приезжай. Я на работе. Только прямо сейчас.

Он помолчал.

— Что случилось?

— Я не знаю. Но, если у тебя есть бинт или пластырь, захвати. Пожалуйста.

— Бинт или пластырь, — повторил Троепольский. Голос у него изменился: — Что случилось?!

Она осторожно положила на колени трубку с голосом Троепольского внутри, прислонилась затылком к стене — стало еще больнее — и закрыла глаза, из которых по-прежнему капали кровавые слезы.

Так Полина сидела и ждала его, и ей казалось, что он все еще что-то говорит в трубке, и она знала, что, пока он там, ничего плохого с ней не случится.

Он приехал очень быстро? или ей так показалось? Когда она в следующий раз открыла глаза, прямо перед собой увидела его джинсовые колени.

— Черт побери, — пробормотал он и присел на корточки перед ней. — Полька, ты что?!

Это был очень глупый вопрос, глупее не придумаешь, но он так боялся за нее, пока бежал по ночному переулку, пока совал карточку в прорезь охранного автомата, пока мчался через двор, а потом по лестнице, и на площадке пришлось придержать рукой горло, потому что в нем колотилось сердце, угрожая порвать артерии, или вены, или что там еще есть такого?..

Из располосованной щеки Полины торчал острый кусок стекла, и Троепольский осторожно выдернул его — потекла тоненькая красная струйка, и ему страшно было вытереть ее или как-то задеть, прикоснуться к ней.

— Полька, надо в больницу. У тебя все лицо... в порезах.

— Мне надо умыться.

— Нет, нельзя. Что у тебя с глазами?

Она открыла глаза и посмотрела на него, потом медленно моргнула.

— Не закрывай глаза! — вскрикнул он испуганно, и она вытаращилась на него.

— Как же мне не закрывать?!

— А вдруг там стекло?

— Я пойду умоюсь.

— Да нельзя умываться! Нельзя, если там стекло!

— Проводи меня.

— Полька!!

Она опять, как давеча, встала на четвереньки и попыталась подняться, опираясь ладошкой о стену. Троепольский поддержал ее.

— Полька, я вызову «Скорую»!

Она не слышала его. Почему-то на ней не было туфель, и от этого он вдруг перепугался еще сильнее.

Сердце в горле, казалось, лопнуло, и его острые,

как стекло, края перерезали все вены и артерии. Что-то горячее полилось внутрь.

— Полька, что, черт побери, здесь произошло?!

— Ты увез мои ключи от машины.

— Что?!

— Я искала в сумке, я же не знала, что ты их увез. Я все выложила, а потом оказалось, что я забыла на столе ключи от квартиры. Я вернулась, а тут... кто-то был.

— Кто?! Кто тут был, Полька?!

Полина покачала головой — она так и не рассмотрела. Видела только светящийся монитор, на котором царил шикарный Федин сайт, и больше ничего. В комнате было темно.

Она вошла в темную комнату, потому что Гуччи забежал внутрь, и она никак не могла его выловить. И как только она вошла, дверь со всего размаха вдруг врезалась ей в лицо, а потом... потом... врезался кулак.

Этот кулак, летящий прямо в ее беззащитные глаза, она запомнила очень хорошо, как в замедленной съемке — сантиметр за сантиметром, и все ближе и ближе, и потом что-то отвратительно хрустнуло, как хребет ящерицы, на которую наступил сапог.

Полина рванулась, и от неожиданности Троепольский выпустил ее. Она добежала до узенькой белой дверки, распахнула ее и ощупью открыла кран. Вода веером полетела в белую раковину, и Полина, держась двумя руками за стену, сунула под кран лицо.

Стало больно и очень холодно. Вода, спиралью уходившая в белую раковину, была красной. Зато ее перестало тошнить.

Господи, как унизительно!..

Он вошел следом и прижал ее боком к себе, и она смогла отлепить от стены ладони — на чистом кафеле остались красные пятна. Щеки перестало колоть, и вода из красной превратилась в нежно-розовую, и Троепольский сунул ей салфетку, толстую и мягкую.

— Только не вытирай ничего. Промокни просто!

Полина послушно промокнула и посмотрела на себя в зеркало.

Порезов было несколько, и все они еще потихоньку сочились — в основном вокруг глаз и один на веке, довольно глубокий. Глаза были целы, наверное потому, что она *видела*, как к ней приближается кулак, как на замедленном показе знаменитого нокаута Майка Тайсона, и успела зажмуриться.

Впрочем, если бы ударил Тайсон, вряд ли после этого она смогла бы рассматривать себя в зеркало.

— Полина.

Слева порезов было почему-то больше, чем справа, наверное, потому, что тот, кто ударил ее, не был левшой.

— Полина!

Федор Греков был левшой — впрочем, не совсем. Он очень гордо рассказывал всем, что у него «право-левая симметрия», и с ложками и вилками он хорошо управляется обеими руками.

— Полина.

Она повернулась и посмотрела на Троепольского. В черных андалузских глазах были беспокойство и досада, словно он сердился на нее за то, что она попала в такое неприятное положение.

Или на самом деле сердился?

— Расскажи мне быстро, что случилось. Только внятно.

Она переступила ногами. Холодно было стоять в одних носках на ледяном кафеле. Троепольский посмотрел вниз.

— Где твои туфли?

— Не знаю.

— Тебя что... насиловали?

— На мне нет туфель, а не штанов, — сказала она сердито, и у него чуть-чуть отлегло от сердца.

— Что случилось?

Она приложила к веку салфетку, отняла ее и посмотрела. Кровь все еще шла. Троепольский достал из джинсов носовой платок, намочил и прижал сбоку к ее лицу. Она замерла и закрыла глаза — потому что, когда он прижимал ее порезы своим носовым платком, все ее страхи скукоживались и рассыпались в прах, как осенние листья в костре.

— Я вернулась за ключами от квартиры. Я их вытряхнула, когда искала ключи от машины, которые ты увез.

Он пожал плечами. Она не могла этого видеть, но поняла, что пожал.

— Точно увез. Ты стал как Федя.

— Я не как Федя! Может, я просто их не выложил, когда приехал.

— Может. Тут кто-то был, хотя охранники мне ни слова не сказали.

Охрана была далеко от них — стерегла комплекс зданий, два десятка офисов, объединенных общим забором и внутренним двориком с голубыми елями, советскими скамеечками и неработающим фонтаном в центре композиции. Перед железной дверью, преграждающий путь во владения Троепольского, тоже сидел охранник, но только днем, когда в офис то и дело ломился народ. На ночь оставались наружное наблюдение и хитрый автомат, в который, как в фильмах про Пентагон, нужно было вставлять карточку.

— Охранники могли и не знать, что тут кто-то остался. Он же не в окно влез, а просто... задержался после работы.

— Задержался, — повторила Полина, и ее опять затошнило. — Гуччи убежал. Я пошла его искать и увидела, что работает компьютер. В большой комнате.

«Большой комнатой» именовалось помещение, где сидело большинство сотрудников, не обремененных личными кабинетами. Таковых насчитывалось человек двадцать.

— Забавно.

— Забавно, — согласилась она. — Но самое забавное, что в компьютере был уралмашевский сайт. Который пропал.

— Стало быть, он не пропал.

— Не пропал. Гуччи где-то бегал, я слышала, как он топает, а потом вдруг... меня ударило дверью. И еще кулаком, прямо... в скулу. И все. Я упала. Гуччи! — вдруг вскрикнула Полина и отшвырнула руку Арсения, которая прижимала ее раны, — господи, Гуччи!

И толкнула дверь, и выбежала, и дверь чуть было не стукнула по носу Троепольского, который подался за ней.

Вот было бы замечательно.

— Гуччи, ты где?! Ты где, мой хороший, ты где, моя собачка?! Гучинька!

Гучинька обнаружился в ее кабинете. Как только зажегся свет, он метнулся к Полине, припал к ее ноге, прикрыл глаза и затрясся изо всех сил.

— Гуччи! — Полина подхватила его, прижала к себе и несколько раз нежно хлопнула по голой розовой заднице — от переизбытка чувств.

Троепольского передернуло.

Гуччи посмотрел на нее, на морде у него отразился комический ужас, и он стал неистово лизать ее щеку.

— Фу! — крикнул Троепольский. — Полька, он тебя лижет! Фу, кому говорят!

Гуччи, не переставая мелко дрожать, повернулся к Троепольскому голым задом и снова лизнул Полину.

— Полька, у тебя будет заражение крови!

— Не будет у меня никакого заражения! Китайская хохлатая — лечебная собака.

— Ну да, конечно! Лечебная! Фу! Прекрати немедленно! Скажи ему, чтобы он тебя не лизал!

— А что ты волнуешься, я не понимаю? Пусть лижет, — вдруг сказала она спокойно. — Если тебе неприятно, можешь не смотреть.

И тут он покраснел — просто так, ни с того ни с сего, оттого, что Полькину щеку вылизывала китайская хохлатая лечебная собака! И Полька это заметила, конечно, черт бы ее побрал, она всегда замечала все, что с ним происходило!

«Ехал Ваня на коне, — вдруг подумал он, — вел

собачку на ремне, а старушка в это время мыла фикус на окне».

«Фикус» — экое чудесное слово!..

Рассердившись, он вышел из ее комнаты — пусть она сколько хочет целуется со своей ненормальной собакой, он не станет на это смотреть.

В «большой комнате», где все случилось, было темно и не работал ни один монитор — еще бы! Троепольский постоял на пороге, всматриваясь в темноту. Ничего он не мог рассмотреть, потому что рассматривать было нечего, и еще потому, что почти не видел в темноте. Он постоял-постоял, а потом ударил кулаком по плоской кнопке.

Вспыхнул свет.

Почему-то он ожидал увидеть хаос и разрушения, как после налета, но все было в порядке — как всегда. Только серый ковролин в двух местах был заляпан кровью — большие, темные, еще не остывшие капли. И очки валялись, вернее то, что от них осталось. Троепольский подобрал очки. Ему казалось страшно важным, чтобы Полька их не увидела.

Он не слышал шагов, но все-таки знал, что она подошла и стоит у него за спиной.

— Какой монитор работал?

— Средний.

Хрупая остатками стекла, он подошел и включил монитор.

— Ты точно видела именно уралмашевский сайт?

— Да, Арсений. Точно его.

В последнее время он ей снился, этот сайт, она ни за что не перепутала бы его ни с каким другим!

Троепольский перевернул стул, сел на него верхом и постучал по клавиатуре. Потом опять постучал.

— Кто здесь обычно работает?

— Кто-то из кодеров. По-моему, Иван Трапезников.

Троепольский еще немного постучал по клавиатуре.

— Ну что?

Он пожал плечами.

— Никаких следов. Но это и так было понятно. Вряд ли он намеревался оставлять следы.

— Или она.

Троепольский подпер ладонью щеку и посмотрел на Полину.

— Она? У нас одна «она» — это ты. Ирка — администратор, Лаптева родила, а Шарон не в счет.

— О Шарон мы ничего не знаем, — вдруг сказала Полина, — совсем ничего.

— Кроме того, что ей за тупость можно Нобелевскую премию дать!

— Вот именно. Она такая тупая, что мы... не принимаем ее в расчет. Совершенно. Может, она этого и добивается?

Троепольский опешил. Это не приходило ему в голову.

— Шарон Самойленко сегодня добивалась от меня, чтобы я наладил нормальный пищеблок! Зачем ей переть уралмашевский сайт из всех наших компьютеров?!

— Но кто-то его спер, черт возьми!

— Но это не Шарон Самойленко, черт возьми!

Полина помолчала.

Она была почти уверена, что знает, кто именно его украл, и больше всего на свете ей было необходимо, чтобы этого не узнал Троепольский.

По крайней мере, пока.

Он еще немного поиграл на клавиатуре свои гаммы и выключил компьютер.

— Ну что? — спросил он у Полины. — Это Ваня Трапезников тут шалил?

— Я не знаю.

— Пошли.

— Куда?

— Я отвезу тебя в больницу, куда, куда!

— Мне не надо в больницу!

— Полька, все, хватит. С глазами шутки плохи.

— Все в порядке с моими глазами.

— Это точно.

Он стремительно поднялся, чуть не опрокинув стул, подошел и опять прижал к ее скуле свой носовой платок, только другой стороной.

— Все еще идет? — спросила Полина тоненьким голосом.

— Идет, твою мать! И я сейчас отвезу тебя в больницу!

— Я не поеду ни в какую больницу.

— Ты дура, — сказал он обидно, но руки не отнял, и еще некоторое время они постояли молча и очень близко друг к другу. Полине показалось, что он ее утешает — впрочем, она всегда выдумывала про него невесть что, хоть и видела его насквозь.

Лечебная собака больше ее не лизала, только коротко и часто дышала. Троепольский чуть не задевал ладонью ее мокрый нос.

— Я не верю, что это кто-то из наших, — вдруг сказал он, рассматривая этот нос. — Просто быть такого не может.

Полина точно знала, что «это» как раз кто-то «из наших».

— Выходит, и Федьку убили тоже из-за этого проклятого сайта!

Она перехватила Гуччи и свободной рукой поплотнее прижала ладонь Арсения к своей щеке.

— Я все-таки отвезу тебя в больницу, — сказал он устало, — и не спорь со мной.

— Я поеду домой, и не спорь со мной.

Вот и поговорили. Впрочем, они почти всегда так говорили.

Хохлатая собака скосила глаза, высунула розовый длинный язык — Троепольскому показалось, что высунула специально, чтобы подразнить его, — потянулась и лизнула его в запястье. Он поморщился.

— Я нашла телефон.

— Какой телефон?

— Ты велел мне найти телефон, по которому Федька сначала звонил, а три дня в феврале не звонил. Я нашла. Что мне с ним делать?

Троепольский изумился и отнял руку от ее щеки.

— Когда ты успела?

— Вечером. Это оказалось проще, чем я думала. Когда все наши телефоны я вычеркнула, там осталось всего несколько.

— Мобильный или городской?

— Мобильный. Ты запишешь?

— Ну, конечно. Хотя после... сегодняшних событий... Вряд ли эта баба имеет какое-то отношение к его смерти.

Полина сразу знала, что она не имеет никакого отношения, но была рада, что Арсений отвлекся на свои «дедуктивные методы».

Придерживая веко его носовым платком, она подняла на стол свою сумку, покопалась в ней — Троепольский наблюдал за Полиной со странным выражением лица, — достала длинный белый лист. Он был весь исчеркан красным и черным маркером.

— Вот, — сказала Полина с гордостью. — Я все обвела. Видишь, он ей по три раза в день звонил.

— Вижу, — согласился Троепольский, взял у нее лист, свернул его несколько раз и сунул в задний карман джинсов. — Полька, пойдем ко мне. Ну, ко мне ближе! Куда ты сейчас попрешься, в два часа ночи с разбитой физиономией! Ты на чем? На метро, что ли?

— На машине.

Он удивился.

— Я же увез твои ключи!

— У меня всегда есть запасные.

— Гениально. Поедем ко мне. Спать хочется, и вообще...

— Ты ужасный эгоист, — непонятно зачем сказала Полина, — тебе хочется спать, и я должна почему-то ехать к тебе!..

— Потому что одну я тебя не отпущу и в твои Кузьминки не поеду. Как я оттуда буду выбираться? На твоей машине до первого гаишника?

— Тебе надо купить свою машину.

— Хорошо, — ответил Троепольский любезно, — но только утром. По ночам их не продают. И не возражай мне, ради бога, я устал как собака!

И тут он повернулся и куда-то ушел. Полина осталась одна в «большой комнате», где работали программисты и кодеры. Нет, не одна, с собакой Гуччи на руках. Песик смотрел на нее укоризненно, очевидно, удрученный Полининым несовершенством.

Полина рассеянно погладила Гуччи по прическе и оглядела стол, за которым только что сидел Троепольский, а до этого сидел кто-то, ударивший ее прямо в лицо, в глаза, в скулу.

Стол как стол, ничего особенного, «улик» никаких, «вещдоков», как это ни странно, тоже. Полина потрогала выгнутую спинку компьютерной мыши, передвинула стопку дисков — карандаш покатился, и она его поймала.

— Полька, давай. Пошли.

Полина рассматривала карандаш. Самый обыкновенный, гладкий и деревянный.

— Полька!

— А?..

— Пошли. Третий час ночи!

Она еще посмотрела на карандаш и сунула его к себе в сумку. Он может ничего не значить, а может — все на свете.

Ей нужно домой, а вовсе не к Троепольскому. Ей нужно узнать, кто писал черным маркером «Смерть врагам» и как попал к Троепольскому в спальню договор с Уралмашем.

Если она все думает правильно, значит, она знает, чей карандаш выкатился из-за стопки дисков на столе Вани Трапезникова, и осталось узнать совсем немного.

Три часа, оставшиеся до утра, они почти не спали. Полине было больно, и она маялась, так и эдак пристраивая голову, но пристроить не могла. Как только глаза закрывались, из темноты сразу появлялся кулак, летящий прямо на нее. На этот раз в нем был зажат карандаш, который метил ей прямо в зрачок, и она отдергивала голову в ужасе, понимала, что теперь-то уж точно не спастись, ни за что не спастись!.. Глаза слезились и казались странно горячими — прав Троепольский, надо было ехать в больницу, делать рентген, ночевать на продавленной больничной койке, ждать уколов — от всего этого она точно к утру померла бы!

Кроме того, Троепольский мешал ей ужасно. Изо всех сил она старалась не возиться, не двигаться и по возможности вообще не дышать, потому что он был слишком близко — на соседней подушке. Она знала, что он не спит, так же, как и он знал, что она не спит, но оба делали вид, что спят, — очень мило.

Часов в шесть она поднялась. Собака Гуччи, ночевавшая в кресле, встопорщила уши, зевнула, выбралась из-под клетчатого пледа и немедленно начала дрожать.

— Ты что? — не открывая глаз, спросил Троепольский.

— Мне надо домой, — пробормотала Полина виновато и натянула джинсы, — у меня очков нет, а я без них ничего не вижу.

— Ложись, — приказал он, — и не ерунди. Наденешь мои, они тебе подходят.

Это было абсолютно верно — его очки ей подходили.

— Мне все равно надо домой. Мне нечего надеть, и... Ты лежи, а я поеду.

— Ты мне надоела.

— Я знаю.

— Почему, черт возьми, я еще должен тебя уговаривать?! — спросил он и распахнул глаза — очень темные и очень сердитые.

— Не надо меня уговаривать.

Он сел, зевнул во всю молодую зубастую пасть и обеими руками пригладил назад длинные темные волосы. Полина Светлова отвела глаза.

Ей нужно посмотреться в зеркало. Ей нужно почистить зубы. Ей нужно чем-то замазать синяк, который наверняка выступил у нее на скуле! Еще ей нужно причесаться, принять душ, разыскать свои темные очки, чтобы было не так заметно, что вчера ее били, а самое главное, ей надо бежать!

Пока не поздно и как можно дальше от этого места, где сидит он, сердитый, сонный и голый, посреди смятой постели.

— И Гуччи надо покормить. У него... специальный рацион.

— А моцион?

— И моцион, — согласилась Полина. — Так что ты меня не уговаривай.

И он не стал уговаривать. Сидя в постели, он смотрел, как она собирается, торопливо закалывает волосы, роется в сумке, обувается и подхватывает свою драгоценную собаку, у которой рацион и моцион.

— Спасибо тебе, — сказала она уже от двери.

— Не за что.

— Я бы без тебя пропала.

— Конечно.

— Я приеду на работу часам к десяти. Нормально?

— Заехала бы в поликлинику, спросила бы, что у тебя с глазами.

— Я постараюсь.

И тут ей больше всего на свете захотелось, чтобы он остановил ее, сказал, что отпустить никак не может, что он беспокоится за нее. Еще ей захотелось, чтобы он уложил ее обратно в постель, обнял, прижал к себе, несмотря на все ее ссадины и раны, и держал так, и грел, и защищал от кулака, который мерещился ей в темноте, а потом варил бы кофе, делал бутерброды с сыром, ухаживал, жалел, утешал.

Ничего этого он никогда не умел и не понимал — что теперь поделаешь!.. Поэтому она подхватила ключи, улыбнулась ему с порога и осторожно захлопнула за собой тяжелую металлическую дверь. Он даже не вышел ее проводить. Все правильно.

Троепольский некоторое время еще маялся, пытался лежать, не мог и наконец потащился в ванную, где со вчерашнего дня воняло гелем для душа «Лавандовым», которым он пытался заглушить запах тюрьмы.

Чувство недовольства собой было тягучим и навязчивым, как этот самый «Лавандовый». Недовольства и еще, пожалуй, некоторой растерянности.

Никто и никогда не смел так обращаться с ним — убивать его подчиненных, сажать его самого в «обезьянник», смотреть на него с насмешливым недоверием, как смотрел майор Никоненко, красть его макеты, а потом еще бить... Польку!

Когда он представлял, как она вошла в «большую комнату» следом за своей собакой и увидела работающий компьютер, и перепугалась, хотя всегда была храброй и чуточку безрассудной, а *тот* в темноте подстерегал ее, чтобы ударить дверью — в лицо, в очки! — от ненависти у Арсения что-то скручивалось в голове и в позвоночнике.

Никто не смел трогать то, что принадлежит ему, никогда не смел, еще со времен песочницы! Вдвоем с братом именно там, в песочнице, они начали бороться за свои права — очень успешно, между прочим! У них никогда и ничего нельзя было отнять. Они не позволяли.

Полька тоже принадлежала ему — как Федя, как уралмашевский сайт, как все близкое и далекое, что касалось его и было ему важно.

Кто смел вломиться на его территорию и заставить играть всех по чужим правилам?! Никто и никогда не мог его заставить, он вырос с этим, он так привык к тому, что заставить его нельзя! Теперь, оттого, что это произошло, он чувствовал себя униженным, растоптанным, словно публично выпоротым!

Еще три дня назад он был уверен, что неуязвим. Журналистские выдумки и пасквили конкурентов его забавляли — ровно столько, сколько требовалось, чтобы сказать себе: *я докажу им, что мне все равно!* Он всегда был на шаг впереди всей упряжки, и именно этот шаг не удавался никому, кроме него! Он всегда работал лучше всех, и знал это, и все знали — «лист ожидания» пришлось составить из потенциальных заказчиков, которые непременно хотели, чтобы сайты им делал Арсений Троепольский!

А теперь? Что теперь?!..

Он не может думать о работе, потому что ему нужно узнать, кто вторгся в его владения, кто убил Федьку, кто посмел тронуть Полину Светлову, кто украл макет! Сегодня в контору приедет милиция, чтобы разбираться в Фединой «обстановке вещей», как вчера сформулировала его новая придурочная секретарша. И он даже как следует не знает, что станет делать, если майору Никоненко, словно выскочившему из фильма «Деревенский детектив», придет в голову опять засадить его в КПЗ!

И за все — за все вот это дерьмо! — он отвечает один. Некому больше отвечать.

И именно он сам — один! — виноват в том, что Федькин убийца, скорее всего, никогда не будет найден. Троепольский упустил его — шарахнулся в сторону, потерял очки, чуть не упал, потому что никогда и ничего не видел в темноте, и тот ушел, скрылся и, наверное, до сих пор веселится, оттого что Троепольский оказался такой размазней!

Эта мысль была хуже всех остальных, и он гнал ее от себя.

Горячая вода хлестала его по лицу, стекала по волосам. Когда-то они принимали душ вдвоем с Полькой, и ничего эротического и захватывающего дух у них так и не получилось — они хохотали, брызгались, поливали друг друга и мазали физиономии пеной, как малолетние.

Теперь, когда он об этом вспомнил, ему вдруг показалось, что как раз это и было самым захватывающим.

«Ехал песик на окне, Ваню вел он на ремне, а старушка в это время мыла фикус на коне» — примерно так.

Что там она спрашивала про договор с Уралмашем, который неизвестно как оказался в его спальне?

Он кое-как вытер голову и, как был, голый и мокрый, пошел искать договор.

Он перерыл все, даже в кресле посмотрел, где ночевала невиданная собака, — договора не было.

Его мог взять только один человек — Полина Светлова, и от этой мысли ему вдруг стало совсем скверно.

Зачем ей договор?! Если она взяла, почему не предупредила его?! Вчера они весь день болтались на работе, у нее вполне была такая возможность! И ночью он помчался к ней, и прижимал платком ее истерзанное веко, и исходил яростью и жалостью — опасное сочетание! — и спал с ней в одной постели, боясь шевельнуться, чтобы не потревожить ее, и слушал, как она дышит, — и во всем этом было что-то новое, странное и притягательное.

До этих самых пор — до трех часов ночи, когда они притащились в его квартиру и он уложил ее спать, в собственной майке уложил, в соответствии со всеми на свете сценариями, имеющими условное название «Ночь нежна, или Утешение бывшей любовницы, попавшей в беду» — вот до этих пор он старательно и успешно задвигал в самый дальний угол сознания ее и все, что у него с ней было.

Не приближаться. Не прикасаться. Не рассматривать. Не вспоминать.

Очень просто, проще и быть не может, а запасной инстинкт, шептавший что-то соблазнительное и невозможное, пусть идет к черту. К черту!..

В три часа ночи все кажется не таким, как в три часа дня, и Троепольскому тоже... показалось.

Вдруг представилось ему, что именно *это* только и правильно — что она дышит рядом, а он боится шевельнуться, чтобы не потревожить ее, и неудобно ему, и жарко, и две их бессонницы переплетены друг с другом так же, как пальцы, и руки устали, но им даже в голову не приходит разнять их. Нельзя разнять, потому что только *так* — правильно.

Запасной инстинкт приоткрыл глаза.

Ну что? Неужели не узнаешь? Или вид делаешь, что не узнаешь? Это же и вправду она. Она и есть.

Некуда тебе деваться, и сразу было некуда, именно поэтому ты так ловко представил дело, будто ничего особенного не происходит, и свел все к другому, тоже очень распространенному сценарию, имеющему название «Один эпизод из жизни хорошего мальчика, или Просто секс на работе».

В три часа ночи, когда он истово и горячо жалел ее, ему вдруг показалось, что все возможно и, черт побери, не так уж и страшно! Не страшно именно потому, что это она — с ее пылкостью, смущением, влюбленностью, умением переводить все в шутку, чтобы не пугать его!

Они маялись одной бессонницей на двоих, и ему казалось, что он потихоньку начинает понимать что-то важное. И это важное настолько просто и не страшно, что все его инстинкты лежат, не шелохнувшись, как и он сам, а она все это время *знала* что-то, чего не знал он, и ничего ему не сказала и посмела быть такой, как всегда!

Договор, твою мать!..

Все ее дурацкие вопросы вдруг припомнились ему, все странные фразы, тревожные взгляды. Почему ее так интересовало, смотрел ли он Федины диски, когда обнаружил того с проломленной головой?! Почему она спрашивала про договор — она отродясь не занималась никакими договорами?! Зачем она приехала к нему вчера, когда его насилу отпустили из «ментуры»?! В последний раз она была в его квартире давным-давно, в разгар романа, а роман отгорел больше года назад!

Троепольский забрал этот договор из Фединой квартиры, потому что на самом деле он все смотрел — и диски, и бумаги, права была Полина! Даже под пистолетом он вряд ли сознался бы в этом, потому что это еще раз подтвердило бы, что он холоден, как впавшая в спячку анаконда, и даже раскроенная Федина голова не выбила его из равновесия настолько, чтобы он позабыл о делах и своих интересах!

Конечно, он все просмотрел — потому что должен был быстро решить, что можно оставлять ментам, а что нельзя.

На договоре было написано «Смерть врагам», и Троепольский не хотел, чтобы менты как-то соотнесли дурацкую надпись с Федькиной смертью. Он-то точно знал, что «Смерть врагам» тут совсем ни при чем!

Зачем она его утащила, полоумная девка, которую он так жалел сегодня ночью и, кажется, даже немного любил?!

Троепольский зачем-то дернул в сторону дверь громадного шкафа, занимавшего всю стену, и некоторое время бессмысленно изучал аккуратные стопки собственной одежды. Договора не было и там.

Потом он сел на императорскую кровать, поджав под себя ногу, и сильно потер лицо. Волосы, холодные и мокрые, как водоросли, лезли в лицо.

Лера Грекова пила скверный кофе, сваренный немецкой кофеваркой из голландских кофейных зерен.

Для того чтобы поставить на стол чашку, пришлось провести некоторые специальные приготовления. Лера спихнула туда всю грязную посуду, а ту, которая в раковину не поместилась, составила на стол. Получилась гора, и у Леры окончательно испортилось настроение — вернется поздно, после института ей придется заехать на работу, и посуды только прибавится, а мыть все придется именно ей, и ночью. Мать ни за что не станет.

Маленькой, Лера часто завидовала другим девочкам, у которых были «нормальные» мамы и папы.

Мамы завязывали девочкам банты и клали в портфели щекастые красные яблоки — съесть на перемене. Лере казалось, что, если бы у нее было яблоко, чтобы съесть его на перемене с девчонками, чавкая, пачкая щеки, шушукаясь и поминутно оглядываясь на стайку мальчишек, которая скакала и орала возле невысокой школьной сцены в актовом зале, все у нее сложилось бы по-другому.

Папы по субботам разбирали девочек по домам, и Лера была уверена, что если бы в субботу она шлепала по лужам красными резиновыми сапогами, а большой и, безусловно, любимый мужчина держал ее за руку, и не пускал в лужи, и тащил ее портфель, и спрашивал недовольно, почему у нее по математике опять тройка, а впереди был бы дом с обедом, неказистым, наскоро сляпанным пирогом с вареньем, и длинный вечер «всей семьей» — она выросла бы другим человеком.

Папы не имелось вовсе, и матери лень было даже придумать какую-нибудь пристойную легенду — умер, погиб при исполнении правительственного задания, улетел на Северный полюс! При встрече с Троепольским Лера соврала, что папа умер. Яблока в портфеле тоже не было, и банты ей никто и никогда не завязывал — сначала были черные аптечные резинки, потом нелепые заколки, а потом она постриглась в парикмахерской на углу. Пришла и сказала сосредоточенно: «Отрежьте, пожалуйста!» Парикмахерша долго не соглашалась, отговаривала ее и сердилась, но Лера и в двенадцать лет была чрезвычайно упряма и умела настоять на своем. Мать ничего не заметила. У нее в этот момент был разгар романа — а когда разгар, трудно помнить о чьих-то там волосах! Лера относилась к этому с пониманием.

С детства она ненавидела быт — горы грязной посуды на столах и в раковине, почему-то ей всегда казалось, что никакой другой посуды, кроме грязной, у них вообще нет, и ее всерьез занимал этот вопрос — время от времени посуда все-таки моется, значит, когда-то она должна быть чистой! Горы белья в креслах, выстиранное и грязное вперемешку, грязное нужно стирать, а выстиранное гладить, и еще как-то отделить их друг от друга. Желтый суп из пакета, разболтанный в кастрюльке с черными оспинами отбитой эмали. Одинокий носок посреди коридора — Лера никогда не могла понять этот «носочный» парадокс: после первой же стирки из пары всегда оставался только один, и найти второй никогда не удавалось, а в одном ходить невозможно, хоть плачь!

Потом все неожиданно наладилось. Дядя, которого она, как и все взрослые «дамы» их странной семьи, называла всегда только по имени, без всякого «дяди», стал давать им деньги — до этого у него не было денег, и нечего было им давать, а тут они наконец появились.

Появилась и домработница Маргарита Степановна, а вместе с ней горячий борщ, котлеты и носки — парами. Но Маргарита Степановна приходила всего два раза в неделю, и за время ее отсутствия Лера с мамой вполне успевали пожать все плоды ее скорбных и незаметных трудов и создать необозримое поле для новых. Маргарита Степановна уволилась, и появилась Надежда Васильевна. Потом она тоже уволилась, а дальше домработницы пошли так густо и часто, что Лера перестала запоминать их имена. Однако выводы Лера сделала — к приходу домработницы она старалась как-нибудь перемыть хоть часть посуды и оттащить грязное белье поближе к стиральной машине.

Ужас.

Сейчас встанет мать, потребует кофе, а Лере так не хочется варить и для нее, разгребать еще одно место за столом, выстраивать из посуды пизанские башни, угрожающие вот-вот завалиться и засыпать всю кухню осколками. Надо быстро допивать и убираться вон.

В дверь позвонили, когда она уже почти допила и даже немного расслабилась, потому что опасность почти миновала — еще десять минут, и она до вечера исчезнет из этой проклятой квартиры, забудет обо всем, даже о похоронах, которые будут завтра, — ими занимался кто-то из конторы дядьки.

Звонок сейчас разбудит мать, которая сладко спит в своей девичьей постельке, и она выйдет, розовая, недовольная, сонная, в пижаме с фиалками и ромашками, и станет капризничать и требовать завтрак, и...

Лера бросилась в прихожую, но опоздала, потому что звонок снова просверлил тишину, будь он проклят!.. Голой ногой она что есть силы стукнулась об угол шкафа, охнула от боли, которая от пальцев стрельнула прямо в голову, да так, что слезы полились из глаз, чуть не упала, накинулась на замки и

распахнула дверь, очень надеясь, что опередит нагле-
ца, посмевшего звонить в ее дверь!

— Какого черта!..

— Доброе утро, Лера.

Тут она струхнула так сильно, что даже отступила
на шаг, а по правде, попятилась, хотя Лера Грекова
очень не любила пятиться.

В шестом классе ее побили какие-то девчонки из
соседней школы-интерната. Их все боялись, потому
что у них была банда. Об этой банде говорили впол-
голоса, с гордостью и некоторым уважением — все,
даже учителя, по крайней мере, Лере так казалось.
Они напали на Леру, когда она тащилась домой после
очередного затяжного классного часа — никто не вел
ее за руку и не выговаривал за тройку по математике! — темнело уже, и пусто было на улице. Они загна-
ли Леру в какой-то лаз между двумя обшарпанными
гаражами, и она все пятилась, все надеялась спастись, а потом пятиться стало некуда — сзади подпи-
рал забор, щелястый и гадко воняющий мочой и кош-
ками. И там они ее побили.

Когда она увидела того, на площадке, на миг ей
стало страшно, как тогда — за спиной только несТРу-
ганые доски, желтые и грязные, а впереди унижение,
боль, беда, выбитые зубы и кровоточащая губа...

— Что тебе нужно?..

— Я звонил. Ты не берешь трубку.

— Что тебе нужно?!

— Поговорить с тобой. Ты что, прячешься от
меня, в конце концов?!

— Я не прячусь.

— Тогда что случилось?

Лера смотрела на него, и ей казалось, что она ненавидит его так сильно, как только можно ненавидеть человека, — все врут про один шаг от любви! Какой там один шаг!

Вселенная, а не один шаг. Она сильно любила его — в другой вселенной.

— Мне некогда сейчас выяснять отношения. Мне надо... в институт.

— Лер, или ты сейчас же поговоришь со мной, или я устрою скандал. Хочешь?

Он был безмятежно спокоен — она отлично знала, что прячется там, за этим безмятежным спокойствием!

— Я не могу.

— А я могу.

— Позвони мне... вечером.

— Я звонил тебе вечером, днем и утром. Я больше звонить не буду.

За ее спиной в квартире произошло какое-то замедленное шевеление, словно удав прополз, и Лера вся покрылась холодным потом. Сейчас встанет мать. Сейчас она выйдет в прихожую в своей пижаме. Она увидит его и все поймет.

И тогда Лериной жизни придет конец — мать не станет ее защищать. Что ей за дело до Лериной беды, по сравнению с которой Федина смерть была просто незначительным эпизодом?!

— Лера.

— Да-да, — пробормотала она с отчаянием. — Хорошо. Сейчас. Подожди минутку.

Он кивнул, рассматривая ее, и ей тоже почудилась ненависть в его взгляде, холодная, оценивающая мужская ненависть.

Лера кинулась в квартиру, оставив открытой дверь, чтобы он не вздумал снова звонить или ломиться, на цыпочках прокралась мимо двери в спальню матери, за которой пока было тихо, схватила портфель и лихорадочно раскопала в кресле кучу белья. Носки попадались все разные, и она даже заскулила от отчаяния, когда опять попались не те. Прислушиваясь к тишине, Лера выхватила из кучи два более-менее похожих по цвету и, поочередно прыгая на одной ноге, кое-как их натянула.

— Лерочка, что там за шум?..

— Мама, я ухожу.

— Как?! Уже?

Шевеление за дверью стало более решительным, словно мать силой вытаскивала себя из постели. Впрочем, наверное, вытаскивала, знала, что, если встанет в одиночестве, все придется делать самой — кофе, тосты, доставать пакет с молоком...

Она ни за что не должна выйти раньше, чем за Лерой закроется дверь! Ни за что!

Лера сунула ноги в ботинки, сорвала с крючка ключи и почти швырнула портфель в сторону того, кто стоял на площадке с независимым и насмешливым лицом — ох, как она знала это лицо!..

Он подхватил портфель.

— Лерочка, где ты, девочка?

«Девочка», черт побери!

Лера захлопнула дверь так, что дрогнули хлипкие

подъездные стены, толкнула вперед *того* и скатилась на один пролет, трясясь истерической заячьей дрожью. Только бы мать не вышла, только бы не вышла!..

— Что происходит, черт возьми?..

— Давай быстрей! Ты что, не можешь быстрей?!

Проворно, как квартирные жулики с добычей, они спустились еще на пару пролетов, и Лера смогла перевести дух и даже поправить завернувшийся задник ботинка.

— Ты что? Ненормальная?

— Я не хочу, чтобы тебя видела моя мать.

Кажется, он изумился:

— Почему?

Она повернулась и посмотрела на него.

— А ты не догадываешься?

— А что, должен?

— Да, должен.

— Нет, не догадываюсь.

— И не надо.

— Может, ты объяснишь мне?..

— Ты прекрасно все понимаешь, — отчеканила Лера, — и не надо делать такой невинный вид, я же все знаю!

— Что ты знаешь?

Она толкнула тяжелую подъездную дверь, запищавшую отвратительным писком, выскочила на крыльцо и вздохнула глубоко.

Ну вот. Теперь все позади. Все почти позади.

Воздух был холодный и влажный, как будто сиреневый, поверху размытый желтым светом фонарей. Оттого, что утро уже прорезалось, желтый свет казался особенно тоскливым и безысходным.

— Что ты знаешь?

Она оглянулась и прищурилась. Как-то в кино она видела, что так щурится Джулия Робертс. Он усмехнулся.

— Что ты знаешь, Лера?

— Я не хочу говорить об этом. — Это тоже было из Джулии Робертс, а может, из Деми Мур, и он разозлился — по-настоящему.

— Лера, объясни мне, в чем дело. Ты не отвечаешь на мои звонки, мобильный у тебя выключен, что я должен думать?!

— Думать надо было раньше, — отчеканила Лера, — когда ты все это затеял. Сейчас думать уже поздно.

— Что я затеял?!

Она тряхнула волосами — теперь как Ким Бессинджер, что ли! А может, он бесился оттого, что ничего не понимал, и вникать ему не хотелось, и одновременно он знал, что вникать все равно придется, и теперь никуда и никогда ему не деться, черт побери все на свете! Быть бычку на веревочке, это уж точно.

Они дошли почти до его машины — серый «крокодил» с тонированными глазницами стекол, длинный, гладкий и свирепый. Он любил именно такие машины, и Лере казалось, что они напоминают его самого, и представлялось, что она, Лера, на самом деле Наташа Ростова, которая про Пьера думала, что он «темно-синий и славный», а про Бориса, что он «серый и узкий, как часы».

«Крокодил» мигнул, как будто прикрыл и вновь распахнул ленивые глаза, и Лера потянула дверь.

В салоне пахло кожей, синтетикой и какой-то сложной автомобильной парфюмерией. На всякий случай перед тем, как сесть и закрыть за собой дверь, она еще посмотрела на свои окна, но ничего подозрительного не увидела, все было в порядке. Наверное, мать так и не встала, поленилась.

— Лера?

— Отвези меня в институт.

— Нам нужно поговорить.

— Поговорим по дороге.

Он сбоку посмотрел на нее — человек, чей взгляд еще четыре дня назад она ловила с восторгом, от которого холодело в спине, и пальцы поджимались сами собой, и вся она словно вытягивалась в струнку, как антенна, настроенная только на него и принимающая сигналы только с *той* стороны.

— Лер, что происходит?

— Поезжай, — попросила она и облизнула губы. Оказывается, его взгляд все еще действовал на нее, а она уж было решила, что ненависть, пришедшая на смену любви, властвовавшей в другой вселенной, затопила ее целиком.

Он тронул с места своего «крокодила», и тот двинулся осторожно, брезгливо объезжая дворовые ямины и ухабы.

— Не смей появляться на похоронах!

— Ты спятила, что ли, совсем?! — рявкнул он и вывернул руль. «Крокодил» сильно вздрогнул от столь непочтительного обращения, почти ткнулся рылом в бордюр и замер. — Дура!

— А ты... ты просто эгоистичная свинья! Как ты мог?! Как ты... посмел?! Кто дал тебе право?!!

— Какое право, твою мать?! Истеричка чертова!

Его гневное изумление было таким искренним, что Лера на секунду ему поверила, и холодный и скользкий валун откатился от сердца, и под ледяной твердью все оказалось живым, горячим и, кажется, соленым, как слезы.

А потом она вспомнила. Она же видела. Видела.

Ничего уже не изменишь, и ничему уже не поможешь.

Она приняла решение — самое трудное в своей жизни — и ни за что не отступит. И если у нее и остались еще какие-то права, значит, одно из них — ни минуты не оставаться рядом с ним.

И в институт она сама доедет!

— Лера! Куда ты?! Ненормальная девка, вернись сейчас же!

Легко хлопнула дверь с его стороны, и Лера успела еще раз увидеть изумление на его лице. Изумление, досаду и, кажется, страх.

И этот страх мимолетно порадовал ее — он был из той вселенной, где правила любовь, и страх был легким, щекотным, интригующим, непохожим на гнилое вонючее болото, которое засасывало ее здесь, в этой вселенной.

Она пролезла в узкую, холодную алюминиевую щель между «ракушками», которыми был захламлен весь двор, протащила за собой портфель и крикнула оттуда:

— И не звони мне больше! Никогда не звони!

Он ни за что не пролез бы в эту щель, даже если бы немедленно скинул в грязь свое пальто, пиджак, брюки и шарф заодно. Он ни за что не бросил бы своего «крокодила», который стоял носом в тротуар и задом поперек проезжей части. Он ни за что...

— Лера!!

— Я тебя видела, — пятясь от гаражной щели, выпалила она. — Я видела тебя возле Фединого дома. Как раз когда ты его... Это ты, да? Ты?

И она остановилась, и прижала к груди портфель, и перестала дышать, и холодный валун придавил уже не только сердце, но и все остальное у нее внутри.

Она ждала. Валун ждал. Голодные утренние московские галки на голых деревьях тоже ждали.

Он замер, словно она выстрелила ему в лоб, и по тому, *как* он замер, она поняла, что все правда.

Истинный бог, правда, как говорил Федя.

— Ты... больше не приходи ко мне, — попросила она почти спокойно. — И не звони мне никогда. Не смей. Понял?

— Ты ненормальная.

— А ты убийца.

Он сделал движение, словно намеревался разметать в разные стороны «ракушки», и она дунула от него, увязая каблуками в оттаявшей земле. Через секунду за спиной у нее взревел мотор серого «крокодила», длинно, протяжно, непривычно взвизгнули шины, но Лера даже не оглянулась.

В конце концов, самое страшное уже было сказано. Страшнее ничего не придумаешь. Так ей казалось, но она ошибалась.

Ее мать, прижавшись носом к стеклу, как маленькая девочка, с неподдельным и искренним любопытством наблюдала, как дочь выскочила из подъезда, а следом за ней неспешно вышел высокий человек в длинном пальто, и как она впрыгнула в иностранную машину — привычно, наверное, не в первый раз! Галя даже поревновала немножко — у Толика, верного и преданного Толика, были всего лишь «Жигули», а дочь садится — во что там? В «БМВ»? И даже не замечает, что это «БМВ», вот как разбаловал девчонку покойный братец! Все наряды ей покупал, телефончики, сапожки, рюкзачки, а три года назад и вовсе машину подарил — соплячке! Гале приходилось выпрашивать, а этой он все сам на блюдечке подносил, не просто на блюдечке, а с голубой каемочкой, особенно после того, что он _узнал_!

Впрочем, он и не узнал бы — тут Галя усмехнулась, и теплое дыхание затуманило холодное стекло. Туман закрыл от нее дочь и ее любовника, и мать, вытянув рукав розовой пижамы, торопливо протерла глаза.

Федя не узнал бы, конечно, если бы Галя ему не сказала, а она все, все-е ему сказала!.. Как хохотал Толик, когда Галя изображала, какое лицо стало у братца в тот момент!

Впрочем, нет, остановила себя Галя. О покойниках так думать — грех, а Феденька теперь покойник. Вот интересно, покойник от слова «покой», наверняка ведь. Ну и как, спокойно ему сейчас на ледяном мраморном столе, с биркой, привязанной к большому пальцу, с раскроенной головой, которой он так гордился и все повторял, тыкая себя в темечко, что внутри этой тыквы — гениальнейшие человеческие мозги! Мозги, наверное, теперь лежат отдельно, не внутри, а снаружи, в цинковом корытце. От этой мысли Галю чуть не вырвало, она поморщилась от отвращения и подышала в воротник своей пижамы.

...И все-таки кто там, с ее дочерью?

«БМВ» остановился, дверь распахнулась, девчонка выскочила и пропала с глаз. Галя замерла и заинтересованно вынула нос из воротника пижамы. Богатенький ухажер дочери выскочил следом за ней — полы пальто смешно развевались, а Галя фыркнула, — ринулся было вдогонку, потом замер, странно потряс головой и зачем-то задрал ее вверх. Тут-то она и увидела его лицо.

Увидела и узнала.

Вот как. Вот, значит, как!..

Больше Галю уже ничего не интересовало, и она живо сползла с подоконника, на котором почти висела, побежала было куда-то, но остановилась.

Она еще не знала, что станет делать, но ей страшно захотелось рассказать, хоть кому-нибудь. Ее охватило торжество — узнала то, чего не знал никто!

Она ощущала себя победительницей только один раз в жизни, а до этого самого раза она все время была просительницей, «униженной и оскорбленной», маленькой, слабой женщиной, ищущей защиты и покровительства. Вкус победы оказался таким острым и сладким, отравляющим и греховным, что она даже застонала от счастья, оттого, что так остро вспомнила его!

Ну, погодите теперь! Вот теперь-то она всем пока-жет. Все, все у нее в руках, потому что никто ни о чем не догадывается, и только она, Галя, единственная победительница.

Берегитесь. Только она знает, какими сильными и опасными могут быть слабые женщины, «унижен-ные и оскорбленные»!

— Варвара! Зайди ко мне сейчас же!

Троепольский пролетел коридор, ворвался в свой кабинет, швырнул портфель в сторону кресла и при-вычным, каждодневным, естественным, как вздох, движением, включил компьютер.

— Варвара!

— Чего вам? Кофе, что ли?

В дверях маячила Шарон Самойленко с кислым видом и желтыми волосами до попы. Господи Иисусе!..

Он каждый день искренне о ней забывал и каж-дый раз, внезапно обнаружив ее, впадал в состояние некоторого умоисступления.

— Доброе утро, — неожиданно поздоровалась вежливая Шарон.

— Здрасти, — пробормотал Троепольский.

— Так чего вам?.. Кофе наварить?

Кофе тоже не помешал бы, но ему некогда было думать о кофе.

— Скажите, вы хоть что-нибудь помните из того, что происходит у нас в конторе?

— Вот еще! — обиделась Шарон. — У меня скле-розу нету. Все я помню.

— Если помните, скажите, что здесь происходило

в тот вечер, когда убили моего зама. Сядьте на диван и расскажите. Подробно. По пунктам.

— Так вы вчера спрашивали, и я вчера все...

— Давайте еще раз сегодня. Можете?

— Я все могу, — высокомерно отозвалась Шарон, прошествовала к дивану и села величественно. — Так, значит. Вы, стало быть, уехали, а все, стало быть, остались.

— Кто все?

— Да все, кто был, они и остались.

— Кто был?

— Все, — невозмутимо отозвалась Шарон. — Потом ваш второй заместитель приехали, потом курьер долго сидел, а потом Светлова тоже приехала. Собаку привезла. А потом вы...

— Стоп, — приказал Троепольский. — Сизов уезжал куда-то?

— Так следом за вами они уехали, а потом перед Светловой приехали и за стол сели.

— А Светлова когда уехала?

— Да тоже следом за вами! Не работа, а детский сад какой-то. Как вы за порог, так все и разбегаются по своим делам, как малолетние. Или вы не знали?

Троепольский не знал.

Он знал только, что Полька утащила у него из квартиры договор с Уралмашем, который он сам утащил из Федькиной квартиры, а макет пропал из всех компьютеров в конторе, и она все время как-то странно выспрашивала его про этот самый договор и про макет!

А Сизов? Куда уезжал он и почему ни слова не сказал ему об этом?!

— Или нет, что ли, — внезапно передумала Шарон, — не-ет, это неправильно я вам сказала.

— Что?!

— Да ничего, только неправильно, — пробормотала Шарон, уже настроившаяся на миролюбивый и милый разговор, который налаживался у них с шефом. — А неправильно то, что заместитель ваш еще раньше поехал, еще до того, а не после!

— После чего?!

Милый разговор уже почти сворачивал в привычное русло — в этом самом русле шеф покрывался красными пятнами и начинал орать, как бешеный, как только Шарон открывала рот, а мама вчера велела своей девочке ни за что не позволять начальнику помыкать собой. «Вот мной всю жизнь помыкали, — сказала мама девочке, — и что из этого хорошего вышло? Да ничего хорошего не вышло. На работе помыкали, дома помыкали, отец с характером был, дай бог, с каким, так хоть ты дурой-то не будь, не позволяй каждому-всякому об твою личность ноги вытирать!»

Шарон переживала за мать и в зеркале наблюдала свою личность, которая с ее точки зрения была вполне ничего. С такой выдающейся личностью, пожалуй, она заставит считаться их всех, даже такое хамло, как шеф.

— Заместитель ваш поехал еще раньше вас, вот как. Потому что когда я вам звонила, чтобы спросить, его не было, а спросить больше некого, вот и пришлось вам звонить, а то кого еще спросить?!

— А Светлова?

— А что? То есть в каком смысле Светлова?

Троепольский отвернулся к стеллажу и некоторое время поизучал стопку толстых книг. «Толковый словарь русского языка» — было набрано золотом на одном из корешков. Рядом с книгами лежала дрянная картонная коробочка с надписью на боку, сделанной синим шрифтом: «Горох сушеный прессованный. Разжевать, запить водой».

— Светлова в таком смысле, что я хочу знать, во сколько она уехала и во сколько приехала.

— Следом за вами уехала, то есть еще раньше вас. Тоже.

— Что тоже?!

— Так я говорю, что неправильно подумала. Сначала, когда вы спросили. Ну?

— Что — ну?!

— Она поехала за собачкой. У вас отпрашивалась. Вы забыли, что ли? Еще не обедали тогда. Хотя и потом не обедали, потому что нормальный пищеблок не налажен, а в смысле быта служащих такое отставание прорисовывается...

Маленькую Шарон мама часто отправляла пожить у дедушки и бабушки в славном и тихом городе Тамбове, а у тамошнего учителя литературы были своеобразные представления о красоте и культуре речи. Быть может, потому, что в учителя он подался с должности пропагандиста местного валяльного комбината.

Тут Троепольский вспомнил, что Полька действительно отпрашивалась за собакой, но это было... часов в двенадцать.

Глядя мимо Шарон, он выпалил мрачно:

— Она отпрашивалась у меня в двенадцать часов. Может, чуть попозже. И что? Она больше не приезжала?

Сам он в тот день ситуацию с приездами-отъездами почти не контролировал, злился на Федю, от злости работа не шла, и ему было вовсе не до сотрудников.

— Как не приезжала? — спросила Шарон, очевидно удивляясь его тупости. — Вот как раз она и приехала, часов в семь, наверное. Давно стемнело, когда она приехала. Значит, вечер был.

— А до вечера она не приезжала?!

— Нет. Приехала вечером, на руках собака голая. А потом вскоре вы позвонили и сообщили, что несчастье случилось с вашим заместителем, а после того уж все опять уехали.

«Сколько она могла забирать собаку, — лихорадочно думал Троепольский. — Час? Два? Три? Ну, не восемь же!» Ему даже смутно припоминалось, как она говорила кому-то, что решила было оставить Гуччи дома, но позвонила соседка и сообщила, что «он так плачет, так плачет, что страшно делается!», и Полька поехала.

Почему она ездила почти восемь часов?! Куда можно доехать за восемь часов?! До Нью-Йорка, примерно, или чуть дальше. В Нью-Йорк, выходит, ездила?!

Троепольский вдруг так занервничал, что позабыл как следует разозлиться на Шарон, и она приободрилась, откинула на спину желтые волосы и спросила, не надо ли ему все же кофе. Он сказал, что надо, и таким образом на некоторое время от нее избавился.

Нелепейшее подозрение вдруг оформилось в его голове, и заняло там центральное место, и теперь гадко ухмылялось прямо ему в лицо.

Троепольский сильно вздохнул и медленно выдохнул. Закурил. Посмотрел на дым. Посмотрел на сигарету. Потом на пепельницу.

Нужно смотреть на вещи трезво — Полька вела себя странно, это уж точно. Она будто все время чего-то боялась, чего-то недоговаривала, крутила вокруг да около, и это было совсем на нее не похоже. Поначалу Троепольский решил, что это от потрясения — Федина смерть потрясла их больше, чем они пока осознали. Еще осознают — так что от этого никуда не деться, потому что это первая потеря. Путь был слишком недолгим, а они слишком молоды и сильны, чтобы думать о каких-то там потерях, а теперь придется, потому что счет открыт.

Федя его открыл.

Полька не могла его убить. Или... могла? А Сизов? Байсаров? Белошеев? Варвара Лаптева? Ваня Трапезников? Или кто-то еще, из тех, кому он доверял, с кем работал, на кого орал, с кем пил, кого хвалил, давал деньги, поздравлял с днями рождения детей?..

И зачем?! Зачем?!

— Кофе, Арсений Михайлович.

Он исподлобья посмотрел на Шарон и проводил

глазами тщедушную спину с желтыми патлами крашеных волос. А она? Ведь они ничего о ней не знают, кроме того, что она тупа! Кстати, именно Полина сказала, что они ничего о ней не знают, — зачем она это сказала?! Чтобы отвести подозрения от себя, навести на Шарон?!

Окружающая среда, такая привычная, удобная, с электрическим светом гигантских размеров мониторов, глухим ковром на полу и вращающимся креслом, в котором он любил качаться, вдруг стала агрессивной, словно испускающей едкий дым. Дым сразу стал жечь глаза, легкие и мозги. Кофе обжег горло почти до слез.

Ему так хотелось думать, что в Федькиной смерти виноват кто-то чужой и отвратительный, вроде неопрятных юнцов с пивными бутылками в зубах, которых он пережидал тогда на крылечке, потому что диалектических противоречий ему не хотелось! Перед этим он еще ошибся подъездом и какая-то дура в спину ему выкрикивала, что всем сегодня Федю подавай, а тут никакого Феди нету!

Стоп.

Троепольский вернул на блюдце крошечную кофейную чашку.

Стоп. Осторожней и внимательней. Вперед. Потихоньку.

Ну да, все правильно. Он перепутал подъезды, взобрался не туда, проклиная лифт, законы общежития и несправедливость жизни, и какая-то дура выскочила из предполагаемой Фединой квартиры и...

Она сказала, что здесь никакой Федя отродясь не

проживал, а всем сегодня надо Федю. *Всем* — это кому?! Кому?! Значит, в тот день в эту квартиру ломился еще кто-то, кому нужен был Греков, иначе дура не сказала бы, что *всем* сегодня Федю подавай!

И он об этом забыл! Забыл и только сейчас вспомнил.

Он выскочил из кресла, выхватил из угла портфель, топая, промчался по коридору мимо ошарашенной Шарон и захлопнул за собой массивную железную дверь.

На чем он сейчас поедет, черт побери все на свете?! Давно надо было купить машину!

Гуччи выскочил первым, попал в лужу, горестно взвизгнул, метнулся обратно и затрясся у самой Полининой дверцы.

— Бедный мой, — привычно произнесла Полина, выбираясь из машины, — не надо было тебя отпускать!

Гуччи был вполне согласен с тем, что он бедный, и еще с тем, что Полине вовсе не следовало его отпускать. Он был бы счастлив, если бы ему удалось провести остаток жизни у нее на руках и скончаться там же.

— Пошли, пошли, мой хороший.

Мокрые голые лапки замолотили в воздухе, мордочка приблизилась, выпученные укоризненные глаза показались особенно выпученными и укоризненными.

— Полька!

От окрика она сильно вздрогнула, так что чуть не уронила своего драгоценного — теперь она часто беспричинно вздрагивала, — и поправила на носу темные очки, закрывавшие физиономию от уха до уха.

— Привет. Не сдала еще зверя на живодерню?

— Нет.

— Ты чего? — весело удивился Марат. — Обиделась, что ли?

— Я не обиделась.

— Да это шутка такая! — И он вознамерился было сделать Гуччи «козу», но тот внезапно ощерился, выкатил глаза еще больше и тяпнул Байсарова за палец.

— Черт!

Так тебе и надо, злорадно подумала Полина.

— Поганец какой! Еще кусается! Полька, он у тебя бешеный!

— Сам ты бешеный.

— Точно бешеный! Чего он меня укусил?!

— А что ты к нему лезешь?

— Я не лезу!

— Дай я посмотрю, — миролюбиво сказала Полина и поглубже засунула Гуччи под мышку, чтобы избежать повторных недоразумений.

— Да чего там смотреть!

— Кровь идет?

— Идет, — пробормотал Марат расстроенно и снова уставился на свой палец.

Полина тоже посмотрела. Кровь не то чтобы не шла, но даже и не показалась. Синяк будет, пожалуй. Или что-то вроде глубокой царапины от Гуччиных зубов.

— Да он тебе даже кожу не прокусил!

— А тебе что, надо, чтобы прокусил?! Я и так весь израненный, черт побери!

Полина посмотрела — и вправду «израненный». Три длинных пореза, неровных и глубоких на руке.

Полине вдруг стало холодно, и она внимательно и серьезно посмотрела Байсарову в лицо.

— Где это ты так... порезался?

— Да нигде! Это у моей подруги кошка.

— А к ней ты зачем приставал?

— К кому? — хмуро уточнил Марат. — К подруге или к кошке?

Порезы не были похожи на кошачьи царапины — слишком глубоки и... серьезны. Вчера у него не было никаких порезов, точно.

Такие порезы вполне можно получить, если ударить в лицо человека в очках и осколки разрежут кожу.

Человек в очках — это Полина Светлова. Вчера она была в очках, от которых ничего не осталось, только изогнутый пластмассовый остов, похожий на скелет.

— От вас, от баб, с ума сойдешь, — расстроенно пробормотал Марат, все рассматривая свой палец, — кошки, собаки, дети, блин!..

— Это точно, — согласилась Полина.

Словно позабыв о ней, он двинулся в сторону родной конторы, и она потащилась следом, придерживая под мышкой ерзающего Гуччи.

В первый раз в жизни ей не хотелось идти на работу и было страшно от того, что предстояло там сделать.

Может, прикинуться больной? Взять прошлогодний или позапрошлогодний отпуск? Можно взять еще позапозапрошлогодний — она редко ходила в отпуск. «Отрываться» на сочинском пляже казалось ей занятием чрезвычайно глупым, а на Лиссабон или Ибицу требовалось слишком много денег.

У нее очень много дел. Очень много важных дел. Завтра Федькины похороны, и она должна как-то защитить Троепольского от того, что предстоит им всем. И еще кто-то должен защитить Троепольского от племянницы, которую Полина уже тайно возненавидела, — и себя, за то, что ее возненавидела!

Арсения на работе не было. Шарон произнесла какую-то невнятицу о том, что «они пришли и потом сразу убежали», и больше от нее ничего не удалось добиться. Мобильный у него не отвечал, а потом позвонила Варвара Лаптева.

— Что у вас происходит? — строго спросила она, даже не поздоровавшись. — Я хотела на работу ехать, но меня Иван не пустил. Мы даже поссорились, — добавила она с необыкновенной гордостью в голосе, и Полина, которой не с кем было поссориться и некому было куда-то ее «не пустить», совсем расстроилась.

— Федьку убили, Варь. Ты знаешь, да? И... больше ничего не известно.

— Что значит «неизвестно»?

— То и значит. Троепольского три дня продержали в КПЗ, и сейчас его на месте нет, и уралмашевский сайт пропал, и вообще... непонятно, что происходит.

— Как пропал?! — ахнула Варвара.

Полина объяснила — как.

— Поль, это чушь какая-то! Кто мог украсть у нас сайт?! Враги? Шпионы?

Полина промолчала.

— Приезжай, — велела Варвара. — Посмотришь Мишку, и мы поговорим.

— А он уже Мишка?

— Он всегда был Мишкой, еще у меня в животе, — отрезала Варвара. — Приезжай сейчас же.

— Сейчас я не могу, — проскулила Полина. — Троепольский неизвестно где, и мне надо еще одну... штуку проверить. Прямо сейчас.

— Какую еще штуку?!

— Понимаешь, — зашептала Полина, оглядываясь на собственную распахнутую дверь, за которой было непривычно тихо. — Я нашла у него в спальне договор с Уралмашем, а там...

— Как в спальне? — словно обессилев, прошептала на том конце провода Варвара Лаптева. — Ты что?! Ночевала у него?

Полина поняла, что преступление ее стало достоянием гласности, и пощады теперь не жди. Особенно от Варвары. Поймав в стекле свое отражение, она вдруг отчетливо осознала, что очень напоминает сама себе собаку Гуччи: глаза выпученные, лапки дрожащие, на морде — ужас перед жизнью.

— Светлова, ты что?! Опять все сначала?! Сколько это будет продолжаться?! Ты же все про него знаешь, и он не подходит тебе! Он, черт возьми, никому не подходит, кроме самого себя! Ты что?! С ума сошла?!

Она сошла с ума много лет назад, когда он брал ее на работу.

Господи, какой свободной, независимой, легкой она тогда была! И ничего еще не знала, и презирала полоумных девиц, «упавших в любовь», как в «омут головой», и была убеждена, что уж к ней-то вся эта чушь никогда не будет иметь никакого отношения, потому что она умна, у нее есть чувство юмора, которое прикрывает ее, как броня, и вообще ей никто не нужен!

Оказалось, что нужен. Именно тот, кому вовсе *никто не нужен.*

— Светлова! — позвала из трубки Варвара Лаптева. — Ау! Я тебя жду, приезжай давай.

— А с кем у тебя ребенок? — жалобно проблеяла Полина.

— Как — с кем?! Со мной, конечно. И Иван пока дома.

— Но его же надо... кормить, да?

— Ивана? — уточнила Варвара.

— Ребенка!

— Ну, если его не кормить, он станет орать, — философски заметила Варвара, — поэтому лучше кормить, конечно. Кстати, если Ивана не кормить, он тоже начнет орать. Но это не проблема. Или ты сама собираешься кормить моего ребенка?

— Варвара!

— Приезжай сейчас же!

— Я не могу! У нас тут черт знает что, я не могу уехать. Мне надо Троепольского дождаться, а он непонятно где.

— Он вернется на работу и позвонит тебе. У него есть твой телефон. Есть или нет?

Напор Варвары Лаптевой выдержать было трудно, и она этим очень гордилась.

Полина еще раз покосилась на распахнутую дверь и пробормотала жаркой скороговоркой, прикрывая трубку ладонью:

— А меня вчера... избили. Прямо в конторе. Ну, то есть не избили, но ударили так... довольно сильно, и еще я нашла карандаш.

Воцарилось молчание.

— Какой... карандаш? — спустя время прошептала обессилевшая Варвара Лаптева. — Где нашла?!

— В большой комнате. Рядом с тем местом, где меня... ударили.

— Ну и что?

— Варька, — быстро произнесла Полина, — это особенный карандаш. Приметный. Кто у нас в конторе пишет только карандашами?!

Варвара охнула в глубине телефонного омута, и Полина сказала невесело:

— Вот именно.

— А Троепольскому сказала?

— Да как я ему скажу, если его на работе нет! — закричала Полина.

— Дома скажи, — невозмутимо посоветовала Варвара. — В спальне. Где был договор с Уралмашем. А?

— Иди ты к черту, — пробормотала Полина и положила трубку.

Это вовсе не означало, что теперь они до смерти друг на друга обижены. Просто они так разговаривали друг с другом. Близкие люди на то и близкие, чтобы позволять себе то, чего не могут позволить дальние. Полина немного подумала об этом.

Гуччи подбежал, потрясся и уселся ей на ботинок. Полина пересадила его в кресло.

Хотелось кофе, хотя она знала, что потом у нее непременно заболят голова и желудок, и станет тошно, потому что ночью она почти не спала, и завтракать было нечем. Повздыхав от предчувствия всех этих неприятностей, она включила чайник, смачно пошлепала Гуччи по голой горячей заднице и пошла мыть свою чашку.

В туалете обнаружился Саша Белошеев со своими чашками.

Туалет в их конторе, хоть и являл собою нечто среднее между Янтарной комнатой и Георгиевским залом, был общим. Это дизайнер так придумал во время ремонта, потому что стандартная конструкция «мальчики — налево, девочки — направо» заняла бы слишком много лишних метров. Поэтому был воздвигнут дивный общий сортир на «два очка», как любил выражаться незакомплексованный Троепольский. Закомплексованные же стыдились и заходили туда, только убедившись в отсутствии «противоположного пола».

В данном случае «противоположный пол» полоскал свои чашки, и, так как у Полины не было никаких других, более приземленных намерений, она независимо поздоровалась и пристроилась рядом. Саша в зеркале ей улыбнулся.

— Ты чего в очках? Мы с Байсаровым ехали, никакого солнца не было.

— У меня... глаз болит. Ячмень, наверное.

Саша сочувственно покивал. Длинные пальцы, красные от горячей воды, проворно двигались по краю чашки.

Полина посмотрела на эти пальцы. Костяшки на правой руке в свежих ссадинах, как будто разбухших и сочащихся от горячей воды.

Полина глаз не могла оторвать от этих ссадин.

Саша вдруг насторожился:

— Ты чего?

Полина мигом отвела глаза — хорошо хоть за очками не видно! — и пожала плечами. Молчание, последовавшее за этим, показалось ей холодным и угрожающим. Он не сказал больше ни слова и не сделал ни одного движения, но что-то изменилось, и Полина почувствовала это кожей.

В том же холодном молчании он завернул свой кран, нанизал кружки на пальцы и пошел к двери. Она в зеркале видела его удаляющуюся враждебную спину.

— Саша.

Он остановился, оглянулся и снизу вверх, вопросительно дернул подбородком.

— Почему ты смотрел макет за столом Вани Трапезникова? — выпалила она и в ту же секунду поняла, что не ошиблась. — Почему не за своим?

Белошеев приблизился к ней медленно, как в кино, и аккуратно поставил свою посуду на мраморную столешницу. Потом улыбнулся — обнажились ровные белые зубы. От этой улыбки Полина подалась назад, но деваться было особенно некуда — сзади только холодный и гладкий мрамор, чуть-чуть сырой там, где вода натекла с ее чисто вымытой кружки.

— Какой стол, Полина? — приблизившись, нежно спросил ее коллега Саша Белошеев. — Ты что? Не выспалась?

— Я не выспалась, — согласилась Полина, как завороженная, глядя в его молодое веселое лицо. — Знаешь почему? Потому что ты ударил меня, когда я вошла. Прямо... сюда. В глаз. Мне всю ночь было больно. Не могла спать.

Саша все улыбался:

— Ты что?.. Видела меня?

Полина покачала головой:

— Не видела.

— Тогда с чего ты взяла?..

— Я нашла твой карандаш.

Он помолчал и странно повел шеей.

— Какой карандаш?

— Твой. Только у тебя в конторе такие.

Полина протянула руку — он дернулся, как будто она прицелилась в него из пистолета, — и достала у него из-за уха простой карандашик, не слишком длинный, шершавый на ощупь. Стильный, как определила Полина. Наверное, карандашик придумал кто-то талантливый и легкий, вроде Троепольского.

— В моей сумке лежит точно такой же. Я забрала его со стола Вани Трапезникова. Зачем ты смотрел макет в «большой комнате»? Почему не у себя?

— Сволочь, — отчетливо и тихо выговорил Саша Белошеев. — Троепольскому стукнула уже?

Полина смотрела на него и молчала.

— Так, — заключил Саша, поставил на мраморную столешницу свои чашки, вынул у нее из рук кружку и со стуком поставил ее туда же. Дотянувшись правой рукой, он защелкнул блестящую штучку на двери общего сортира, а левой взял Полину за шею. Пальцы были влажными и странно мягкими, словно Саша Белошеев никогда и ничего не делал руками. Мягкие пальцы медленно сжались на ее горле, и она стала вырываться. Только сейчас стала, потому что до последней секунды не верила в происходящее.

Нет, верила, но как-то не по-настоящему. Ей все казалось, что это происходит не с ней и не с Сашкой — тем самым, с которым они сто раз пили кофе, ругались из-за макетов, который помогал ей заводить ее «колымагу», подвозил домой, однажды даже остался у нее, потому что поздно было ехать из ее Кузьминок в его Северное Бутово, и благородно продрых всю ночь на неудобном диване, а утром жарил яичницу в крохотной хрущевской кухне!

— Сука, — равнодушно сказал этот самый Сашка и, дернув, разметал ее руки. — Троепольский знает или нет?!

Мягкие пальцы приналегли на ее горло, сдавили, словно канатом, и ей вдруг моментально стало нечем дышать. Канат, сдавивший ее горло неумолимо и равнодушно, будет душить ее до конца, до той самой секунды, когда в Полинином горле больше не останется ни капли воздуха, ни одной самой маленькой капли, и легкие взорвутся внутри, и из горла полезет кровавая каша — ее собственные внутренности.

В глазах поплыло. Полина Светлова захрипела и стала дергаться — как в кино про убийц и их жертв.

— Твою мать, — сказал Саша спокойно, перехватил другой рукой дергающиеся Полинины руки, развернул ее, отпустил руки и сильно ударил по шее.

Полина согнулась над раковиной. В ушах зазвенело, а потом их будто забило ватой. Что-то дзинькнуло далеко внизу, и она заторможенно подумала, что это свалились ее очки.

Он опять схватил ее руки.

— Давай, давай, сука!..

И он сунул ее головой в раковину, почему-то наполненную мыльной водой, и стал топить.

Он отпустил ее горло, которое хотело только одного — дышать, а дышать водой Полина Светлова не умела, поэтому она моментально захлебнулась горячей мыльной пеной, которая ринулась внутрь и все там залила.

Полина дергалась и сопротивлялась, но он крепко держал ее руки, а потом ударил ногой под коленку так, что она не устояла, и навалилась грудью на мраморный умывальник, и нырнула еще глубже, и прямо перед ее расширенными остановившимися глазами оказалась золоченая пробка, над которой крутилась чаинка.

«Последнее, что я увижу здесь, на этой стороне, — это раковину нашего общего сортира, которым так гордился Троепольский. И больше ничего. Это будет последнее, *на самом деле*».

И тут ее коллега Саша Белошеев выдернул ее из раковины и прижал щекой к мрамору. Изо рта у нее лилась вода, и он брезгливо отстранился и посмотрел на свои брюки — не залила ли.

— Троепольскому сказала?

Она помотала головой, потому что вдруг сообразила, что он у нее о чем-то спрашивает.

— И про карандаш не сказала?

Она не могла дышать, и ноги как будто все время подламывались, и она в конце концов поняла — это потому, что он методично бьет ее под колени ногами.

— Про карандаш сказала?!

Она опять затрясла головой.

— Молодец, — похвалил ее Саша. — Стукнешь кому, я тебя убью. Поняла?

Полину била дрожь — такая страшная дрожь, что ее зубы громко и отчетливо стучали на весь общий сортир.

— Нет, ты мне словами скажи, дорогая. Ты меня поняла или нет?

— А-а, — прохрипела Полина.

— Словами, сука! Поняла?!

— По...ня...ла.

— Будешь молчать?

— Бу...ду.

— Узнаю, что стукнула, убью, — пообещал Саша совершенно спокойно. — Мне терять нечего.

Полина мелко дышала и трогала свое горло — никак не могла поверить, что оно цело и даже способно дышать. Саша посмотрел на нее с сожалением, словно печалился, что ему пришлось так грубо с ней обойтись.

«Он грубо с ней обошелся» — как-то так или похоже было написано в романе «Гордость и предубеждение». Речь, кажется, шла о том, что на званом вечере героиня поздоровалась, а герой отвернулся. Это было грубо и недостойно джентльмена.

Саша Белошеев опять аккуратно нанизал на пальцы свои кружки, в зеркале посмотрел на Полину и двинулся к выходу из сортира. Тяжело навалившись на край умывальника, Полина смотрела ему вслед.

Он был почти у самой двери, когда она все-таки спросила искореженным и смятым, низким голосом:

— Зачем? Зачем тебе все это, Сашка? Теперь уже ничего и никогда... не отыграть назад. Ты не вернешься, понимаешь?

— Куда не вернусь?

— К нам. Мы здесь. Ты там. Пропасть.

— К вам? — пронзительным фальцетом переспросил Саша. — К вам?! Да я плевать на вас хотел, гении, дизайнеры, твою мать! Зачем вы мне нужны?! Я вкалывал, а эта сука только пользовалась мной!..

— Какая... сука?

— Троепольский! Он никого не замечает, кроме своей драгоценной задницы, потому что он один у нас гений, он один все может, а это ложь, ложь!!

— Саша, — прохрипела Полина и покрепче ухватилась за холодный мокрый мрамор, на котором еще недавно Белошеев ее душил, — ты же не дурак. Мы ничего не стоим без него. Мы... пропадем поодиночке. Троепольский же не просто... художник. Он... бизнесмен. А... мы?..

— Заткнись, — предложил ей Саша миролюбиво. — Все знают, что ты готова ботинки ему лизать, потому что он тебя трахал. Он всех баб в конторе перетрахал, потому что, блин, ему все можно! Посмотрим теперь, что ему можно, а что нельзя! Заказа нет? Нет! А где он? А хрен его знает где! А денежки он взял? Взял! Уралмашевские ребята шутить не любят, и хозяин у них... серьезный. Они твоего хахаля в порошок сотрут, к гадалке не ходи. Будешь ему сопли вытирать и на свою зарплату кормить!

— Почему ты так его... ненавидишь, Сашка? Он же ничего тебе не сделал. Он тебе работу дал. Деньги. Свободу.

— Свободу? — переспросил Саша, и кружки, нанизанные на его пальцы, странно и холодно звякнули. — Какую свободу?! Свободу задницу ему лизать, как вы все лижете, глаза закатывать, когда он свои гениальные идеи излагает?! На задних лапах ходить и трястись перед ним, как твоя гребаная собака? Так я не собака! Я не хочу. Я все могу сам, без него!

— Ты украл у него макет.

— Я ничего у него не крал! — крикнул Саша, но как-то не слишком громко. Наверное, он все время помнил, что в коридоре, за стеной общего сортира, могут быть люди — «вся королевская рать», верная Троепольскому! Даже когда он душил ее, помнил и остерегался. — Я ничего не крал! Это он у меня все украл! Он у меня жизнь украл! Всю жизнь! Я вкалывал на него, а он...

— Он тебе за это платил, — перебила его Полина и опять потрогала свое горло, казавшееся чужим. — Негодяй.

— Сука, — отозвался Саша. — Посмотрим теперь,

кто кого. Уралмаш — серьезный заказчик. Слухом земля полнится. Конец его репутации, и славе, и всему. Все поймут, что на самом деле он никто. Пустое место, дырка от бублика! Убийца гребаный. Федьку убил, потому что не мог его контролировать. Я умру от смеха!

— Это ты его убил?

Саша посмотрел на Полину, усмехнулся и повернул золотую ручку.

— Если стукнешь, я убью *тебя*, дорогая. Счастливо оставаться.

И он вышел, и она осталась одна и тяжело уставилась в зеркало, некоторое время смотрела, а потом закрыла глаза — невозможно было видеть женщину по ту сторону стекла, сил не было.

Самое главное — ни о чем не думать, и Троепольский старательно притворялся перед самим собой, что не думает. Слава богу, водитель, подвозивший его до Фединого дома, не пытался с ним разговаривать. Если бы пытался, Троепольскому пришлось бы его задушить.

В машине воняло автомобильным перегаром и играло радио «Шансон» — мужественные голоса тянули заунывные песни про тайгу, лесоповал, вертухаев, рябину красную и любовь несчастную.

«И в запой отправился парень молодой», — говорила про мастеров искусств этого жанра мать, и глаза у нее становились сердитыми и насмешливыми. Отсутствия вкуса она никому не прощала.

Троепольский смотрел в окно.

Весна, согласно календарю, астрономии и паре-тройке народных примет, должна была прийти неде-ли три назад, но, видимо, что-то задержало ее в пути. Троепольскому всегда искренне было наплевать на весну, зиму, Пасху, Новый год, а также климатические и природные условия, так сказать, в общем и целом, но сейчас он напряженно размышлял, что такое могло случиться, почему весна никак не приходит. Снег было растаял, потом насыпал, потом опять растаял, и теперь огромная мохнатая туча навалилась брюхом на город, и ее могучая спина подперла небосвод и за-слонила солнце, и стало темно, как во время затме-ния. Размытый гадкой моросью желтый свет фар ко-лыхался над дорогой, колес не было видно, и каза-лось, будто непрерывной чередой двигаются доисторические чудовища с горящими глазами.

Очень хотелось пожаловаться Польке на жизнь.

.Ты знаешь, сказал бы он, у меня совсем снесло башку. Мне кажется, что это ты во всем виновата, представляешь? И снег сейчас пойдет. Что теперь де-лать? Как жить?

Ты лишился последнего ума, Троепольский, отве-тила бы она и задрала на лоб свои необыкновенные очки, и откинулась бы на спинку кресла, и сладко потянулась. И от ее выгнутой спины, и выступившей вперед рельефной груди, и длинных, сплетенных над головой пальцев все моментально встрепенулось бы у него в голове, и в сердце, и еще где-то значительно ниже, и стало бы смешно и жалко себя.

Захотелось курить, и он негромко спросил у не-разговорчивого водителя:

— Курить можно?

Водитель покосился на него:

— Только в окно. Пепельницы нету.

Приемник теперь налегал на высокие чувства — разорялся про то, что кто-то ночевал с женщиной любимою, и что-то из этого вышло неподходящее.

Глупость какая. Тошно от глупости.

Только бы не она. Все, что угодно, господи, но сделай так, чтобы не она. Пусть кто угодно. Пожалуйста. Ну, пожалуйста. Я ведь раньше не просил тебя ни о чем.

Сейчас снег пойдет.

Я никогда не любил ее, господи. Я никого никогда не любил. Я вообще не знаю хорошенько, может, я вообще ни на что такое не способен. Так бывает — у кого-то все это получается, а у меня нет. Не получается. Я начинаю скучать и томиться гораздо раньше, чем *они*, — так уж я устроен. Я не выношу рядом с собой никого, я не выношу быт, я не понимаю женских капризов, я ни черта не смыслю в романтике, я даже букеты не могу покупать — секретарша покупает «лютики» всем моим барышням. Потому что мне наплевать на барышень, на «лютики», на романтику, на «взаимопонимание», на «позови меня с собой» и на то, что «они жили долго и счастливо и умерли в один день». Я ни с кем не хочу умирать в этот самый день, потому что твердо уверен — каждый умирает в одиночку, и я не стану исключением!..

От близкого снега, который летел где-то вверху — вот-вот накроет город, в котором маялся от тоски

Троепольский, — ломило голову. Желтые глаза выныривали из близкого мрака, ослепляли и пропадали.

Господи, я не хочу, чтобы это была она. Не хочу. Не могу.

Если это не она, я снова стану свободным и легким. Мне ничего больше не надо, все остальное я могу сам. Этого я не могу, только ты. Помоги мне, чего тебе стоит?

Волна, виденная то ли в Австралии, то ли в Малайзии, вдруг вспомнилась ему. Катастрофа, и он — один на многие десятки миль вокруг.

Один.

Вот-вот пойдет снег.

— Здесь куда? Не знаю я домов этих!..

— Направо. За углом еще раз направо.

Водитель покосился на него недоверчиво, как будто всю дорогу читал его мысли и теперь прикидывал, не дать ли ему на всякий случай в ухо.

«...И вправду, что ли, машину купить?..»

Вот подъезды, одинаковые, как боль во всех зубах сразу. Федькин крайний, а Троепольский ошибся. Если бы не ошибся, то знал бы, кто убийца.

Теперь не узнает, несмотря на всю свою браваду.

Он что-то такое заплатил, и, видимо, много, потому что водитель стал совать ему деньги обратно, и у него сделалось испуганное лицо. Троепольский оттолкнул руку, которая лезла к нему с деньгами, и выбрался из машины.

Дом нависал над ним, и непонятно было, где кончается дом и где начинается такое же бетонное брюхо тучи.

— Эй, парень!..

Троепольский оглянулся, закуривая.

— Деньги свои забери!

Он махнул рукой.

— Парень!..

— Отстань от меня!

— Может, тебя... того? Проводить?

Троепольский помотал головой.

— А то ты... странный какой-то.

— Спасибо, не нужно, — отказался вежливый Троепольский и вошел в подъезд.

«Вид у него странный, надо же!»

Он поднялся на нужный ему этаж, позвонил в нужную дверь, мечтая только об одном — чтобы никого не оказалось дома.

Хлипкая дверка кисельного цвета распахнулась сразу же, словно под ней стояли и ждали, когда Троепольский наконец приедет.

— Вам кого?

Тут неожиданно выяснилось, что ответа на этот простой и вовсе не праздный вопрос у Троепольского нет. А, собственно, кого ему? Шут его знает, кого! Какую-то дуру, которая орала, что «всем сегодня Федю подавай, а никакого Феди тут нету!».

Если бы она сама открыла дверь, Троепольский, наверное, не так растерялся, но открыл ему какой-то мужик в майке и тренировочных штанах — своеобразная униформа всех жителей всех спальных районов, отдыхающих от дневных трудов. Должно быть, этот отдыхал от трудов ночных, потому что было как раз утро.

На тренировочные штаны Троепольский имел несколько устаревший взгляд — он наивно полагал, что в таковых следует бежать кросс, а вовсе не лежать на диване, не сидеть за рулем, не идти на свидание, не прогуливаться в парке, то есть не делать как раз того, для чего большинство населения их и использовало.

— Простите, — пробормотал Троепольский, оценив штаны по достоинству. — Мне нужно поговорить... с девушкой. Я приходил... несколько дней назад, и здесь была... девушка.

— Какая еще девушка?! — подозрительно спросил мужик и почесал майку на животе. — Кого тебе надо-то?!

Троепольский моментально раскаялся в слове «девушка» и начал что-то путано объяснять — как он ошибся дверью, как подъездом ошибся тоже, как лифт не работал, и он... Короче, он хотел бы поговорить с женщиной, которая тогда открыла ему дверь.

— Когда открыла-то? — взревели тренировочные штаны, и Троепольский совсем было уж решил, что пропал, но тут штаны снова взревели:

— Натали! Натали!

И в тесной прихожей образовалась давешняя «девушка», тоже в тренировочных штанах и длинной кофте с пуговицами. Троепольский вытаращил глаза — невозможно было бы специально придумать никакую другую Натали, которая так не соответствовала бы этому возвышенному имени.

— О! — бодро воскликнула Натали. — Опять двери перепутали? Или чего? Окна?

— Здрасте.

— Привет. Вов, чего ему надо?

— Говорит, что тебя ему надо. Это кто ж такой? Кавалер новый?! Ты смотри, Наташка, в своей больнице, я тебя предупреждал!..

— Да-а ладно, — кокетливо протянула Натали, мельком взглянула на себя в зеркало прихожей и поправила челочку, став еще неотразимей. — А вы кто?

— Я никто, — быстро сказал Троепольский. — То есть меня зовут Арсений Троепольский, и в соседнем подъезде живет мой заместитель, и... то есть все это неважно. Помните, когда я дверью ошибся, вы мне сказали, что здесь нет никакого Феди, а всем сегодня Федю подавай. Помните?

— Да ничего я не помню.

— Как не помните?! Я пришел, а вы сказали, что...

— Да откуда я помню, что я сказала! Мало ли чего я говорю! Верно, Вов?

— Это верно, — неожиданно подтвердил Вова, — чего она только не говорит!

— Постойте, то есть вы хотите сказать, что никто, кроме меня, в тот вечер не спрашивал Федю?!

— Спрашивал, — с удовольствием отозвалась непосредственная Натали. — Все как с цепи сорвались, всем Федю надо было, а у нас никакого Феди нет и не было отродясь. Вов, ты с суток пришел и спал, и я думала — разбудят мне мужика, так я им!..

— Постойте, — опять попросил Троепольский, — значит, кто-то приходил к вам?

— А ты кто, мужик? — Вова опять почесал свою

майку и призадумался. — В том подъезде вроде труп нашли. Это чего? Твой, что ли?

— Не мой, — отрезал Троепольский. — Мой еще не нашли.

— Так это чего? Из-за того... убиенного, что ли? А вы откуда? Из милиции? Если из милиции, покажите документ, и все равно я протоколов подписывать не буду и в понятые не пойду! Вов, чего ты смотришь-то? Зачем он приперся?

— Да я затем приперся, — заорал Троепольский, — что Федя Греков, которого убили, мой друг! И не надо мне, мать вашу, никаких протоколов! Мне надо, чтобы вы мне сказали, кто еще в тот день ошибся дверью!

— Так откуда ж я знаю кто! Мне по именам спрашивать некогда, время у меня не казенное, а свое, и дома я отдыхаю и по именам никого не спрашиваю!

— А чего? — Вова посмотрел на него сочувственно. — Правда, что ли, товарищ твой... помер, типа?

— Типа, помер, — согласился Троепольский.

— А ты чего? Хочешь узнать, кто его на тот свет проводил?

— Хочу, — признался Троепольский.

— Ишь ты, — восхитился Вова, — в очках, а хочет узнать! Ну, проходи тогда, что ли.

— А здесь нельзя?..

— Так чего здесь! Тогда там удобней.

Троепольский покорился и «прошел». Куртку он снимать не стал и портфель тоже не оставил в прихожей. В квадратной комнате лежал квадратный ковер, стояли распахнутая тахта, утлый столик на колесах, и еще висел коврик на стене, а на коврике... алюминиевая шашка. Там, где полагается быть драгоценным камням, рукоятка была раскрашена разными красками. Красота.

— Садись, — пригласил Вова и вытащил из-за спины табуретку и воздвиг ее неподалеку от столика. — Может, водки выпьем?.. Раз уж товарища твоего... на тот свет, короче...

— Какой еще водки?! — громко закричала из кухни бдительная Натали. — С утра пораньше! Тебе бы только повод! Так и будешь ее трескать!..

— Да не трескать, а за упокой души всегда!..

— Да ты и так всегда!..

— Наташка! Замолкни!

— Не стану я молчать! С утра водку! Допьешься до белой горячки!

— Я свою меру знаю!

— Знаю, как ты знаешь! А кого в прошлую среду Митяй на себе принес? Стыдоба какая, перед людьми-то!

— А что? Твои люди не пьют?!

— Да все люди как люди пьют, один ты, как буйвол меченый!..

— А в гадюшнике твоем больничном не пьют?! Там все ангелы небесные с крыльями?

Троепольский, растерявшийся было в начале дискуссии, неожиданно осознал, что, если немедленно не возьмет инициативу в свои руки, дело может кончиться скверно.

— Так кто приходил-то?! — в потолок громко крикнул он, и все неожиданно смолкло.

На пороге комнаты показалась Натали с чайником в правой руке и не слишком чистым полотенцем в левой.

— Куда?

— К вам, — с нажимом сказал Троепольский и вытащил сигареты, — в тот вечер, когда я ошибся дверью. Кто еще?

— Чаю будете пить?

Троепольский сказал, что «чаю» он пить будет, решив, что в противном случае гостеприимная хозяйка непременно обидится.

На утлом столике образовались чашки с блюдцами, пластмассовая желтая сахарница в виде груши — полгруши снималось, а из оставшейся половины надо было вычерпывать сахарный песок, — темное варенье в вазочке синего стекла и печенье «Юбилейное» в пачке. Натали проворно накинула на тахту покрывало, посмотрелась в полированный сервант, опять поправила челочку и разлила чай.

Троепольский посмотрел в свою чашку с блюдцем. В желтой жидкости болтались черные чаинки, а на блюдце был почему-то рассыпан сахар. То ли он сам его рассыпал, то ли он всегда там был. «По жизни», как теперь принято выражаться.

Вова тоскливо поглядел в свою чашку с блюдцем, зачем-то взболтал чай, сунул чашку на столик и сказал с тоской:

— Э-эх!..

— Пей, пей, — посоветовала Натали, — вкусно, если с булочкой. Хочешь булочку? Или печеньку? А вы, — это уже Троепольскому, — зря пришли. Никого вы не найдете. Уж раз убили, то и убили, так я считаю. Судьба такая. Нынче всех убивают, а вчера какая-то старуха квартиру свою подожгла, «Дорожный патруль» сказал.

— Да не подожгла она, а баллон рванул там! Как это вы, бабы, слушаете! Вам одно говорят, а вы все о другом!..

— Да не баллон, баллон рванул, где дедок заснул, пьяненький, и сигарету не потушил, а бабка сама квартиру подожгла, чтобы она дочери ее не досталась.

— Точно!

— Так я про что и говорю! Представляете, — это опять Троепольскому, — вот только что «Дорожный патруль» сказал, что бабка сама свою квартиру спалила, потому что дочь ее выселяла. А бабка решила, что лучше пусть сгорит она, только дочь все равно ничего не получит! И подожгла. Керосинцу запасла, полила все, да и кинула спичку.

— Во зараза какая, пенсионерка-то!

— Ой, кто бы говорил!.. Твоя-то мамаша в прошлом году на лестнице меня чуть до смерти не убила!

— Так было за что, когда ты три кило студня перевернула!..

— Так для тебя жратва первое дело, а на меня наплевать всегда! Вам бы с мамашей только жрать, а когда человек...

Троепольский протяжно завыл, наклонился вперед и взял себя за голову. Его вой так поразил спорщиков, что они даже позабыли про перевернутый в прошлом году студень.

— Ты чего? — с интересом спросил Вова. — Ты чего, мужик, а?

— Может, он припадочный, а, Вов? — тревожно просвистела Натали. — Смотри, он желтый какой-то.

— Кто к вам приходил?! Кто, так же, как и я, ошибся дверью?!

— Когда? — испуганно спросила Натали, и Троепольский быстро и доходчиво объяснил, когда именно. Еще он объяснил, куда следует немедленно пойти самой Натали, ее мамаше, Вовиной мамаше вместе со студнем и еще Вове.

От этих объяснений ему вдруг полегчало — голова перестала гудеть чугунным басовитым гудением, перед глазами прояснилось, и еще он сигарету закурил, а с сигаретой ему всегда становилось легче жить.

Вова порылся в заднем кармане тренировочных штанов, извлек мятую пачку и тоже закурил. Некоторое время все задумчиво курили. Потом Троепольский стряхнул пепел в чашку с чаем и спросил:

— Ну?

— Девушка приходила, — с готовностью сообщила Натали и покосилась на Вову. — Ну, то есть как девушка! Такая... не очень молодая девушка. Как я, примерно. Ну, тоже, как вы — «простите, извините, где Федя?». Я ей — какой такой Федя? Она мне — а что, разве Федя здесь не живет?! А я ей — знаете, девушка, надо у своих кавалеров адресок-то поточнее узнавать, а то небось в прошлый раз, когда у него была, ни о чем на свете не думала, кроме как о том самом, а теперь вот найти не можешь!.. А она мне — так он здесь не живет?! А я ей...

— Как она выглядела? — перебил Троепольский. Жить ему не хотелось. Сигарета отвратительно воняла.

— Кто? А, девушка эта? Да хорошо. Такая приличная, ничего не скажешь, на прошмандовку не похожа. Ну, в джинсах, конечно, и тут у ней так сделано красиво, как будто прошито, что ли, ну, сумка такая на плече, не маленькая, но такая... коричневая.

— Блондинка или брюнетка?

— А она в капюшоне была. На куртке капюшон пришит, и она его на голову натянула. Не разобрать там, брюнетка или блондинка. Зато в очках.

— А... во сколько она приходила?

— Да вы что? Смеетесь? Откуда я знаю, во сколько-то? У меня время не казенное, а личное, я на часы просто так каждую минуту смотреть не должна, и мужик у меня спал.

— Ну, хоть вечером или днем? Или утром?

— Ну, к вечеру ближе, конечно. Темнело уже так... смерклось почти. Но еще до игры, в которую Галкин играет.

— Какой Галкин? — не понял Троепольский.

— «Как стать миллионером», — ответила Натали таким тоном, словно Троепольский только что признался ей, что никогда в жизни не слышал о существовании азбуки. — Максим Галкин ее ведет, мой любимый! Он мне автограф однажды дал, вот тут он у меня...

И она вскочила с дивана, чуть не снесла столик и метнулась к секретеру, но Арсений Троепольский меньше всего в данный момент своей жизни был расположен смотреть автограф Максима Галкина.

— У нас рядом клиника ветеринарная, — тараторила Натали, — а прямо за ней пончики продают и пирожки разные, мы с девчонками по очереди бегаем, на обед взять чего-нибудь, и в тот раз я побежала, а он прямо подъехал, и машина какая! Я такую не видала никогда. Ну, остановилась посмотреть, я же не знала, что это он-то подъехал, а так остановилась, потому что машина, и вижу — он! Собаку свою привез, в ветеринарку-то! А собака! Такая чудная, вся в складках, как будто шкуры у нее больше, чем надо, а тела меньше. Я погладить ее хотела, а он сказал — автограф дам, а гладить не дам, потому что она маленькая еще. И дал! Вот поглядите, написано — «Наташе от Максима на память». И роспись. Наташа — это я, потому что он не знает, что правильно меня звать Натали, а сказать я ему не успела...

— Ничего, в следующий раз скажете, — пробормотал Троепольский.

— ...ну вот, а Максим — это он. Мы ксерокс сделали и в ординаторской повесили, и мне не верит никто, что он сам мне написал!

— А во сколько она начинается, эта ваша миллионерская игра?

— В восемь, — обиженно сказала Натали и опять сунула ему под нос автограф. Клетчатый листочек был заботливо обернут папиросной бумагой.

— В восемь, — повторил Троепольский.

В восемь уже приехала милиция, и майор Никоненко, изображавший деревенского дурачка, уже прикидывал, не упечь ли ему Троепольского в кутузку.

Значит, Полька. Девушка в очках и джинсах. Полька приходила тем вечером к Феде, ошиблась квартирой, как и он сам.

Значит, Полька.

Но почему?! И зачем?! Зачем?!

— А... больше никто не приходил?

— Так вы приходили!

— Это я знаю. Только та девушка и я. Больше никого не было?

— А что? Мало?

— Да не мало!

— Не было никого!

— Спасибо, — поблагодарил вежливый Троепольский, которому больше всего на свете хотелось чем-нибудь бросить в алюминиевую шашку, которая болталась посреди квадратного ковра. Например, утлым столиком на колесах — так, чтобы все разбилось, разлетелось, ударило по стенам, как взрывной волной. И чтобы темные чары разлетелись в голове, и все стало, как было до сегодняшнего дня, когда он понял, что она утащила у него из квартиры договор, и не сказала ему ни слова, и посмела быть такой, как раньше!

Зачем она к нему приезжала? Чтобы убить? Ударить по голове, так чтобы череп почти раскололся надвое?! Зачем?!

— Если я покажу вам фотографию этой... женщины, вы ее узнаете?

— Какой женщины?

— Которая к вам приходила?

— Да узнает, узнает, — неожиданно вступил Вова, — она у нас, как собачка сторожевая, всех знает, все видит. Давай. Где фотография-то?

Но у Троепольского не было с собой Полькиной

фотографии. У него вообще не было никаких фотографий. Прошлое его не интересовало, а фотографии бывают только в прошедшем времени.

Он выбрался от Вовы, Натали и Максима Галкина, засевших в одной квартире, и побрел по лестнице пешком, потому что у него не было сил ждать лифта, и он представить себе не мог, что сейчас окажется один, в тесной пластмассовой клетке, и ничего не останется, только биться головой о запакощенные пластиковые стены и двери — а как же иначе?..

Все сходится. Шарон Самойленко сказала ему, что Полина приехала вечером, а за собакой Гуччи он отпустил ее утром — времени хватило бы, чтобы слетать в Нью-Йорк! Сизова тоже не было на месте, а Троепольский был уверен, что тот на работе.

Что они все с ним делают?! И за что ему это?!

Стало совсем темно, и, когда Троепольский открыл подъездную дверь, оказалось, что мокрый снег летит с близкого неба, а все кругом уже бело, и не видно ни людей, ни крыш, ни машин, и собственная рука с сигаретой теряется в снежной пляске, и во всем этом, правда, было что-то от конца света.

Давно пора купить машину. Сейчас забрался бы в теплое, сухое, уютное нутро, включил печку, уселся, нахохлившись, как воробей, но от того, что машина защищала бы его со всех сторон, окружая железным непробиваемым панцирем, он, может быть, успокоился бы чуть-чуть, перестал ждать катастрофы и все думать — господи, почему ты ничем мне не помог, я же тебя просил!

Сигарета пахла как-то странно, и он, вдруг взглянув на нее, неожиданно обнаружил, что она... розовая. У него отродясь не было никаких... розовых сигарет. Он полез в карман, извлек квадратную твердую пачку и посмотрел.

Ну, конечно. «Собрание».

Сигареты Полины Светловой. Она оставила их у него в квартире, а он утром прихватил. Розовая — это еще что! Там есть еще зеленые, фиолетовые и желтые, радуга-дуга просто!

Тут неожиданная мысль поразила Троепольского. То есть на самом деле поразила, как поражает удар молнии. Кажется, он даже слышал этот самый удар где-то над головой. Приставив ладонь козырьком к глазам, чтобы как-то защититься от снега, который лепил в лицо, он посмотрел вверх, а потом побежал в соседний подъезд. Дверь была открыта, кодовый замок не работал.

Как только разошлись двери лифта, он кинулся к банке с окурками, которая была прикручена проволокой к прутьям лестницы. На Федину дверь с белой бумажкой, наклеенной поперек, он старался не смотреть.

Из банки отвратительно воняло, и слой окурков казался утрамбованным и плотным, но Троепольский, морщась от отвращения, все-таки раскопал его. Вряд ли кто-то на этой лестничной площадке регулярно покупал «Собрание», сорок пять рублей пачка. Полина, если тут все-таки была именно она, вполне могла и не курить на лестнице, но, скорее всего, курила, она всегда много курит, когда нервничает, а тогда она, конечно, нервничала, потому что вряд ли возможно не нервничать, когда собираешься сделать то, что собиралась сделать она...

Фиолетовый с золотом окурок оказался в банке — один-единственный. Троепольский посмотрел на окурок, и его сильно затошнило, как тогда, в Федькиной квартире. Он стремительно поднялся с корточек, перешагнул через окурки и дернул на себя оконную раму. Посыпалась какая-то труха, скрученные лепестки старой краски полетели шелестящим дождиком, он дернул еще раз и открыл.

Снег колыхался прямо перед глазами, плотная, густая масса. Он дышал глубоко, считал вдохи и выдохи. Лицо моментально стало мокрым.

Значит, Натали ничего не перепутала, и Полина на самом деле здесь была. Значит, значит...

Он должен с ней поговорить. Немедленно. Сейчас же. Он должен все выяснить, пока не поздно.

Впрочем, давно уже все поздно.

В конторе был некоторый переполох и раздавался странный шорох, словно по коридору двигались крысы, шуршали хвостами.

— Что случилось?

— Приехали и вас дожидаются, — доложила Шарон Самойленко. — Уже давно.

— Кто?

— Там вон.

— Кто?!

— На диване сидят.

Троепольский решил, что прибыл майор Никоненко, чтобы посадить его в тюрьму. А что такого?

Никаких других подозреваемых у него нет, и кандидатов в подозреваемые нет, и кандидатов в кандидаты нет, а Троепольскому туда и дорога.

На диване не было никакого майора Никоненко. На диване сидел худенький, бледный до зелени юноша с волосами до пояса, заплетенными в многочисленные косицы, в рубище и широченных штанах.

Троепольский понятия не имел, кто это.

— Здравствуйте.

Юноша поднял на него утомленные глаза, словно коричневой краской обведенные то ли усталостью, то ли нездоровым образом жизни, и лениво пробормотал:

— Здорово!

У Арсения Троепольского имелось человек двадцать знакомых, которые на его приветствие могли ответить «здорово!», но юноша в их число не входил.

— А вы кто?

— А ты чего? Не знаешь меня, что ли?

Троепольский вдруг развеселился.

— А должен?

— Ну... — Юноша на некоторое время серьезно задумался. — ...вообще-то должен. Ты же еще не очень старый.

— Я? — удивился Троепольский. — Я не очень. А что?

— А то, что раз не старый, то должен знать.

— Понятно, — кивнул Арсений, обошел диван и скрылся в своем кабинете. Юноша ему надоел.

Он бросил портфель, сунул куртку в шкаф и уже стянул ботинки, которые промокли насквозь, пока он ловил машину, когда на пороге показался юноша из приемной. Помимо рубища, на нем были еще и вериги — поперек впалого живота, и на заднице тоже что-то болталось, позвякивало. Вид у юноши был слегка удивленный.

Троепольский сунул ноги в кроссовки и мельком глянул на посетителя.

— Я вообще-то к тебе, — сообщил юноша доверительно, — говорят, ты сайты классно делаешь. Правду говорят или гонят?

Троепольский пожал плечами, повернулся в кресле и нажал кнопку на селекторе.

— Варвара!.. Прошу прощения. Шарон. Принесите мне кофе и найдите Светлову. Где она?

— Уехали они, — пропищал селектор, — как приехали, так и уехали, потому что разбили свои очки.

Троепольский насторожился — что такое происходит? Вчера очки ей разбил кто-то, напавший на нее, сегодня она сама?! Чушь какая-то! Из-за этих очков она в шесть часов утра уехала от него, не согласившись взять его очки, и вот опять уехала, теперь с работы?!

Однако мысль о том, что был кто-то, ударивший ее, вопреки всему, что он узнал, успокоила его. Если во всем виновата она одна, кто мог ее ударить? Значит, не одна, значит, есть еще кто-то, значит, есть какое-то «разумное объяснение» фиолетовому окурку с золотой полоской и тому, что поклонница многочисленных талантов Максима Галкина именно ее видела на площадке Фединого дома!

— Так чего сайт?..

— А чего сайт?

— Сделаешь?

— Кому?

Тут юноша начал проявлять первые признаки нетерпения:

— Как — кому?! Мне нужен сайт. Только хороший, а не мусор какой-нибудь! Ну чего? Сделаешь? Все говорят — есть один чувак, он сайты классные лепит, хоть и бабок много дерет, а мне как раз надо классно, а бабки не вопрос на самом деле.

Тут в комнату вскочила Шарон Самойленко с подносом. Поднос она плюхнула перед Троепольским — звякнули блюдца и ложечки — и повернулась к юноше. На лице у нее был написан небывалый восторг, сменивший привычную кислую мину.

— Автограф дадите?

При слове «автограф» Троепольский почувствовал себя неуютно. Может, это и есть Максим Галкин, а он, Троепольский, просто что-то пропустил, перепутал и недоучел?

Юноша моментально сделал скучное лицо, тряхнул косицами и что-то размашисто начертал на листочке, подсунутом Шарон.

— Как зовут?

— Меня? — задушенным голосом пискнула Шарон.

— Тебя, кого же!

— Шарон.

— Красиво, — похвалил юноша и еще что-то черкнул, очевидно, сверх нормы, потому что Шарон немедленно засияла от счастья, прижала листочек к груди и посмотрела на юношу с любовью и сверху вниз — она была значительно выше его ростом.

Троепольский пил кофе.

— Так чего? — опять спросил юноша, освободившись от Шарон. — Сделаешь мне сайт?

— А ты кто?

— Не знаешь?! — не поверил тот.

Троепольский отрицательно покачал головой.

Тогда юноша выдвинулся на середину комнаты, выставил два пальца правой руки, как-то боком подпрыгнул, выпятил живот, как младенец, собирающийся заорать, дернулся и сделал странный жест чуть ниже пояса.

Очевидно, так он объяснял Троепольскому, кто он такой. Троепольский смотрел с интересом, даже закурить забыл.

— Опять родители с утра на даче, — провозгласил юноша неожиданно и притопнул по ковру, — но это совсем ничего не значит! Опять с утра наступила жара, и все бу-дет хуже, чем вче-ра, а завтра все то же, и кверху брюхом кругом лежат дохлые мухи!

Тут он повернулся вокруг своей оси, косы взметнулись, рубище взметнулось, цепи зазвенели, вериги зазвенели тоже.

Троепольский перестал пить кофе.

— Кончай сидеть в тишине квартиры, ведь по природе ты за-ди-ра. — Опять дивный жест сверху вниз, а потом снизу вверх. — Иди тусуйся и пиво пей и ни о чем никогда не жалей! Кругом такая суета, а жизнь исклю-чи-тельно проста!

И он опять притопнул, и повернулся, и открыл

было рот, чтобы продолжить причитания, но Троепольский больше слушать не желал.

— Ты что? — перебил он, и юноша замер от удив-
ления. Должно быть, никто и никогда его раньше не
перебивал. — Читаешь рэп?

— Я не читаю, — обиделся юноша, — я пою.
Я Бенцл. Ты меня не узнал, что ли?

Троепольский признался, что не узнал.

— Ну, так это я, и мне сайт нужен. Сделаешь сайт,
чувак?

Троепольский сказал, что не делает сайтов... эст-
радным звездам.

— Да ладно тебе, чувак! Ну, им не делаешь, а мне
сделай! Да я сам попсу ненавижу, ты же знаешь! Ну,
вот если есть козлы, так это те, кто попсу гонит и еще
кто на радиостанциях сидит! Ну ничего не понимают,
сколько раз говорил я им, что надо меня ставить,
меня, а они!..

— Что, — поинтересовался Троепольский, — не
ставят?

— Да нет же, мать их! В формат, говорят, не попадаешь, а это значит песец, когда не попадаешь. Говорят, мелодии у тебя нет никакой, и вообще рэп лучше
всего негры... того... поют. А из тебя, говорят, какой
негр-то, блин?!

— На негра ты не похож, — согласился Троепольский.

— А я, ты понимаешь, чувак, я искусством занима-
юсь, а не какой-то там туфтой! Для меня самое главное... Вот знаешь, что для меня самое главное?

— Что?

— Добро, — провозгласил юноша и погладил свой худосочный живот, — добро для меня самое главное! У меня все стихи про добро!

— А не про дохлых мух разве? — усомнился Троепольский.

— Да не, мухи — это так, для рифмы, а потом, в этом тоже что-то есть, да, чувак? Ну, образ, сила, настроение, а? В стихах-то ведь что главное?

— Что?

— Настроение! А я мух вообще не бью, потому что их создал не я, а бог, так как же я могу убить то, что создал бог?

— Не знаю, — признался Троепольский.

— А вот все, что не для души пишется, а для денег, это все лажа полная, ты ж понимаешь! Настоящему художнику на деньги плевать тридцать раз!

Тут в кабинет, где Троепольский содержательно беседовал с настоящим художником, вдвинулся квадратный громила в черном пиджаке, черных брюках, черных очках, несмотря на грянувшие с утра пораньше сумерки, и сказал каменным басом заискивающе:

— Дмитрий Петрович, это вас, — и протянул художнику телефон.

— Прости, это моя охрана, ты ж понимаешь, — скорчил рожицу юноша, подбежал к черному и выхватил у него телефон. — Да. Да. Чего еще? Нет. Не отменяй. А сколько билетов продали? А на разогреве кто? Ну и хрен с ними! Мало! Мало, говорю! А то, что мне бабки надо отбивать! Какая, блин, реклама?! Где она, реклама эта?! Да он вообще какой-то больной на голову, я ему говорю, а он мне... Что? А, ну ладно!

Он нажал кнопку, помахал телефоном в сторону громилы, и тот ловко его подхватил. Юноша тотчас же замахал на громилу освободившимися руками и чуть не вытолкал его за дверь.

— Ты приходи на мой концерт, — пригласил юноша и сделал гостеприимный жест, опять почему-то показавшийся Троепольскому не слишком приличным, — я своему директору скажу, он тебе билеты пришлет. У нас сольник будет — вау! Приходи с девушкой. У тебя есть девушка?

— Нет, — неожиданно признался Троепольский.

— Что это ты так, старик? Или ты гомик?

— А ты?

— Я нет.

— И я нет.

— Тогда приглашай любую! Секретарша у тебя первый сорт, старик!

Троепольский сидел и думал — что такое с ним происходит? О чем он разговаривает?! С кем он разговаривает?!

— Вот я про любовь недавно сочинил, старик, ты послушай. — Юноша опять выбежал на середину комнаты, приставил два растопыренных пальца к глазам, присел и стал волнообразно изгибаться. — Для любви всегда есть место в судьбе, потому что это то, что я дарю тебе, твоя мама считает, что я придурок, а мне плевать, как на этот окурок!

Троепольский покатился со смеху.

— Ну, как тебе стишата?

— Экстаз, — похвалил Троепольский, перестав смеяться.

— Меня недавно какие-то отморозки чуть не побили, — похвастался юноша. — Потому что у меня волосы длинные, потому что я несу добро и еще потому что я кришнаит.

— Ты подолгу и с интересом рассматриваешь свой пупок?

— Почему?..

— А чем еще занимаются кришнаиты?

— Ты не знаешь, старик?! — поразился юноша. — Так я тебе сейчас расскажу, это классно, старик! Меня посвятил Джахангор, его Толей раньше звали, а теперь он Джахангор, и он самый крутой чувак во всем этом деле!

— А разве не Кришна самый крутой чувак во всем этом деле?

Тут юноша посмотрел на Троепольского подозрительно.

— А ты что? Тоже кришнаит? Или буддист?

— Боже сохрани, — быстро сказал Троепольский, — мне некогда.

— Ну чего? — спросил вдруг погрустневший юноша. — Сделаешь сайт?

— Я дорого беру.

— Да ладно! Скинешь мне чего-нибудь!

— Не скину. Я делаю или за деньги, или бесплатно. Если за деньги, то всем одинаково. Ты уж меня прости. А потом, для тебя деньги ничего не значат, я правильно понял?

— Правильно, — согласился юноша кисло. — А когда сделаешь? Быстро?

— Быстро тоже не сделаю, старик, — еще больше

расстроил его Троепольский. — Я, сам понимаешь, самый крутой чувак в этом деле, хоть и не буддист. Если быстро, будет отстой, а мне фуфло гнать неохота, у меня эта самая, старик, репутация которая. Она, блин, времени требует и вдумчивости. Ну как? Догоняешь?

— До... гоняю, — признался юноша с некоторой запинкой.

— Ну, ты молоток, старик. А насчет бабок, тебе секретарша прайс подкинет, ты почитаешь на досуге. Или директор почитает, если он у тебя грамотный.

— Грамотный вроде.

— Тогда он тоже молоток. Ну чего? Все? Тогда бывай здоров, старик.

— Бывай, — эхом повторил юноша, постоял еще немного в растерянности, потом подтянул свои необыкновенные штаны, шмыгнул носом и поплелся к двери.

— Так я тебе звякну, — сказал он с порога.

— Звякни, — разрешил Троепольский.

Он уже смотрел в монитор, пальцы летали по клавиатуре, экран мигал. Во всем этом было какое-то шаманство, Троепольский и сам это понимал.

Ровно через три секунды он забыл про юношу навсегда — как будто собственные проблемы, выстроившись железным клином, вытеснили из сознания все остальные мысли. Зато он вспомнил, что Полины Светловой на месте нет.

Он отшвырнул от себя клавиатуру и секунду подумал. Потом нажал кнопку на селекторе.

— Где Сизов?

— Так у себя. Как с утра приехали, так у себя и сидят. Да, еще Лаптева вам звонили. Просили перезвонить.

Он не стал перезванивать — слишком многое пришлось бы объяснять, а он совсем не был к этому готов.

Что он может ей объяснить?! Что сегодня утром выяснилось, что в день Федькиной смерти к нему приезжала Полина Светлова, лучшая Варварина подруга и его собственная бывшая любовница? Что вчера кто-то избил ее прямо в конторе, и это самое отрадное из всего, что случилось за последнее время, потому что хотя бы косвенно подтверждает ее непричастность? Что он до сих пор не нашел ни одного конца, за который можно было бы потянуть, чтобы распутать весь клубок, как говаривали великие сыщики в детективных романах? И что он вообще не уверен, что это клубок, это вполне может быть бомбой, и тогда тянуть за что-нибудь не просто опасно, а грозит чудовищной катастрофой?!

Он еще посидел перед мерцающим монитором.

Разговаривать с Сизовым нельзя. Его *тоже* не было в конторе в тот поганый день, и неизвестно, где он был. С ним нельзя разговаривать, пока не выяснится, где именно он пропадал. Ужасно никому не доверять, особенно когда к этому не привык.

И работа, работа!.. Он совсем забросил дело, чего не было с ним никогда в жизни, а теперь!..

Он снова нажал кнопку и спросил злобно:

— Светлова когда обещала приехать?

— Сказали, что моментально. Только туда и обратно.

— Куда «туда»?! Куда «обратно»?!

— А вы на меня не кричите, Арсений Михайлович! Я вам не личная прислуга, а квалифицированный работник!

Тут он вдруг вспомнил, что у Полины есть мобильный, и рявкнул:

— Позвоните ей на мобильный, быстро! И соедините меня с ней! Прямо сейчас!

Что-то такое было у него в портфеле, о чем он думал еще утром, а потом забыл. Перегнувшись в кресле, он подтянул к себе портфель и стал в нем копаться. Все время попадались какие-то бумаги, которые были важными и нужными еще несколько дней назад, а теперь оказалось, что все это — пустое.

Разрисованная маркером распечатка звонков лежала, как водится, на самом дне. Троепольский дернул ее так, что она порвалась на середине, и разложил на столе. Незнакомый номер был в нескольких местах жирно обведен красным. Все остальные были вычеркнуты — синим, зеленым, фиолетовым, даже черным. Полина Светлова все умела делать как-то не так, как все. Вот, например, вычеркивать телефонные номера.

Косясь в распечатку, Троепольский быстро и сердито набрал обведенный красным номер.

Голос, ответивший ему, поразил его до глубины души. Он был низкий и очень уверенный, а Троепольский ожидал услышать нежные трели, вроде тех, что издавала Федина племянница сказочной красоты.

— Здравствуйте, — осторожно сказал Троепольский, напуганный необыкновенным голосом.

— Здравствуйте, — ответили в трубке твердо.

— Меня зовут Арсений Троепольский, я... работаю с Федей Грековым. Вы знаете такого?

Паузы не было никакой. Голос так же уверенно ответил, что Федю Грекова знает.

Троепольский перехватил трубку и прижал ее плечом.

— Как вас зовут?

— Зоя. Зоя Ярцева. А откуда у вас мой телефон? Или Федор... вам дал?

— Федор ничего мне не давал. Телефон я нашел сам... дедуктивным методом.

— Понятно, — протянул голос. — Зачем вы мне звоните?

— Мне очень нужно с вами поговорить.

— О чем? — холодно спросила Зоя Ярцева. — Я уже обо всем поговорила с его родственниками, мне достаточно. Или вы хотите сказать что-то... еще более убедительное?

— С какими... родственниками? — осторожно поинтересовался Троепольский.

Тут она некоторое время молчала.

— Мне не хочется с вами разговаривать.

— Почему?

— А разве это не понятно? Мне... трудно говорить о нем.

Тут Троепольский вдруг озверел.

Ему тоже было трудно — разговаривать, думать, сопоставлять, искать тот самый конец веревки, за который следовало тянуть, даже не зная точно, веревка это или запал от гранаты! Ему было трудно, но он не мог отступить! Никто, кроме него, не найдет убийцу — мало надежд на майора Никоненко!

— Всем трудно говорить о нем, — произнес он злобно, — и всем приходится! Его убили, понимаете? Если вам не наплевать на то, кто это сделал, вы должны со мной встретиться.

— А вы что, следователь из районной прокуратуры?

— Я, черт возьми, дизайнер. Федя работал со мной девять лет. Или я с ним. И я должен знать, кто и за что...

— А-а, — протянула Зоя Ярцева, — вы сериалов насмотрелись, да? Про Робина Гуда и торжество справедливости? Милый юноша, вам со мной не повезло. Я ни во что такое не верю. Вы бы оставили Федора в покое и занимались своими делами. Больше пользы будет, это я вам точно говорю, как старший товарищ.

Именно потому, что она была совершенно права, Троепольский, вместо того чтобы послушаться, озверел еще больше.

— Где вы работаете?

— Зачем вам?

— Я должен с вами поговорить.

— Я не хочу с вами говорить.

— Где вы работаете?

Она помолчала.

— Да и черт с вами. Я работаю в Гидропроекте, знаете, где это? Между Ленинградкой и Волоколамкой, видно за версту. Вы хотите прямо сейчас приехать?

— Да.

— Я закажу вам пропуск. Двадцатый этаж.

Троепольский положил трубку и с сомнением посмотрел на свои кроссовки — вряд ли в них можно передвигаться по снегу без ущерба для здоровья, а ни в чем другом он не мог передвигаться, ноги он сильно промочил, пока топтался возле Фединого дома. Тротуары вокруг этого самого дома специально были спланированы таким образом, чтобы снег, дождь, паводки и разливы рек непременно концентрировались именно там, где ходят люди. Снег в течение десяти минут превращал тротуары в непроходимые топкие болота, в которых непременно увязли бы все танки потенциального противника, если бы им пришло в голову двинуть на жильцов. Дождь заливал подступы, укрепления и фортификации еще быстрее. Вдоль дома шли узкие тропки, по которым с грехом пополам можно было ходить, придерживаясь за серую бетонную стену. Тропки выводили прямиком к помойке, и вокруг ящиков по утрамбованному мусору тоже были проложены тропинки — к остановке автобусов и маршруток. Выскочив из машины, Троепольский первым делом угодил в лужу — так, что джинсы вымокли по щиколотку, что уж говорить про ботинки!

Пока он сейчас выберется на проезжую часть, поймает машину, объяснит, куда ехать, и до подъезда Гидропроекта его вряд ли довезут, кроссовки тоже промокнут, Троепольский подхватит пневмонию, — хорошо бы «типичную»! — будет долго и уныло болеть, он всегда болел долго и уныло, потом с трудом потащит себя на работу, и поезд уйдет уже навсегда, и не догнать его будет ни за что!

Почему он никак не может купить себе машину?!

— Варвара! А, черт! Шарон!

— Слушаю.

— Сизова попросите дождаться меня. Пусть он никуда не уезжает. Если Светлова появится...

— Арсений, я здесь. Я уже появилась.

Троепольский от неожиданности выронил телефон, который собирался кинуть в портфель. Полина стояла на пороге его кабинета, на ковре за ней тряслась экзотическая китайская хохлатка Гуччи.

— Я тебе нужна?

Троепольский вдруг понял, что не знает, как ответить на этот вопрос.

Пожалуй, больше, чем ты думаешь?

Пожалуй, больше, чем думаю я сам?

— Где ты была?

— В аптеке на той стороне.

Она имела в виду противоположную сторону улицы Тверской.

Троепольский, согнувшись в три погибели, шарил под столом, искал телефон. Потом, согнувшись еще больше, он заглянул под выдвижные ящики, повздыхал оттуда, потом стал на четвереньки и быстро пополз вокруг стола. Полина посторонилась.

— Ты сделала рентген?

— Ты что-то уронил?

— А в аптеку тебя зачем понесло?

— Я разбила очки.

— Вчера?

— Сегодня.

Троепольский нашарил телефон, зажал его в кулаке и стал пятиться задом из-под стола, разогнулся, с силой стукнулся головой о столешницу и протяжно завыл от боли.

— Ты что? Ударился?!

Подбежала китайская хохлатая собака, выпучила глаза и тоненько гавкнула на него.

— Пошла вон, — простонал Троепольский, — черт побери!..

Полина присела так, что прямо перед носом Арсения оказались ее темные очки, желтая с зеленью щека с розовой царапиной и длинная прядь черных волос.

— Где ты ушибся?

Рукой Троепольский показал — где. Ему было так больно, что на глаза навернулись слезы. Идиотизм.

Пальцы Полины Светловой забрались ему в волосы, и он замер и напрягся, моментально позабыв о том, что ему больно, что унизительно сидеть перед ней под столом, и еще о том, что все разладилось в последнее время, и еще о том, что он должен спешить.

— Давай я подую. Хочешь?

Он секунду смотрел на нее, а потом повернул голову, чтобы она подула. Она и вправду подула.

Ее дыхание осторожно и нежно пощекотало кожу под волосами. У Троепольского взмокла спина.

— У крокодила заболи, — сказала Полька быстро, — у бегемота заболи, у гадюки болотной заболи, а у Арсения заживи...

Так все это было глупо, так не нужно, непривычно, и спина стала совсем мокрой, и Троепольский взял Полину за подбородок свободной рукой, сдернул очки — она моментально зажмурилась и, кажется, голову в плечи втянула — и поцеловал.

Давным-давно они не целовались «просто так». Пожалуй, они никогда не целовались «просто так», даже в начале романа. Только в расчете на «продолжение», только в качестве «прелюдии», только затем, чтобы потом «начать», «перейти», «шагнуть»...

Шагать было некуда и перейти нельзя.

И еще сидеть было очень неудобно — он почти под столом, с телефоном в упертом в ковер кулаке, она на корточках рядом. И в любую секунду могли нагрянуть сотрудники или идиотка Шарон, и телефон мог зазвонить. И еще утром Арсений узнал, что она замешана в историю с Фединым убийством. И договор пропал из его квартиры. И враг притаился где-то поблизости. И в чужой машине он молился, прикрыв глаза, чтобы не видеть снег, — господи, только бы не она!..

Он оторвался от нее и посмотрел внимательно и серьезно, встал на колени и швырнул телефон на диван. Тот приземлился с глухим стуком.

Арсений держал ее так, что вывернуться она никак не могла, но она не смотрела ему в глаза! Не смотрела, и все тут!..

— Полька.

Она уставилась, кажется, на его шею.

— Посмотри мне в глаза.

— Я смотрю.

— Нет, не смотришь.

— Зачем тебе это надо?

— По-другому я не понимаю.

— Чего ты не понимаешь, Троепольский?

— Ничего. Посмотри сейчас же.

Она подняла глаза примерно до уровня его носа и уставилась пристально.

Беда просто.

Троепольский опять поцеловал ее — от злости и страха.

И поцелуй вдруг оказался слишком серьезным и тяжелым, как мельничный жернов на шее, и потянул Арсения вниз, в темное, глубокое, опасное. Он тяжело задышал, ему стало наплевать на то, что она так и не посмотрела ему в глаза, и на то, что ничего нельзя, и все это «просто так». Он переместился по ковру, приналег на нее и прижал к себе — горячими растопыренными ладонями. Она с готовностью прижалась и даже схватила его за свитер, и он вдруг испугался, что упадет.

Потом она забралась руками ему под свитер, и он испугался, что у него мокрая спина, и ей будет противно.

Потом она потрогала его щеку, и он испугался, что еще чуть-чуть — считаю до трех! — и остановиться уже не сможет.

Потом он еще чего-то испугался и еще, и все это не имело никакого значения — свет в голове медленно мерк, как в зрительном зале после третьего звонка, и уши словно забило ватой, и стоять на коленях было очень неудобно, и вообще он сто лет не целовался «просто так». Кажется, с девятого класса, но тогда все было по-другому.

На столе запищал селектор, и еще где-то зазвонил телефон, и их отшатнуло друг от друга, как взрывной волной.

Полина проворно перекатилась на четвереньки, вскочила, и Троепольский вылез из-под стола. Ноги затекли, стоять было очень неудобно, и вообще жить не хотелось.

— Да, — сказала Полина в свой телефон, откинула волосы и покосилась на него.

— Да, — сказал он, нажав на селекторе кнопку.

— Соединяю, — провозгласила из селектора Шарон.

— С кем?

— Со Светловой. Вы ж просили.

— Алло, — повторила Полька как бы с двух сторон — ему в ухо в телефоне и возле дивана наяву.

— Это я тебе звоню, — с силой сказал Троепольский, и она посмотрела на него с изумлением, — вернее, не я, а моя секретарша.

— Зачем ты мне звонишь?

— Тебя не было, а мне нужно было с тобой поговорить.

— Может, мне выйти? А то как-то странно разговаривать с тобой по телефону, когда я тут стою.

Троепольский подошел, выдернул у нее трубку и нажал красную кнопку.

— Просто она идиотка, эта ваша Шарон. Я тебе сто раз говорил.

— Она не идиотка. Ты ее пугаешь, и она все время путается.

Нужно было спросить ее про договор, сказать про то, что он знает, что она была у Феди, про все, что измучило его, и он сказал бы, вот-вот, еще секунда, он даже губы сложил, чтобы сказать, но она не дала ему.

Зачем-то она потрогала его руку и еще щеку и спросила фальшивым бодрым тоном:

— Ну что? Может, я пойду поработаю?

И он не смог.

— Мне надо в какой-то чертов Гидропроект, — сказал он резко, — может, ты меня отвезешь? Или дай мне машину.

— А где твой водитель?

— Не знаю.

Водитель в их конторе имел обыкновение болеть недели по три. Уволить его собиралась еще Варвара Лаптева, а потом сам Троепольский, когда Варвара отвлеклась на рождение ребенка, а потом все о нем забыли.

— Я тебя повезу, а ты мне выволочку устроишь, что я не на работе, да?

— Да, — согласился Троепольский.

— Тогда поехали.

В ее маленькой машинке ему было тесно, и, кряхтя, он кое-как засунул себя на водительское место.

— Так ты сам себя повезешь?!

— Да.

— Тогда зачем тебе я?!

— Поехали, — рявкнул он, — садись!

Полина проворно втиснулась рядом.

— Что это, черт побери, за аппарат машинного до-ения?! Почему ты себе нормальную тачку не купишь?

Собака Гуччи сидела у нее на коленях, очень близ-ко от Троепольского, и смотрела на него укоризнен-но. Прическа негодующе подрагивала.

— Мне нравится моя машина.

— Как она может тебе нравиться, когда в нее не-возможно влезть?!

— Зато ей надо мало места для парковки и мало бензина.

— У нас что, в стране бензина не хватает?!

— Троепольский, что ты орешь?

— Я не ору. Я не понимаю, как можно ездить на таком дерьме?!

— Если тебе не нравится, купи свое, отдельное дерьмо.

— И куплю.

— И купи.

— Куплю. Я только не знаю, где их продают.

— Кого?!

— Машины!

— Да везде, — осторожно сказала Полина, сбоку рассматривая его. Он так бесился, что было совер-шенно понятно, что дело тут вовсе не в машине. — Все взрослые мальчики покупают машины в компа-нии «Муса-моторс», к примеру. Говорят, очень заме-чательное место.

— И где оно, это замечательное место?

— Где-то на Хорошевском шоссе. Надо съехать в сторону Магистральных и ехать по указателям.

— Ты покупала машину там?

— Сизов покупал там машину.

Троепольский замолчал и молчал довольно долго, почти до самого Гидропроекта, а потом сказал злобно:

— Значит, поедем и купим.

— Прямо сейчас?!

— После того, как я поговорю с Зоей Ярцевой.

— А кто это, Троепольский?

— Федина подруга, телефон которой ты нашла в распечатке. Она здесь работает.

Полина вытянула шею и посмотрела, где именно. Огромное здание, как ледокол, рассекающее два безостановочных автомобильных потока, высилось на крохотном асфальтовом пятачке. Когда-то эта архитектура горделиво называлась «из стекла и бетона». Стекла были грязными, а бетон серым и кое-где голубым, как дамские подштанники семидесятых.

— А ты знаешь... где именно она работает? Или мы будем бегать по этажам.

— На двадцатом. Вылезай.

Полина вылезла и поплелась за ним на высокое крылечко, на котором толпились и курили какие-то подозрительные типы. В вестибюле выяснилось, что типы все, как один, стоят в очереди к окошечку с надписью «Железнодорожные билеты» и время от времени выходят покурить.

Огромное помещение, выложенное желтой рифленой плиткой, предварялось рядом турникетов, как в метро. Во всех, кроме одной, ячейках турникета стояли стулья с облезлыми спинками, а в единственной свободной торчал охранник. Время от времени он смачно зевал и прикладывал голову на скрещенные руки.

— Вы куда?!

— На двадцатый этаж.

— В бюро пропусков. Здесь без пропуска нельзя. И с собаками тоже нельзя!

— Секретный объект? Ветеринарный карантин? — уточнил Троепольский, и Полина проворно поволокла его за руку в сторону стеклянной будки.

— Что с тобой такое?! Он тебя вообще не пустит никогда!

— Да и черт с ним.

— Не черт с ним. Тебе сюда нужно или нет?

Она была совершенно права. Ему было нужно, а охранник вполне мог его не пустить.

Пропуск был заказан только на него — ясное дело, потому что он не предупреждал неизвестную Зою Ярцеву, что явится с Полиной и еще с Полининой собакой.

— Я тебя подожду, — пообещала Полька, и это простое обещание приободрило его.

Лифт был таким огромным, что в него при необходимости можно было погрузить нескольких лошадей. В одиночестве — без лошадей — Троепольский чувствовал себя в нем неуютно.

Зеленый мигающий датчик замер на номере «двадцать», двери разошлись, и прямо перед Троепольским на противоположной стене во всей красе предстало нечто, собранное из крашеной пластмассы, алюминиевых чушек и разноцветных проводов. Оно занимало всю стену и называлось так: «Макет гидроузла на реке Чучара, Алтайский край». Троепольский некоторое время любовался макетом, а потом оглянулся по сторонам.

Длинный институтский коридор с черными паркетными полами и множеством дверей простирался в обе стороны, без конца и без края. Хлипкая плевательница на одной ноге торчала как-то нелепо, посреди коридора. Из глубины прямо на Арсения двигались два озабоченных сотрудника с папками. У одного папка была в левой руке, а у другого в правой. Белые тесемки болтались.

— Мне отчет сдавать по Шушенскому, — озабоченно говорил один другому, — а Артамонов запил.

— А без него?..

— Да ты что, Василь Петрович? Подпись-то его должна быть!

— Пойди к Лебедко и подпиши через голову!

— Так Артамонов небось не навсегда запил. Он потом мне по шее даст.

— Да он-то по шее, а отчет-то надо сдавать! Ты ему потом скажешь, что так, мол, и так...

Они прошли мимо Троепольского и канули за поворотом коридора, только голоса слышались, и все повторялось «Василь Петрович» и «Артамонов». Потом прямо на Троепольского вышла толстая дама в вязаной кофте и кавалерийских гетрах.

— Ах! — пылко воскликнула она и взялась за обширную грудь с левой стороны. — Что это вы тут притаились, юноша?!

— Я не притаился. Я не знаю, в какую сторону идти. Мне нужна Зоя Ярцева. Вы не подскажете?

Дама посмотрела на него сначала снизу вверх,

потом сверху вниз, потом слева направо, потом справа налево.

— Зоя Михайловна? — спросила она с сомнением. — А вы откуда? Из министерства? Курьер?

Троепольский поклялся, что он не курьер.

Дама еще немного поразглядывала его.

— Ее кабинет двадцать пятнадцать, — проинформировала она наконец, — только если у вас бумаги, давайте лучше мне, я передам.

— Нет у меня бумаг.

— А она вам назначила?

— Двадцать пятнадцать, это в какой стороне?

— Точно назначила?

— Налево или направо?

Дама махнула рукой вдоль коридора.

— Спасибо.

— Я вас лучше провожу, — вдруг заявила дама, очевидно, решив, что он не слишком благонадежен. — Идите за мной.

Троепольский пристроился ей в кильватер, и они двинулись паровозиком вдоль многочисленных дверей, выкрашенных до половины стен и хлипких плевательниц. Кое-где к плевательницам были прислонены мусорные пакеты, из которых торчали горлышки пластмассовых бутылок и кефирные упаковки.

Троепольский подумал, что через неделю работы в таком месте он непременно покончил бы с собой.

— Вот сюда проходите, — велела дама, открыла дверь и вдруг закричала, изменив тон со строгого на сладкий: — Зоя Михайловна, Зоя Михайловна, к вам пришли!

В большой квадратной комнате с окнами почти до пола никого не было, зато неожиданно оказалось, что на улице все еще день, и небо даже светлеет, и стена снега колышется прямо перед глазами, так что хочется протянуть руку и потрогать ее, эту стену. Внизу снег летел как-то не так.

— Зоя Михайловна!

— Я слышу.

Троепольский оглянулся. Она стояла на пороге смежной комнаты и смотрела на него.

— Здрасти, — пробормотал Троепольский. — Я вам звонил.

— Здравствуйте. Я поняла. Спасибо, что проводили, Алла Николаевна.

— Не за что, не за что!..

— Проходите.

Она отступила в сторону, и Троепольский прошел, спиной чувствуя любопытство Аллы Николаевны, которое протыкало его насквозь, как стрела.

В соседней комнате были громадный письменный стол, заваленный бумагами и папками с белыми тесемками, несколько канцелярских кресел, книжный шкаф, вполне современный, компьютер и чахлые цветы в стойке. И окна.

Не то чтобы он боялся высоты, но она всегда его завораживала, как будто притягивала к себе.

Вдвоем с братом они однажды залезли на шпиль МГУ. Это было приключение, потому что нужно было преодолеть миллион препон и заслонов, обмануть сторожа, милицию и видеокамеры, и они обманули и полезли — только на основание.

Со шпиля казалось, что Москва лежит перед ними на блюдечке — можно откусывать с любой стороны. Ветер был холодный и страшный, небо слишком близко, и очень хотелось скорей убраться отсюда, но они не могли признаться в этом друг другу. Некоторое время они мужественно сообщали, что «вон высотка на площади Восстания», а «вон Останкино», а потом проворно, как коты, полезли по грохочущему железу вниз, к распахнутому люку.

Троепольский подошел к стеклу и потрогал — холодное. Москвы здесь тоже было много — дороги, дома, машины, крыши и снег, летящий из низких и плотных туч, желтые стены, антенны, углы и снег, снег...

— Стекло не открывается, — проинформировали его сзади. — Разбить его тоже нельзя.

— Я и не собирался его бить, — пробормотал Троепольский.

— Вы что-то слишком... пристально смотрите.

Он оглянулся. Зоя Ярцева медлила на пороге, будто специально, чтобы Троепольский мог ее рассмотреть.

Он рассматривал и думал, как он ошибся. Опять. Опять ошибся.

Почему-то ему представлялось, что она похожа на всех остальных девиц, в разное время присутствовавших в Фединой жизни. Девицы эти разнообразием не отличались — губы алые, веки со стрелками, колготки в сеточку, юбки в любое время года, дня и ночи отрезаны точнехонько по ягодицы, бюст никуда не помещается. Красота.

На фотографиях она была в толстой куртке и нелепой шапочке, ни бюста, ни молочных коленок.

Пока он ее рассматривал, она стояла совершенно спокойно, даже безучастно. Только усмехнулась, когда он скосил глаза, и спросила холодно:

— Повернуться? Или так сойдет?

— Так сойдет.

Она оказалась не слишком высокой, и деловой костюм сидел на ней идеально, словно специально был сшит — или он и был сшит? Стрижка чуть ниже ушей — волосок к волоску, концы подвернуты вниз. Туфли — Троепольский скосил глаза — лакированные, на шпильке.

Невозможно представить себе никого, более Феде не подходящего.

Троепольский не нашелся, что сказать. Опять.

— Вы... правда знали Федора Грекова?

Она вошла в комнату и осторожно, словно контролируя несложное движение, прикрыла дверь.

— Садитесь.

— Спасибо.

Она обошла стол и села в черное кресло с высокой спинкой.

— А вы... правда были его начальником?

— Да. То есть я... формальный начальник. Мы начинали втроем — Федя, Гриша Сизов и я. Потом как-то так получилось, что я стал... начальником.

— Понятно.

— А вы здесь тоже начальник?

Она усмехнулась совершенно хладнокровно.

— Я продавец. Я здесь единственный человек, который знает, как продавать то, что здесь производится.

— А что здесь производится? Макеты гидроузлов?

— Зря вы иронизируете. Технологии есть технологии, их вполне можно продавать, и успешно, только нужно уметь. Я умею. Может, чаю? Или кофе? Только кофе растворимый, а Федька говорил, что растворимый вы не пьете. Его это очень веселило.

— Почему веселило?

Она улыбнулась вполне безмятежно.

— Он все время вспоминал, как десять лет назад у вас не было ничего, даже стульев, на полу сидели в вашей квартире, и компьютер вы брали взаймы. А потом вам брат его из Америки прислал, и вы его не могли получить на таможне. А теперь вы кофе растворимый не пьете. Смешно. — Зоя опять улыбнулась и посмотрела в окно.

— Это что, — сказал Троепольский неторопливо, — я еще всем врал про заказчиков.

— Как?

— Не было у нас никаких заказчиков. Сайты были никому не нужны, никто не понимал, что это такое. Я придумал фирмы, людей, сделал им визитки, договоры, макеты сайтов. Ничего этого не было на самом деле, сплошные мертвые души. Но все верили. И с этого все началось.

— Я думала, что из вас троих авантюрист только Федор.

— Не-ет, — возразил Троепольский энергично, и она даже засмеялась.

Он пока ничего не понимал. На вид она была совершенно хладнокровна, наманикюренные пальчики бесстрастно заложили за ухо светлую прядь. Мобильный телефон внезапно грянул первые такты симфонии соль-минор Моцарта, Зоя порылась среди бумаг, отыскала аппаратик, посмотрела в окошечко и нажала кнопку — выключила.

...Может, они с Федей в шашки по вечерам играли, в духе американского сериала «Друзья»?

Если так, значит, опять ему не повезло. Бедный Федька.

— Что вы хотели у меня спросить?

— Когда вы видели его в последний раз?

— Ну да, — спокойно сказала она, — конечно. А где я была в вечер убийства, вы тоже спросите?

— Спрошу.

Она поднялась, за спиной у него прошла за стойку с фикусом. Там обнаружился столик с белым чайником, пепельницей и чашками. Зоя опустила в чашку пакетик и налила из чайника.

— Вы курите?

— Конечно.

Она поставила перед ним пепельницу и вернулась за стол.

Троепольский вдруг подумал, что она специально выбрала такую позицию. Она здесь хозяйка. Он посетитель, причем навязавшийся почти против ее воли.

— В последний раз я его видела накануне. Он... ночевал у меня, и мы поссорились.

— Из-за чего?

— Какое это имеет значение?!

Троепольский достал сигареты — «Собрание», розовые, желтые и фиолетовые с золотом, — покрутил и положил на стол.

— Дело в том, что я... не просто так любопытствую. Я хочу знать, кто его убил. Не было никакого смысла его убивать, понимаете?! Ну, никакого! Чем больше я думаю, тем меньше я вижу в этом смысла!

Он вскочил с кресла, пнул свой портфель, попавшийся под ноги, и подошел к окну. Москва клубилась далеко внизу. От высоты дух захватило. Он положил ладонь на холодное толстое стекло.

— Я должен знать.

— Зачем?

— Как — зачем?! — поразился Троепольский. — Нет преступления без наказания. Нет наказания без закона. Это норма римского права. В данном случае римское право — это я.

— Вы что? — спросила она насмешливо. — Родион Раскольников? Право имеете?

— Да, — злобно сказал он. — Имею. Вы возражаете?

Зоя Ярцева все молчала, болтала в чашке пакетик с чаем.

— Что вы молчите?

— Я не понимаю, почему я должна перед вами исповедоваться?

— Да не исповедуйтесь, черт с вами! Я... Мне нужна помощь, понимаете вы это или нет?! Расскажите, что можете, и я уеду. И не стану больше к вам... приставать.

Она все болтала в чашке пакетик.

— Вы думаете, это кто-то из ваших? В этом все дело, да? В этом, а вовсе не в римском праве.

— Да, — выпалил Троепольский с бешенством. — В этом.

— Хотите чаю?

— Нет!

— Мы поссорились из-за того, что он все время делал мне предложения, а я... не хотела.

— Почему?

— У него и без меня была трудная жизнь, Арсений. Я не могла... еще ее усложнять.

— Что значит «усложнять»?

— Семья не простила бы его, если бы... он женился. И вообще в сорок лет никто не женится, и... у него всегда была своя жизнь, а у меня своя, и нас трудно совместить, понимаете?

— Нет, — искренне сказал Троепольский, — не понимаю.

— Ах, господи, конечно, вы не понимаете. Сколько вам лет?

— Двадцать девять.

— Вы женаты?

Троепольский усмехнулся. Лера Грекова вчера задавала ему эти животрепещущие вопросы.

— Вот видите. Вы знаете, почему вы не женаты?

Пожалуй, нет. Пожалуй, этого он не знал. То есть знал, конечно, но не объяснять же ей!

— Федя никогда не был женат, и тут вдруг ему захотелось... Я не знала, как ему объяснить, что это не лучший вариант.

— Вы не любили его? — брякнул Троепольский неожиданно.

— Да при чем тут любовь?! Любовь не имеет значения.

— Только любовь и имеет значение.

— Вы что? — спросила она холодно. — Романтик-идеалист?

— Я тут ни при чем.

Зоя вдруг резко отодвинула от себя чашку, так что чай плеснулся на блюдце и на бумаги, и закрыла лицо сложенными ладонями.

— Если бы я знала, что все так... случится, — выговорила она глухо и стиснула пальцы. — Господи, если бы я только знала, я бы... никогда... а мы так поссорились!

Троепольский вдруг испытал облегчение — оказывается, она не такая уж замороженная треска, эта Зоя Ярцева. Оказывается, она все-таки что-то чувствует.

Гидроузел на реке Чучара!

Из-под пальцев у нее вдруг быстро и обильно закапали слезы, она вытерла их кулачком, как маленькая девочка. Троепольский молчал. Он не умел утешать.

— Дайте мне салфетку.

— Где?..

— На столе, за вами.

Он нашел коробку и подсунул ей. Она вытянула платок, и некоторое время они посидели молча.

— Он все время говорил, что все равно от меня не отстанет, — с горечью выговорила она. — Что он меня заставит. Что я непослушная, но ему нравятся непослушные. Господи, какие глупости!..

— Может, он так сильно вас любил?

— Я тоже очень сильно его любила.

— Тогда почему?.. Ничего не понимаю. Вы его любили, он вас любил, все друг друга любили!

— Да потому, что у него уже была семья!..

Троепольский вдруг решил, что речь идет совсем о другом.

— Жена и дети, что ли?

— Да не было у него никакой жены! Только дочь, но она... взрослая совсем.

Бац! Арсению показалось, что он изо всех сил стукнулся лбом обо что-то твердое. Так, что в ушах зазвенело — тоненько, протяжно.

— Позвольте, какая дочь? У Федьки дочь?!

Зоя отняла руки от лица. Глаза были красные, и нос красный, и вся она будто оттаяла.

— Вы что, не знали? — спросила она недоверчиво. — У него дочь, очень красивая. Лера. Он так ею гордился, что это было даже смешно. Он все время про нее рассказывал, звонил ей каждую минуту, спрашивал, во сколько она приехала...

— Это племянница, а не дочь!

— Это какая-то семейная легенда, про то, что она племянница, Арсений. Почему-то ее растила Федина сестра, я точно не знаю. Он не особенно рассказывал. Только все время жалел, что так поздно узнал.

— О чем?!

— О том, что Лера его дочь.

— Черт возьми, — пробормотал Троепольский. В ушах все звенело и как будто подрагивало. — Вы точно это знаете, Зоя?

— Господи, ну конечно! Он только и делал, что занимался ее делами, и все мечтал, как мы познакомимся, и переживал, что мы не понравимся друг другу, как в кино!

— А вы никогда не виделись?

— Ну, не то что не виделись... Я ее несколько раз видела, когда подвозила Федьку. То домой, то к институту. Я не хотела с ней знакомиться. Я его... ревновала, понимаете? Сильно.

Троепольский прижал руками свои уши — чтобы меньше звенело.

— Он говорил, что его сестра в детстве часто болела и в университете болела, а потом не могла на работу устроиться, из-за ребенка. Он говорил, что очень ей благодарен за то, что она вырастила такую прекрасную девочку...

Девочка действительна была прекрасна. Но... дочь?! Федина дочь?! Троепольский сидел напротив нее в кафе, томным голосом рассказывал о том, как он велик, толковал что-то об образовании и все раздумывал, пригласить ее на свидание или не приглашать, и решил не приглашать, и потом еще смутно печалился о своем благородстве!..

Он не был готов к тому, что барышня — Федина дочь. Нет, не был.

— Послушайте, Зоя, — сказал Троепольский медленно. — Вы... точно ничего не путаете?

— Ах, господи, да что я могу путать!.. Ничего я не путаю.

— Он никогда не говорил мне о дочери. Я думал, что она... Племянница.

— Какая разница, дочь или племянница?

— Это все объясняет, — возразил Троепольский. — Все его... придури. Он жил в какой-то крысиной норе, вы видели его квартиру?!

— Видела.

— У него вечно не было денег, он то у меня занимал, то у Гришки Сизова! У него машина была как на свалке найденная, и я все никак не мог понять, в чем дело!

Троепольский отпустил уши и взялся за волосы, будто хотел выдрать клок побольше. Зоя посмотрела на него и усмехнулась необидно.

— Оказывается, из-за дочери. Ну, конечно.

— У него еще есть мать, тетка и сестра, — холодно сказала Зоя. — Все они сидят на его шее. Только меня там и не хватало.

Троепольский глянул на нее. Он и забыл, с чего все начиналось — что Федя уговаривал ее, а она не соглашалась, что «в сорок лет никто не женится», что у «нее своя жизнь, а у него своя». Это интересовало ее больше всего на свете — именно это, а вовсе не то, что Лера оказалась дочерью, а не племянницей!

— А может, наоборот?

— Что — наоборот?

— Вы... не сели бы ему на шею, а... поддержали бы его? Так сказать, подставили бы свою?

— Я не могу! — крикнула она и даже хлопнула ладонью по столу. — Я не хочу! У меня куча своих проблем! Он выдумал непонятно что и все время выдумывал, а я... за ним не успевала! Я совсем не такая, как он, а он этого не понимал! Я люблю комфорт, я не могу работать, когда мне что-то мешает, а он хотел сделать из меня... нормальную жену!

— Что в этом плохого?

— Да ничего! — Глаза у нее высохли и засверкали, как у кошки в свете автомобильных фар. У кошки или у вампира из кино со спецэффектами. — Я вообще не знаю, зачем нужно было все менять! Было так хорошо, пока он не решил, что обязательно должен на мне жениться! Господи, я так надеялась, что на этот раз, ну, хоть на этот, все будет хорошо, а он!.. Он говорил, что у нас должна быть семья, что мы заведем ребеночка, что мысль о том, что я его любовница, его оскорбляет! Господи, какая чушь, чушь!..

Троепольский внимательно слушал.

— Он говорил, что просто счастлив, что мы встретились именно сейчас, когда у нас уже есть жизненный опыт, мозги и еще что-то такое! Дай ему волю, он заговорил бы о любви до гроба!

Зоя встала из-за стола и опять пошла за стойку с фикусом. По темному паркету процокали ее каблуки. Троепольский видел ее отражение в полировке книжного шкафа. Она достала какой-то пузырек, накапала в чашку и залпом выпила, сильно закинув голову.

— Я хотела ему сказать, что нам надо расстаться. Расстаться, а не жениться! В тот вечер, накануне... убийства я ему об этом сказала.

— А он?..

— Не поверил. Засмеялся даже. — Она тоже улыбнулась, словно вспомнила что-то приятное. — Он думал, что я шучу. Как мы можем расстаться! У нас любовь! Встретились два одиночества!

Она яростно раздула ноздри.

— Я сказала ему, что не гожусь в жены. Я сказала, что не хочу быть матерью его драгоценной девочки и не хочу рожать дополнительных детей. Я сказала, что у меня работа, и больше мне ничего не надо. Что меня все устраивает и так, и он вовсе не должен на мне жениться!

Троепольскому все это было давно и хорошо известно. Зоя Ярцева — это он сам, Арсений Троепольский.

Портрет в интерьере. Смена декораций.

— А что... потом?..

— Потом я заорала, чтобы он убирался к черту. Что я видеть его не хочу. Он тоже заорал, что я... в общем, что я разбила его сердце, или еще какую-то глупость. Я сказала, что мне наплевать на его сердце, и он... — она прижала кулаки к щекам, — он заявил, что все равно не оставит меня в покое. Что он-то знает, как нам следует жить. Что он меня... заставит. А меня нельзя заставлять, Арсений. Никто не может меня... *заставить*.

Троепольский молчал, и Зоя молчала тоже. Небо за окнами поднялось и впрямь посветлело, и он вдруг вспомнил о Польке, которая сидит в машине с собакой Гуччи.

Сидит, и ждет его, и думает о нем. И смотрит на снег.

— Откуда вы узнали о его смерти?

Она повернулась и посмотрела на него с изумлением. Потом пожала плечами:

— Кто-то позвонил.

— Кто?

Она опять пожала плечами.

— Зоя. Кто вам позвонил?

Лицо у нее стало напряженным и некрасивым, словно стянутым странной гримасой.

— Его сестра. — Она выплюнула эти слова Троепольскому в лицо.

— Что она вам сказала?

— Что я добилась своего. Федя связался со мной и погиб. Собственно, она сказала, что это я его убила. Наверное, она не так уж далека от истины.

Марат заглянул в одну дверь, потом в другую и очень удивился, не обнаружив никого ни за той, ни за другой.

Он перешел коридор и заглянул за третью.

— А где все? — спросил он у Шарон, которая раскладывала компьютерный пасьянс. Прислоненная к монитору, стояла бумажка, облагороженная размашистой подписью Бенцла, выдающегося мастера искусств и носителя добра и света.

— Кто все?

— Ну... Троепольский и Светлова?

— Да кто их разберет.

Марат опешил:

— Как «кто разберет»?!

В их конторе на вопрос о местоположении начальника принято было отвечать прямо и четко, если это было известно, или не отвечать вовсе, если неизвестно. Во времена Варвары Лаптевой в конторе царили дисциплина и порядок.

— Уехали они. Сначала Светлова с... животной. А потом Арсений Михайлович. Вроде тогда уже обое.

— Какие... обои?

— Да нет! — фыркнула Шарон, оторвалась от пасьянса и глянула на Марата лукаво. — Вы небось думаете, те, что на стенки клеют? Уехали обое — два, то есть.

Марат неожиданно подумал, что, пожалуй, понимает шефа, которого все время тянет прибить секретаршу.

— Господин Сизов на месте, — проинформировала Шарон неожиданно, очевидно, решив быть полезной, но Марат толком не знал, нужен ли ему Гриша.

Зато он точно знал, что ему нужен Троепольский.

Он вернулся за свою дверь, посмотрел в монитор, покурил немного, закинув ноги на стол и чувствуя себя стопроцентным компьютерным «мачо» из интеллектуально-виртуального боевика «Перезагрузка», позвонил подруге — той самой, что никуда не годилась, — и разговаривал с ней пренебрежительно. Подруга поскуливала и повизгивала от счастья и очень его раздражала. Марат предпочел бы, чтобы она его послала подальше, но надежды на это не было никакой, поскольку для этого требовались мозги и характер. Подруга ни тем, ни другим не обладала.

Что теперь делать? Что делать, а?

Он решился рассказать Троепольскому обо всем —

и тут выяснилось, что того нет на месте. Когда он вернется, решимость вполне может растаять, как сегодняшний снег.

Снег в середине апреля — господи!

Он перебил подругу на середине какой-то фразы, пробормотал некое прощание и снова уставился в монитор. На душе было погано от того, что ему только предстояло сделать, — рассказать Троепольскому о том, что он знает, а ему не хотелось, так не хотелось! И еще немножко из-за подруги — Марат Байсаров вовсе не был прожженным циником и хамом, и теперь ему было стыдно, что он так с ней разговаривал, она же не виновата ни в чем! Например, в том, что он всю жизнь мечтал о такой, как Лера Грекова, а попадались все не такие, а эта, последняя, вообще никуда не годится!

Марат переложил ноги так, чтобы подошва ботинка закрывала монитор. На мониторе была работа, которой он в последнее время совсем не занимался. Ему даже страшно было подумать, что будет, когда Троепольский узнает! Впрочем, Троепольскому сейчас не до того. С Сизовым говорить нельзя.

Он поговорит с Сашкой, вот с кем! Сашка все поймет и подскажет что-нибудь умное. Не факт, что Марат воспользуется его советом, — советы вообще дают не для того, чтобы воплощать их в жизнь, а для того, чтобы высказать свое мнение, к примеру. Никогда в жизни Марат не следовал ничьим советам, зато очень любил их давать. Сашка тоже любил.

Марат сунул телефон в один карман, похлопал по

другому, проверяя наличие сигарет, и отправился к Белошееву.

Сашка сидел за компьютером, рядом на столе и на полу валялись распечатки. Марат перешагнул через них и хлопнул Белошеева по плечу.

Дальше случилось неожиданное.

Сашка вдруг взвизгнул, подскочил, чуть не выпал из вращающегося кресла, странно перекосился, нагнулся и выдернул из розетки «пилот», утыканный толстыми компьютерными вилками. Монитор медленно погас, будто задутый ветром.

Они уставились друг на друга.

— Ты чего? — испуганно спросил Марат. — Ты чего, Сашка?

— А... ты чего?

— Я ничего, — выпалил Марат, — я... поговорить пришел.

— О чем?

— Да так... О делах. Мне поговорить с тобой надо.

Саша распрямился и посмотрел на Марата, а потом на дверь. «Вилку в розетку он не воткнул», — отметил Марат.

— Тебя... Полина прислала?

— Почему Полина?

— О чем говорить-то?

— Саш, — сказал постепенно пришедший в себя Марат. — Ты чего? При чем тут Полина? А под стол ты зачем полез?

— Ты меня напугал.

— А шнур зачем из розетки выдернул?

— Шнур сам выдернулся, — заявил Сашка уверенно. — Я давно хотел электрикам сказать, чтобы переделали. Сижу целыми днями, не шевелясь, блин! чуть ветер дунет, из розетки все вываливается.

Марат в это не особенно поверил.

Ремонт был сделан совсем недавно, и Троепольский, которому было почти наплевать на кресла, ковры и стены, удавил бы любого электрика, если бы где-то что-то вываливалось из розеток.

Некоторое время они рассматривали друг друга, словно увидели впервые в жизни.

— Ты... садись, — предложил Белошеев. Байсаров потоптался и сел.

— О чем ты хотел говорить?

Марат уж и не хотел говорить ни о чем, так странно все это было, но вспомнил, что Троепольского нет, и еще, что, как только он вернется в свою комнату, придется опять сидеть в одиночестве и все думать о том, что он *знает* — только он один, больше не знает никто! Он должен рассказать. Прямо сейчас.

— Саш, я Троепольскому хотел, а его нет... Федька, когда на работе был в последний день...

— Что? — Голос у Белошеева был настороженный.

— Я по коридору шел, а они... в его комнате разговаривали. Он ему сказал: «Только посмей, и я тебя убью». А назавтра макет пропал и Федьку убили.

— Кто сказал?!

— Федька сказал.

— Кому?!

Марат вздохнул и посмотрел на потолок. Потолок был натяжной, последний писк моды.

— Сизову. От Федьки потом вышел Сизов, а больше никто не выходил.

Выговорив все это, Марат совсем приуныл.

Пока он никому не рассказывал, это как бы не имело значения, отдавало киношным детективом и придуманными страстями. Сейчас, в эту самую секунду, сказанное вдруг стало «фактом», «доказательством», «обстоятельством» и еще чем-то значительным. Теперь факт нужно разбирать, доказательство доказывать, обстоятельство учитывать — и не было пути назад!

А Марат хотел, чтобы был. Он вообще очень хотел, чтобы все стало, как было до Фединой смерти. Он даже обижался на Федю за то, что тот помер и испортил им жизнь. Так все было легко и приятно до того, как он помер!

— Федька угрожал Сизову?! — не поверил Сашка. — Этого быть не может! Они друганы уже сто лет!

— Вот именно.

— А... точно он говорил? Или, может, телевизор работал?

— У Федьки в комнате телевизора нет. Он говорил, точно.

Саша встал, перешагнул через выдернутый из розетки шнур и стал ходить по кабинету. Вид у него был как будто радостный, или Марат ошибался?.. Радоваться-то особенно нечему.

— Надо шефу сказать, — выговорил наконец Сашка. — Конечно, надо.

— Ты думаешь...

— Да ничего я не думаю! Но шефу надо сказать.

Это Марат и сам знал.

— Они столько лет вместе работают, Сашка! И так, ни с того ни с сего... все на фиг послать?! Быть не может!

— Почему ни с того ни с сего... Может, деньги не поделили или еще что-то.

— Что они могли не поделить? При чем тут деньги?!

Марат уже почти кричал, потому что мысль о том, что все разваливается, прямо на глазах разваливается, рушатся... он подумал бы «идеалы», если бы мог так подумать — эта мысль была невыносимой. Рушится мир, который был правильно и надежно устроен.

Троепольский, Сизов и Греков казались ему... кем только они ему не казались! Они были старше, умнее, опытнее, они были успешны именно в том деле, которое представлялось Марату самым лучшим и важным из всех, придуманных человечеством.

И еще он думал примерно так: что там врут про то, что жить плохо и все начальники — жулики и бандиты?! Жить хорошо — интересно, весело! — когда есть чем заняться! Марату было чем заняться, потому что существовали Троепольский, Греков и Сизов. Они были его начальниками, но вовсе не жуликами или бандитами. Марат получал зарплату, о которой его недавние однокурсники еще только видели сны! Когда закончились три месяца испытательного срока и Сизов объявил, что его принимают на постоянную работу, он был счастлив, он звонил матери и так орал, что та перепугалась, и не спал полночи, все строил карьерные планы и крутился на узком диване от нетерпения, так ему хотелось немедленно броситься их реализовывать!

— Десять лет все было в порядке, да? А теперь они не поделили! Так не бывает!

— Откуда ты знаешь, как бывает? И потом... о чем еще они могли говорить?!

— Понятия не имею! — заорал наконец Марат.

— Вот и я не имею. Но Троепольскому надо сказать. — Белошеев подумал и добавил: — Вот он приедет, и скажи. Не сдрейфь только.

— Ладно.

— Не ладно, а скажи!

— Да скажу!

Ничем не помог Марату этот разговор, только еще больше его взбудоражил, и в желудке от него почему-то стало гадко, словно Марат целый день глотал не кофе, а смолу.

Белошеев быстро соображал. Хорошо, что Марата принесло с такими известиями.

Пожалуй, финал всей драмы станет даже более феерическим, чем Саша планировал поначалу. Пожалуй, несколько оглушительных аккордов еще можно будет добавить, и он окажется не просто победителем, а единственным победителем, потому что теперь он знает, что нужно, чтобы добить их — всех сразу.

Нет, не всех. Тех, что остались в живых.

Троепольский скатился по ступенькам, выискивая свою — то есть Полькину — машину. Телефон зазвонил в самый неподходящий момент, когда он балан-

ЗАПАСНОЙ ИНСТИНКТ

сировал на краю огромной снеговой лужи. Он полез в
карман, баланс нарушился, и Троепольский со всего
размаху шлепнул в самую середину. Кроссовок моментально промок, и носок промок, и мокрым холо-
дом обожгло ногу.

А, черт побери!..

— Да! — Кенгуриными прыжками он доскакал до
противоположного берега водного препятствия, ух-
ватился за кустик и теперь рассматривал свою ногу,
поминутно рискуя съехать обратно в лужу.

— Арсений?

Голос он не узнал.

— Да, я.

— Здравствуйте, это Лера Грекова.

Та самая Лера, которая не племянница, а дочь.

— Здравствуйте, Лера.

— Арсений, мне нужно с вами увидеться.

Троепольский удивился:

— Прямо сейчас?

— Вы не можете?

— Сейчас я стою в луже, — проинформировал ее
Троепольский, быстро прикидывая, что ей может
быть от него нужно, — пока не выберусь, не смогу.
Или обязательно сейчас?

— Нет, не буквально сейчас, но сегодня. Пожалуйста, Арсений. Мне нужно с вами поговорить.

— Давайте поговорим, конечно. Приезжайте в
контору. Вы уже там были, дорогу найдете.

— В конторе неудобно, — твердо сказала Лера.
Троепольский все рассматривал свою ногу. — Лучше
вы... приезжайте.

— Куда?

— Ко мне домой, — ответила она все так же твердо, и Троепольский ногу опустил. В отдалении Полька вылезла из крошки-машины, помахала ему и улыбнулась. Троепольский отвернулся от нее.

— Домой?..

В этом была какая-то странность. С тех пор как в Москве появились кофейни, забегаловки, пабы и ресторанчики, где можно курить, болтать, пить кофе, апельсиновый сок или пиво, никто не назначал встреч... дома. Домой, как и положено, стали приглашать друзей на семейные праздники и любимых на романтические встречи.

Троепольский не был Лере ни другом, ни любовником. Ехать к ней домой почему-то показалось ему... неприличным. Может, потому, что она такая красивая, и он все еще не решил, правильно он поступил или нет, не назначив тогда ей свидание.

— Лер, а может быть, кофе выпьем... где-нибудь еще?

— Мне нужно с вами поговорить, — повторила она с нажимом, — в кафе это невозможно. Ну? Приедете? Или боитесь?

— Приеду, — буркнул он. — Где вы живете?

Она дала адрес — район не слишком богатый, но вполне фешенебельный, в отличие от того, в котором жил Федя.

— Я буду дома в восемь. Вы можете приехать в полдевятого или к девяти.

Троепольский пообещал, что приедет, и нажал кнопку.

Что такое случилось, зачем он ей понадобился?..

Или Лера тоже узнала, что она... дочь и ее похитили, когда она была еще в колыбели, а ее мать потеряла память, и на самом деле она вовсе ей не мать, а отец имеет титул графа и три миллиона долларов — кажется, так правильно. Если строго следовать законам жанра.

Он перебрался через полосу грязи, из которой торчали обломанные ветки голых кустов, и подошел к машине.

— Что ты там стоял?

— По телефону разговаривал.

— А Зоя? Видел ее?

— Видел.

— Что она тебе рассказала?

Троепольский открыл дверцу, втиснулся на сиденье, согнулся в три погибели и подтянул к подбородку колени. Левой рукой он попробовал захлопнуть дверь, и все никак не получалось. Полина обежала машину, захлопнула за ним дверцу и вернулась на водительское место.

— Не машина, а конец света, — пробормотал он сердито. Все шло не так, как он предполагал.

— Просто она тебе совсем не подходит.

— А какая мне подходит?

Она подумала немного, потом сбоку посмотрела на него. В лице у нее было веселье.

— Тебе подойдет что-нибудь большое, быстрое и... дорогое.

— «Мерседес»? — поинтересовался Троепольский насмешливо. — Как у всех больших мальчиков?

— Не-ет, — энергично возразила Полина. — Все, что угодно, только не «Мерседес»!

Она оглянулась назад, нажала на газ, и смешная машинка бодро втиснулась в суету и давку Ленинградского проспекта и побежала, расплескивая мерзлые лужи.

Троепольский смотрел в окно.

— Мы возвращаемся на работу? — спросила Полина через некоторое время.

— Нет. Отвези меня в эту свою автомобильную контору.

— Неужели? — спросила она насмешливо и перестроилась в правый ряд. — Надумал?

Он ничего не ответил.

В «автомобильной конторе» их встретили приветливо, но без подобострастия, предложили растворимый кофе, от которого Троепольский отказался со священным ужасом в голосе и сказал, что приехал посмотреть «машинки».

— А какую бы вам хотелось? — поинтересовался молодой человек, похожий на советника посольства, по крайней мере Троепольский представлял себе советников именно такими.

— А черт ее знает, — искренне ответил Арсений. — Чтобы ездила. Чтобы выглядела. Чтобы забот было не слишком много.

Молодой человек посмотрел на него изучающе. Сказочной красоты дама в очках и с папкой под мышкой, пробегавшая мимо, приостановилась и тоже посмотрела на Троепольского с некоторым сомнением, словно прикидывала, стоит с ним связываться или лучше сразу выгнать.

Пока они прикидывали, Троепольский огляделся. У него не было никакого опыта посещения подобных мест, и обстановка неожиданно и против его воли вдруг стала занимать его — даже несмотря на то, что он приехал раздраженным и негодующим, — он терпеть не мог, когда его вынуждали к чему-то. Он считал, что Полька вынуждает его купить машину.

Светлые залы с высокими окнами были уставлены автомобилями — практически на любой вкус. Очаровательные француженки «Рено», солидные скандинавы «Вольво», важные и лукавые англичане «Лендроверы». Некая декорация располагалась за стендом «Вольво» — озеро и лесок, наклеенные на стене, фонтанчик, изображавший ручей, искусственная елочка с искусственной белочкой, какая-то ерунда. Но от этой ерунды у Троепольского вдруг легче стало на сердце, и захотелось на это озеро с елочкой и белочкой, и чтобы непременно именно в этой сверкающей машине, и с пошлой корзиной в багажнике, полной бубликов, яблок и сыра, и чтобы не думать ни о чем, а только радоваться свободе — и машине, и корзине, и белочке...

— Простите, пожалуйста, а какого класса машину вы хотите? — Это дама спросила. Молодой человек отступил, подчиняясь ее молчаливому приказу, данному, кажется, бровями.

— Вот такого, — ответил Троепольский и простер руку к белочке, озеру на стене и сверкающей «Вольво». Полина Светлова в отдалении тихонько хмыкнула и отвернулась. Собака Гуччи с настороженным интересом оглядывалась по сторонам и сучила лапками в воздухе. Полина пошлепала ее по голой заднице.

Дама оглянулась на звук и сказала любезно:

— Какая милая собака!

— Спасибо. Мне тоже нравится.

Дама отвернулась от Польки и продолжала с той же решительной любезностью:

— Меня зовут Екатерина Владимирова. Компания «Муса-моторс». Могу я предложить вам посмотреть... еще одну машину?

— Мне нравится эта. — И он опять простер руку в сторону «Вольво».

— И все-таки давайте посмотрим.

Троепольский покорился. В конце концов, очевидно, что эта дама больше понимает в машинах, чем он сам, а он привык доверять профессионалам.

— Сюда, пожалуйста.

Еще один просторный зал, полный света, искусственной зелени и супердорогих игрушек, неизвестно почему называемых «средствами передвижения», раздвижные двери, и навстречу им поднялась шикарная блондинка, что-то из разряда Леры Грековой.

— Леночка, — сказала дама негромко, — покажите нам «Ягуар», пожалуйста.

— Конечно, — отозвалась та, и Троепольский замер.

Он никогда не видел таких машин. То есть, наверное, видел, но ему всегда было наплевать на них, и он искренне считал, что автомобиль — куча полированного железа на колесах — не может ни волновать, ни занимать его.

Это было длинным и гладким, со странной, немного опасной мордой, с блестящими боками и словно прищуренными глазами.

Троепольский отвел взгляд и посмотрел снова.

Вокруг все молчали.

В спицах колес горело невесть откуда взявшееся солнце. Дикий зверь усмехался с капота прямо ему в лицо. Он потрогал ладонью холодный и гладкий бок.

Переживание неожиданно оказалось слишком сильным.

— Вы можете сесть в него, — из-за спины предложила дама. — Лена, откройте машину.

— Она открыта, Катерина Владимировна.

Троепольский потянул на себя выпуклую ручку, и открылось богатое и просторное нутро, отделанное кожей и деревом. Троепольский немного помедлил прежде чем сесть, — так волновался.

Он посидел, положив руки на руль, — почему-то ему страшно было будить *это*, вставлять ключ, заводить мотор, слушать, как он работает. Страшно и еще немного стыдно, что он так волнуется.

— Как называется эта машина?

— «Ягуар Эс-тайп Эр», — бодро сообщила блондинка. — Мощность четыреста лошадиных сил. Разгон до ста километров в час пять целых четыре десятых секунды.

Но Троепольскому было наплевать на разгон. Он еще посидел, справляясь с собой, потом выбрался наружу и спросил, стараясь не смотреть на Полину:

— Можно... купить эту машину?

— Вы больше не хотите ничего посмотреть? — осведомилась дама. — Вот есть еще «Ягуар»...

— Нет, — перебил ее Троепольский и улыбнулся, извиняясь, — спасибо. Мне хотелось бы именно эту. Можно это как-то устроить?

— Ну конечно, — уверила дама. — Оформление займет какое-то время, разумеется.

— Разумеется, — весело согласился Троепольский. Он уже почти справился с собой. — Большое спасибо, мне понравилась... эта машина.

Все время, пока подписывали бумаги, пили скверный кофе, ждали каких-то нужных людей, без которых дело не двигалось, Троепольский думал только об этой машине. Она стоила бешеных денег и, наверное, была абсолютно не практична во всех отношениях, но какое это имело значение!

В ней были шик, и мощь, и английская добропорядочная сдержанность, и власть, и еще что-то трудноопределимое — ветер дальних странствий, запах бешеной скорости, серая лента шоссе, цветущий вереск на обочине, низкое небо и уверенность в том, что ты победил.

Именно этой уверенности Троепольскому так не хватало в последнее время!..

Они вышли из салона молча — промышленный район, складские помещения напротив, залитый водой тротуар — и, как по команде, закурили, стараясь не смотреть друг на друга.

Потом посмотрели и разом отвели глаза.

— Ты... выбрал хорошую машину, — еще помолчав, сказала Полька. — Она тебе подойдет. Это прямо... твоя машина.

Еще полдня назад он был уверен, что ему не нужна никакая машина. Что происходит с его жизнью в последнее время?!

— Спасибо, — буркнул Троепольский.

— За что?..

— За то, что привезла меня в такое... сказочное место.

— Пожалуйста.

— Нам надо на работу. Там, наверное, все на ушах стоят.

— Поедем?

Он докурил, тщательно потушил окурок и бросил его в урну.

— Полька?

— Что?

— Зачем ты уволокла договор с Уралмашем? — Он посмотрел ей в лицо. — У меня дома был договор. Ты еще спрашивала, откуда он взялся, а я сказал, что с работы. А ты сказала, что я никогда не беру домой договоры, а этот взял. Зачем ты его уволокла?

И тут она ему соврала — он понял это, как если бы на лбу у нее засветилась надпись: «Я сейчас тебе совру».

— Я не брала, Арсений, — фальшиво сказала она. — Ты, наверное, сам его куда-нибудь засунул и не можешь найти.

Он пришел в отчаяние.

До того самого момента, когда он курил на крылечке компании «Муса-моторс», он понятия не имел, что может прийти в отчаяние.

— Не смей мне врать! — заорал он так, что девушка, сидящая за конторкой и закрытая от них тремя слоями толстого стекла, подняла голову и переложила телефонную трубку с одного плеча на другое. — Не смей! Ты забрала договор! Зачем?! Зачем он тебе, Полька?! Макета-то все равно нет!

— Я не брала, — сказала она упрямо. — Ты просто его потерял.

— Я не терял!

— У меня нет никакого договора.

— Полька, — произнес он с тоской, — ну, расскажи мне! Ну, может, я пойму, а? Что происходит, черт возьми?! Ты же вроде... всегда мне доверяла!

— Доверие тут ни при чем.

— Может, все еще... ничего, а? — Он просил ее, и от этого его просительного тона, так ему несвойственного, от Полининой брони словно отваливались куски. — Может, все еще можно исправить?! Ты только расскажи мне, и мы вместе подумаем. Пожалуйста.

Но разве она могла ему рассказать!

Рассказать значило разрушить даже то немногое, что еще у него оставалось.

Нет. Ни за что. Никогда.

Необходимость защищать — самый сильный женский инстинкт, так было написано в какой-то умной книге. Полина вдруг подумала, что это чистая правда.

— Ничего я тебе не расскажу, — выпалила она с отчаянием. — И не проси меня, Троепольский!

— Я тебя не прошу, — зарычал он, — я хочу хоть что-то понять во всем этом деле!

— Разбирайся сам. — Она была уверена, что сейчас он не разберется, а там как-нибудь. — Я ничего не знаю.

Он схватил ее за плечи и сильно тряхнул. Китайская хохлатая собака Гуччи негодующе тявкнула у нее на руках. Троепольский некоторое время смотрел Полине в лицо, и даже губы у него шевелились яростно, но он справился с собой и не сказал больше ни слова, только брезгливо оттолкнул ее и зашагал через лужи к ее машинке.

До конторы они доехали в полном молчании, и это было такое безнадежное молчание, по сравнению с которым уединенный маяк на мысе Доброй Надежды показался бы самым оживленным и милым местом на земле.

Даже Гуччи не скулил, сидел тихо как мышь и только как всегда трясся. Как она с ним расстанется, когда вернется Инка и заберет его?..

В Газетном переулке, как только машина остановилась, Троепольский выбрался наружу и пошел по тротуару, даже дверь за собой не захлопнул — так презирал и ненавидел Полину! — и она подумала, что так теперь будет всегда. Даже если ей удастся оправдаться, он никогда не простит ей... вранья. Для него это было важно. У нее был шанс все ему рассказать, и она не стала — потому что защищала его, а ее некому защитить, придется самой — как всегда, только на этот раз неизвестно, получится ли у нее!..

Арсений сунул карточку в прорезь автомата, толкнул тяжелую дверь и оказался в знакомом коридоре.

В полном соответствии с поговоркой стены конторы всегда помогали Троепольскому жить.

— Здрасти, — вежливо сказала Шарон Самойленко, выглянувшая из своей каморки. — Вас все спрашивали, когда вас не было.

— Кто?

— С Уралмаша звонили по фамилии Хромов. Обещали, что будут перезванивать. Лаптева звонили. Из Лондона тоже. И Байсаров...

— Мне нужно с тобой поговорить, — произнес Марат и заглянул ему за спину. — А где Светлова?

— Не знаю.

— Как не знаешь? Вы же вместе поехали!

— Я не знаю, Марат!

— Да она мне во как нужна! — И тут Марат попилил себя по горлу. — С моторным маслом засада! Игорек чуть не плачет, а я без Полины не знаю!..

Тут дверь открылась, и в коридор вошла Полина с Гуччи на руках.

— Всем привет.

— Да вот же она! — сказал Марат радостно. — А ты говоришь — не знаю!..

Троепольский подхватил с секретарского стола почту и газеты, а с пола портфель и ушел от них в свой кабинет.

Через некоторое время туда же поскребся Марат.

— Арсений?

— Заходи.

Троепольский смотрел на монитор, перемещал по нему загадочные символы и знаки, волосы болтались у щеки, делая его похожим на Бабу-ягу в исполнении гениального артиста Миляра.

— Если ты про качество и правило, то я слушать ничего не хочу, — сказал Троепольский, не отрываясь от монитора. — Это все к Светловой. Вы уже совсем осатанели, хотите, чтобы я за вас делал всю работу! Все? Можешь идти.

— Нет, — сказал Марат, и Троепольский поднял на него взгляд. Вид у того был взволнованный и несчастный, не предвещавший ничего хорошего. — Нет, я... по другому поводу.

— Уволиться хочешь?

— Ты что? — спросил Марат с обидой. — Нет, не хочу.

— Тогда что?

Марат протиснулся мимо низкого столика и сел на диван — подальше от Троепольского. Тот все смотрел. Марат наклонился вперед и свесил руки между колен. Троепольский перевел взгляд на его руки. На левом запястье часы, а на правом браслет выглядит дико, потому что руки неухоженные, в ссадинах.

— Ну?

— Накануне того дня, когда Федя... умер, я слышал, как он говорил Сизову: «Только посмей, и я тебя убью», — выпалил Марат, и вид у него стал совсем несчастный. — Я к Грише шел, а они... разговаривали.

— И что?

— Ничего. Я дальше не пошел, когда услышал-то! Я в коридоре постоял, да и вернулся.

— Куда?

— К себе в комнату. А когда я в коридоре стоял,

Сизов из Фединой комнаты вышел и пошел в свой кабинет. А больше никто не выходил. Я решил... тебе рассказать.

— Почему ты только что решил? — холодно спросил Троепольский. — Надо было сразу рассказать!

— Да мало ли о чем они там... базарили! Федька то и дело орал — убью, мол, гада! Ты что? Не помнишь? И на кодеров, и на программистов, на всех!

Троепольский помнил.

— Только он просто так орал, — печально сказал Марат, — а тут его... убили.

— Ну да, — согласился Троепольский. — Забавно.

Он еще немного посмотрел в монитор, физически чувствуя, что вместо мозгов у него манная каша. Он даже слышал, как она плюхает в голове.

Теперь, значит, Сизов. Взбесились они все — и Федор, и Полька, и Гриша!

Он отшвырнул от себя клавиатуру, выбрался из-за стола, толкнул кресло, моментально и бесшумно отъехавшее к противоположной стене, и выскочил в коридор.

— Арсений! — Марат помчался за ним, и в коридоре еще топталась Полина, у которой было расстроенное и бледное лицо.

— Что с ним?

Марат на ходу махнул рукой.

Троепольский влетел в комнату Сизова и чуть не завыл от разочарования — комната была пуста.

— Где он?! — крикнул Троепольский поверх головы Марата. — Шарон! Где Сизов, я спрашиваю?!

— Так они на встречу отправились. Сказали, что вы в курсе.

— Когда он уехал?

— Так они не уехали, а ушли. На Никитской встреча у них. Сказали, что вы в курсе. У них достижения на почве обсуждения.

Троепольский быстро сел в кресло Сизова. Марат за его спиной делал Шарон знаки, чтобы убиралась. Саша Белошеев выглянул из своей комнаты, и Полина моментально скрылась, пропала из виду.

Троепольский выдвигал и задвигал ящики стола, вытаскивал папки, просматривал их и швырял обратно.

— Что тут такое? — тихо спросила у Марата Ира, притормозив у распахнутой двери. Марат поморщился и нерешительно вошел.

Полина снова показалась в дверях.

— Ты... что-то ищешь?

Троепольский не ответил.

В такие минуты его могла спрашивать только Полина Светлова, и все об этом знали.

— Арсений, — решительно сказала она, — что случилось? Что ты ищешь? Где Сизов?

— Понятия не имею, — ответил Троепольский любезно. Перегнувшись, он по одной вытаскивал бумаги из толстой папки. Просматривал и швырял на ковер. — Почему-то все оставляют грязную работу именно мне. Все мило сообщают мне новости, как будто я один должен копаться во всем этом дерьме!

— В каком дерьме? — это Ира спросила. — Что случилось?

— Все что-то знают, — продолжал Троепольский,

словно не услышав ее вопроса, — и никто ничего мне не говорит.

— Какие новости? Кто тебе... не говорит?!

Троепольский дернул ящик, и из глубины его вдруг вывалилась на свет пачка сигарет «Собрание» — зеленые, фиолетовые, розовые и желтые. Красота.

Сизов никогда не курил «Собрание». Мужская половина человечества в их конторе, подделываясь под шефа, курила исключительно «Давыдофф» или «Парламент».

Троепольский взял в руки пачку так, словно внутри мог оказаться управляемый фугас. Потом обвел глазами сотрудников. Те моментально потупились. Никто не понимал, в чем дело, но всем было ясно, что с шефом что-то не так.

«У последней черты» — так назывался один замечательный роман, принесенный кем-то в контору и охваченный всеми сотрудниками без исключения.

— Чьи это сигареты?

Молчание.

— Чьи это сигареты?!

— Сизова, наверное, — откашлявшись, сказала Ира. — Если они лежат у него в столе!

— И вообще, — из-за угла высказалась Шарон, — когда происходит отсутствие в смысле отъезда, обыск обыскивать никто не разрешал! Это низко со стороны моральных норм.

— Это мои сигареты, — спокойно сказала Полина. — Ты же знаешь.

— Как они оказались в столе у Гришки?!

Полина наклонилась и ссадила на пол китайскую хохлатую.

— У него свои кончились, а вас никого не было. Он попросил у меня, я дала ему пачку. Он взял ее, и все. Наверное, он себе потом купил, а эти припрятал на всякий случай.

— Когда?

— Что?..

— Когда он просил у тебя сигареты?

— Дня три назад.

— Скажи мне точно! — крикнул Троепольский. — Ну, давай, вспоминай!

Полина переглянулась с Маратом, тот переглянулся с Ирой, а она еще с кем-то переглянулась.

— В день, когда Федька не пришел на работу. Я потом уехала за собакой, ты меня отпустил. А утром у меня Гришка попросил сигарет. Я дала. Я ему еще сказала, что я себе куплю, потому что все равно мне в город надо.

Троепольский открыл квадратную пачку. В ней болталось всего несколько разноцветных сигаретных палочек.

Выходит, Гришка почти все выкурил?!

Он курил цветные сигареты, а накануне Федор сказал ему: «Только посмей, и я тебя убью!» — и сам был убит.

Кто-то приходил к нему в тот вечер — ошибся подъездом. Натали сказала — девушка в капюшоне. Кто-то курил на лестнице сигареты «Собрание» — в банке остался яркий окурок с золотой полоской. Логичней всего предположить, что курила та самая «девушка в капюшоне», тем более что это были как раз *ее* сигареты.

А Сизов?! При чем тут Сизов?!

Троепольский сунул сигареты в задний карман и вытряхнул еще несколько папок. Гришка не простит его, когда узнает, что в его отсутствие он обыскивал его стол! Да еще на глазах у всей конторы!

Одна из них, самая тоненькая, развалилась на две части, открылась посередине. В ней было всего несколько бумажек и диск в пластмассовой обложке.

Троепольский просмотрел бумаги. Диск — он узнал бы его, даже если бы перед ним вывалили все существующие в конторе диски! — содержал первый, самый давний вариант пропавшего уралмашевского макета. Бумаги тоже имели некоторое отношение к трижды проклятому Уралмашу — какой-то счет, уведомление о сроках работ, цветные распечатки.

На каждой бумажке — Троепольский стал реже дышать, когда увидел это, — было написано черным фломастером: «Смерть врагам!»

В комнате было душно и как-то тесно, словно слишком низкий потолок не позволял выпрямиться в полный рост, хотя очень хотелось. Троепольскому казалось, что если он встанет с дивана, то непременно уткнется черепом в побелку.

Он задрал голову и посмотрел вверх, но ничего особенного там не увидел.

Ему очень хотелось курить, но сигареты были далеко, в куртке, и для того, чтобы достать их, нужно было встать, а встать Троепольский никак не мог.

Давно он не чувствовал себя так погано.

Нет, не так. Никогда он не чувствовал себя так погано.

Он еще посидел на краю дивана — и сам диван был очень неудобный, и все, что только что случилось на этом диване, тоже было очень... неудобным. Он оглянулся через плечо, обнаружил вздыбленные подушки и сбитое одеяло — «следы страсти», разумеется, — сморщился и отвернулся.

За одеялами и подушками произошло движение, взметнулась и упала белая рука, и девушка спросила хрипло:

— Как ты там?

И вопрос, и хриплый голос были словно из американского кино «про любовь». Троепольский никогда не практиковал ничего в духе американского кино.

— Мне бы сигарету.

— Здесь курить нельзя! — переполошилась Лера. — Мама придет и непременно унюхает. И меня потом замордует!

— Мама замордует, — повторил Троепольский, зачем-то прикрыл мятым неаппетитным одеялом длиннющие аппетитные ноги, поднялся и пошел в прихожую — за сигаретами.

Вернулся, плюхнулся на диван и с облегчением закурил.

— Ты что? — вскинулась Лера. — Я же просила не курить!

Троепольский молчал и курил.

Такая форма протеста, как в пионерском лагере. Очень удобно и, главное, ни к чему не приведет.

Она забрыкала ногами, выбралась из-под белых гор и села рядом с Троепольским. Шелковые волосы мотались у него перед носом.

— Дай мне тоже сигарету, что ли.

Троепольский поводил у нее перед носом пачкой. Лера вытащила сигаретку, прикурила и сощурилась на дым — очень шикарно. Троепольский покосился на нее.

Она раздражала его ужасно. Почему-то именно сейчас — после «вспышки страсти».

Никогда после его «вспышек» неловкость и стыд не мучили его. Когда выяснялось, что девушка-красавица ему вовсе не подходит — а выяснялось это, как правило, после, а не до, — он уходил и не оглядывался. Переживать и мучиться вопросами, как и почему все случилось, даже не приходило ему в голову.

Зачем, черт возьми, он с ней переспал?!

— А твоя мама? — спросил он и решительно потушил сигарету в кофейной чашке. В этом доме кофейные чашки для чего только не использовались — он заметил.

— А... она у Толика. Он утром ее привезет, когда на работу поедет. Ой, знаешь, это такое счастье, когда ее дома нет!

— Почему счастье? — равнодушно спросил Троепольский. Ему ничего не хотелось слушать и ничего не хотелось выяснять.

— С ней трудно, — беспечно ответила Лера и махнула рукой.

Интересно, а она знает милую семейную историю о том, что мама вовсе никакая не мама, а Федя вовсе никакой не Федя, а ее отец родной?

— Она вообще не любит... проблем.

— А какие у нее проблемы?

— Ах, господи! Завтра же Федины похороны. Она сразу не хотела всем этим заниматься, а бабушка не в состоянии, ну, она и уехала к Толику, чтобы они к ней не приставали.

— Они — это кто?

— Бабушка и ее сестра. Они уже старые и сами ничего не могут.

— Да чего там они не могут! — сказал Троепольский с досадой. — Всеми делами занималась Ира из нашей конторы!

— Мама все равно нервничает. С завещанием там что-то непонятное.

Троепольский насторожился:

— С каким завещанием?

— С Фединым.

Троепольский вдруг понял, что про завещание он как-то совсем не думал.

— А что? Было завещание?

— И есть, — сказала Лера. — Конечно, есть. Обязательно. Мама куда-то звонила, и оказалось, там что-то не в порядке.

Троепольский быстро поднялся с дивана, нашарил на полу свои джинсы и натянул их, прячась за креслом. Не то чтобы он стеснялся, но в этой комнате, заваленной каким-то барахлом, с неприятно низким потолком, все было как-то не так, как всегда.

...И еще он все время думал — зачем?! Зачем он здесь? Как он здесь очутился?!

Нет, понятно как — он приехал, и Лера открыла дверь, и в полутемной прихожей стала рассматривать его нервно и словно призывно, и он насторожился, как пес, почуявший чужого. Потом она вдруг начала ласкаться, обняла его, и очень близко вдруг оказались ее светлые глаза, шелковые волосы, нежные, как шкурка абрикоса, щеки, а потом все случилось. Не было в этом случившемся ни удовольствия, ни награды, даже вожделения никакого не было — зачем, зачем?!.

Он чувствовал себя использованным с головы до ног. Он не понимал, а она-то наверняка понимала — ведь зачем-то она все это задумала, звонила днем, звала его к себе, настаивала, значит, с самого начала знала, *для чего* звала!

Только Троепольский так и не понял — для чего?!

И еще завещание какое-то! Откуда оно взялось? Феде было сорок лет — только в прошлом году отмечали, и Полька все сердилась и говорила, что сорок лет не отмечают. И они весь вечер в подмосковном ресторане несли какую-то чушь, мол, и не день рождения у них вовсе, а просто они все пришли, чтобы сказать Феде, какой он хороший человек. Федька напился, скакал по лужайке гориллой, играл на гитаре песни про любовь и костер и еще про то, что «как здорово, что все мы здесь сегодня собрались», это он любил.

Троепольскому было почти тридцать, и если бы кто-нибудь спросил у него про завещание, он бы покрутил пальцем у виска. Выходит, Федька не крутил, а даже написал что-то такое?!

— А что там не в порядке с... завещанием?

Лера пожала плечами. Она сидела на диване, совершенно голая, светящаяся в темноте лунным светом, курила и щурилась.

Вот ужас-то.

— Мама сказала, что он, как всегда, все перепутал. Я думала, у нее припадок начнется, так она кричала на него!

— На Федю?!

— Да не на Федю! На нотариуса! По телефону. Хочешь кофе? Я сварю, у нас кофеварка есть.

Троепольскому очень хотелось кофе, но не хотелось, чтобы Лера варила. Он не особенно доверял ей в этом вопросе. Впрочем, не только в этом.

— Давай я сам сварю.

— Ты-ы?! — протянула Лера насмешливо. — Ты что, умеешь кофе варить?

— Умею, — буркнул Троепольский и натянул джемпер, который привычно пахнул привычным одеколоном и привычными сигаретами, и он вдруг подумал о Полине.

Как бы он был силен и... свободен, если бы ему не в чем было ее подозревать!..

На кухне оказалось еще хуже, чем в комнате, и Троепольский на некоторое время слегка оторопел. Невозможно было представить себе, что здесь живут две женщины, а не свора безалаберных студентов!..

Он отыскал турку, долго нюхал ее, тер под краном, потом нашел бутылку с минеральной водой и зажег газ. Электричество он выключил, чтобы не было так противно. Синий неверный свет залил кухню, по стенам заплясали тени. Троепольский смотрел в турку задумчиво.

— Ты почему без света?

Он оглянулся.

Ну, конечно. Все по правилам. Она нарядилась в его рубашку, которую он надевал под джемпер, а сейчас не надел. Так показывали в кино — она выходит к нему в его рубахе, которая чудовищно ей велика, полы болтаются, рукава длинны, ворот распахнут, и все это очень мило. Лере его рубаха была почти впору — формы у нее имелись вполне аппетитные, и рост тоже не лилипутский. Но то, что она вышла в его рубашке, было именно из кино, и Троепольский стиснул зубы от раздражения.

— Лера, зачем ты меня позвала?

— А что? — игриво спросила она, обошла его и прислонилась попкой к стойке. Рубаха распахнулась на рельефной груди. Два лунных матовых полушария и густая темнота между ними, стекающая вниз, — очень соблазнительно. — Ты чем-то недоволен?

Он был недоволен решительно всем.

— Зачем-то я тебе понадобился. Зачем?

— Ты мне понравился, — промурлыкала она и потерлась щекой о его плечо. — Еще там, в кафе.

— Ты в кафе решила со мной переспать? Потому что я тебе понравился?

Она отшатнулась.

— Кажется, ты был не против.

Это точно. Он был не против.

Вода медленно закипала в турке.

— Так что там с завещанием?

— Я точно не знаю. Мама так кричала!.. С ней теперь редко такое бывает.

— Такое... какое?

— Ну, у нее... иногда бывают истерики. Она меня однажды так поколотила, что пришлось врача вызывать, — сказала Лера легко. — Мне было четырнадцать лет, и я пошла к подружке уроки делать, а там не было телефона, и я позвонить не могла. Смотри, закипает. Сейчас я найду кофе.

Она отделилась от стойки. Троепольский смотрел на нее.

— Почему она тебя... поколотила?

Лера открывала и закрывала дверцы шкафов.

— Она решила, что я... развлекалась с мальчиками, понимаешь? Она потом кричала, что я проститутка, чтобы я отправлялась туда, где была все это время, что она меня растила не для того, чтобы я... — Лера глубоко и длинно вздохнула, — чтобы я... развратничала.

Троепольский понял, что слово было другим. Развратничала — это слишком мягко.

— Она что, ненормальная?

— Нормальная, но просто... характер такой. Иногда я ее ненавижу. Даже часто. А когда маленькая была, то все хотела, чтобы у меня была другая мама. И еще чтобы папа был. У Люси Смирновой из нашего класса был отец, и я представляла, что это мой. Он такой веселый был, по субботам за ней приезжал на машине. И мама у нее тоже... славная была, все время смеялась, и они на дачу ездили, с собакой. Собаку звали Машка. Почему?

— Не знаю, — быстро ответил Троепольский.

— Вот, нашла! — Лера гордо потрясла сморщенным пакетом. — Как ты думаешь, он заварится? Старый, наверное.

Он взял у нее из рук пакет.

— А ты не могла ей объяснить, что с подругой уроки учила?

— А она, когда в ярости, ничего не слышит и не видит! Толик говорит, что это такая особенность психики. Ее или надо связывать, или уколы колоть.

— Какие... уколы?

— Успокоительные какие-нибудь. Ну что? Заварил?

Теперь Троепольский ее жалел — он не понимал таких отношений с матерью. Его собственная мать всегда была ему другом и советчицей, насмешливой, острой и словно наблюдающей за ним со стороны. Суверенитет детей в их семье всегда, безусловно, уважался, у них было право на собственное мнение и на поступки. Когда Троепольский решил, что учиться ему больше нечему и незачем, родители лишь кратко прокомментировали ситуацию в том духе, что «не пожалеть бы после». Никому и в голову не приходило устраивать истерику с «избиением младенцев», если он задерживался у приятелей или у девиц!

Лера поставила на расчищенное на столе место чашки, и Троепольский, выждав время, когда она отвернется, быстро и воровато ополоснул их под краном. Кофе было по глотку, на самом дне, и пить на кухне он решительно не хотел.

Он протиснулся в комнату и плюхнулся на диван. Кофе обжег небо, а сахар он так и не нашел. Кофе без сахара он не любил, а этот пахнул как-то странно, то ли деревяшкой, то ли веником — должно быть, и вправду был старый.

...Что там такое с завещанием? Откуда оно взялось? Или Федя собирался умереть?! Троепольский голову мог дать на отсечение, что не собирался!

— Ты пей, — сказала Лера, — а я в душ.

Он похлебал гадкого кофе и еще немного подумал о завещании, когда дверь в ванную приоткрылась и Лера попросила интимным тоном:

— Ты не подашь мне сумку? У меня там... ножнички.

Почему-то она не сказала: «Дорогой!» Это было бы очень уместно.

Троепольский поднял с пола ее сумку и сунул в щель.

— Достань, пожалуйста. Я сейчас все вымочу!

За дверью шумела вода, и Лера, кажется, напевала.

Все — от первой до последней минуты, вот этой самой, когда он рылся в ее сумке! — было невероятно фальшивым, и Арсению стало совсем скверно.

Чертыхаясь, он принялся рыться в сумке, но на ощупь не попадалось ничего похожего на ножницы, и тогда он зажег в прихожей свет и снова начал копаться. Ножниц не было.

Он вытащил записную книжку, потом кошелек,

потом еще какое-то барахло и потряс сумку, проверяя, звенит или не звенит. Что-то зазвенело, и он продолжил изыскания. Что-то вывалилось на пол, он подобрал. Что-то холодное, завернутое в белый листок бумаги. Троепольский развернул.

Оказалось, что это растреклятые ножницы, а сам листок почему-то показался ему знакомым. Он посмотрел.

Сердце ухнуло вниз и закружилось в желудке. Троепольского чуть не стошнило.

Это был бланк его собственной конторы. На троих у них были разные бланки — «генеральный директор Троепольский», «заместитель генерального директора Сизов» и «заместитель генерального директора Греков». Этот бланк принадлежал Сизову, и на нем было написано корявым детским почерком: «Гриша, спасибо тебе за встречу. Это было волшебно, восхитительно! Я знаю, что ты должен был вернуться на работу и оставить свою девочку, хотя что можно делать на твоей работе в девять часов вечера! Я не обиделась, правда. Позвони мне, когда освободишься. Твоя Лера». И дата — день Фединой смерти.

Троепольский подумал: «Черт побери» — или сказал это вслух?

— Ты нашел мои ножницы?!

Троепольский сунул ножницы в мокрую руку, показавшуюся из-за двери, а записку себе в карман.

Неизвестно, что Лера делала с ножницами, но вода моментально перестала течь — может, она шланг перерезала?

Он понял, что она сейчас выйдет, и ему придется с ней разговаривать, черт возьми!

Несколько секунд он быстро думал.

Телефонный звонок. Нелепое свидание — чепуха какая-то! Ножницы, завернутые в записку, да не просто в записку, а в нечто такое, что ни с чем другим невозможно было бы перепутать. Если бы она была написана на фотографии Грини Сизова, то и в этом случае была бы менее красноречива. Завещание, с которым было что-то не в порядке настолько, что Галя вышла из себя — как когда-то, когда дочь вовремя не пришла домой. С дочерью тоже неясно, в духе бразильского сериала, высший пилотаж, кто мать, кто отец, не разобрать ни за что на свете!

Да еще «Смерть врагам» и диск с макетом, который они ищут в конторе день и ночь и не могут найти!

— Ты выпил кофе? Или еще пьешь?

— Лера, я должен ехать.

— Почему? — спросила она уже рядом.

— Потому, — ответил он и посмотрел на нее внимательно. Она была в джинсах и розовой кофточке, волосы абсолютно сухие.

— Где моя рубашка?

— Ах да! Сейчас. — Она опять сунулась в ванную, а Троепольский, повинуясь скорее интуиции, чем каким-то связным мыслям, выхватил из книжной полки фотографию — мать и дочь на какой-то скамейке под деревом.

Выхватил и затолкал в карман, тот самый, где была записка.

Лера и не думала его останавливать, и, кажется,

Троепольский знал почему. Она все здорово придумала, умная девочка Лера.

Он сунул ноги в мокрые кроссовки, схватил с вешалки свою куртку, думая только об одном — ему
нужно срочно сделать звонок. Нет, два звонка. Один
из них будет майору Никоненко.

— Жаль, что ты уже уходишь.

Он приостановился и посмотрел на нее:

— Ну, конечно.

Сбежав на два пролета, он нажал нужную кнопку
на телефоне, истово надеясь, что трубку возьмут.

Лера, одна в пустой квартире, села было на диван,
и тут же брезгливо пересела в кресло. Надо поменять
белье. Интересно, где в их квартире чистое белье?..

Она посидела некоторое время, прислушиваясь к
дробному топоту на лестнице, а потом, когда хлопнула дверь подъезда, взялась ладонями за щеки и пробормотала, глядя перед собой:

— Все правильно. Все совершенно правильно.

Федю похоронили. Через три дня снег, растаяв-
ший было под непрерывным моросящим дождем,
повалил снова. На улицах стало белым-бело, как перед
Новым годом, детей везли на санках, дамы наряди-
лись в шубы и шапки, и только отдельные энтузиас-
ты, очевидно, твердо уверовавшие в календарь, шли
по улице в весенних куртках. Носы и руки у них были
красные.

Троепольский, приехавший на работу на своем
личном звере с мордой ягуара на капоте, никаких

трудностей с погодой больше не испытывал и очень этому радовался.

У него осталось всего два несделанных дела. Всего два — и все станет ясно. С одним делом его сильно тормозил майор Никоненко. Троепольский, не привыкший ни к каким бюрократическим проволочкам, только и делал, что звонил ему, но майор на все его вопросы отвечал томным и скучным голосом, что ничего пока не известно, потом сообщал, на чье имя составлено завещание, а однажды рассказал басню о зайце и лисице. Заяц был нетерпелив и потому погорел, а лисица, наоборот, очень терпелива, потому и победила.

Из вышеизложенного Троепольский должен был сделать вывод, что необходимо быть терпеливым, чтобы не погореть.

Он старался изо всех сил, но ему нужно было точно знать — кто. По ночам ему теперь снились кошмары, и, проснувшись в три часа ночи, он даже не пытался засыпать, знал, что все равно ничего не выйдет.

Утром на четвертый день, когда он был в кабинете Сизова и обсуждал с ним новый проект — обсуждали достаточно мирно, заорали только пару раз и матерились по очереди, а не хором, — из селектора заструился волшебный голос Шарон Самойленко, доложивший, что Белошеев ждет.

— Чего он ждет?

— Так вас.

— Кого — нас? — переспросил Сизов, а Троепольский в нетерпении задвигал мышью по монитору.

— Так вас же. Или Арсения Михайловича.

— Где он ждет? — не отрываясь от монитора, спросил Троепольский.

— Так в вашем кабинете!

— Так почему он в моем кабинете, когда я в кабинете у Сизова?!

— Скажу, — подумав, заявила Шарон, и оба начальника переглянулись.

Саша Белошеев возник на пороге через секунду, наверное, и сам догадался, куда ему идти, без Шарон.

— Привет.

— Привет, Саш, — ответил Сизов, а Троепольский промолчал, глядя в монитор, и Саша вдруг встревожился.

Троепольский мог орать, как ненормальный, материться, ругаться, но он никогда не забывал здороваться и говорить «спасибо».

— Арсений, мне нужно с тобой поговорить.

— Давай, — разрешил Троепольский после секундной паузы, мельком взглянул на него и опять уставился в монитор.

— Прямо... здесь?

— Ну, пока я здесь, значит, здесь. Или ты хочешь пригласить меня в ресторан?

Упоминание о ресторане тоже был странным, но отступать Саше Белошееву было все равно некуда.

— Я от вас ухожу, — бухнул он. — Мне предложили... другую работу.

Троепольский бросил мышь, так что она уехала по столешнице довольно далеко, откинулся в кресле, а Сизов присел на край стола и выпрямил спину.

Все в конторе знали — когда Сизов так выпрямляет спину, жди беды.

«Они не могли ничего пронюхать, — пронеслось в голове у Саши. — Если только сука Светлова не стукнула. Но она не должна стукнуть, он сильно напугал ее, он знал это точно».

Начальники переглянулись.

— Что за работа? — весело спросил Троепольский. — В райских чертогах? Или в адском пламени?

— Почему... в чертогах? Или в пламени? — опешил Саша.

— Да потому что в этом мире ты работы себе больше не найдешь, родной, — так же весело ответил Троепольский. — Кончилась твоя работа. Станция Березай, хошь не хошь, вылезай.

Сизов слез со стола, обогнул Белошеева и стал у двери.

Это означало — дела плохи. Совсем. Саша был не дурак и моментально это понял.

Значит, сука все-таки стукнула. Значит, проболталась. Напрасно он не убил ее в туалете!

— Вы о чем, ребята? — спросил он и улыбнулся светлой улыбкой. — Вы, часом, ни с кем меня не перепутали?

— А ты, часом, ни с кем нас не перепутал? — это Сизов спросил. От двери. — Или ты думаешь, мы, канцелярские крысы, дальше собственного носа ничего не видим? Только картинки красивые рисуем?

— Так сказать, тонкие художественные натуры? — это Троепольский вступил.

Тут Саша допустил ошибку. Нужно было все отрицать, клясться, кричать гневным голосом, что они оба сошли с ума, но он думал только о том, что Светлова выложила им все, и теперь ему придется за это поплатиться — за ее бабью дурость!

— Ты что?! — закричал он и покраснел. — Ты поверил во всю эту чушь, да?! Ты поверил, что я бил, да?! Ты урод, если ты поверил! Ты что, не знаешь, что бабам верить нельзя?!

— Каким бабам?

— Или ты думаешь, что, если ты ее трахаешь, она тебе правду говорит, что ли?!

— Кто — она?!

— Да твоя Светлова! Это она тебе... набрехала на меня, а ты поверил, да?! Она?!

— Я ничего не говорила, Саша.

Все трое, как по команде, повернулись и уставились на дверь.

В проеме стояла Полина Светлова с голой китайской собакой на руках. Лицо у нее было бледное, не сошедший синяк отливал зеленым и желтым.

Саша Белошеев, хороший дизайнер и свой парень, проработавший в конторе много лет, вдруг коротко хрюкнул, кинулся головой вперед, опрокинул кресло, толкнул Сизова, который от неожиданности позволил себя оттолкнуть, и вцепился Полине в горло.

Произошло короткое движение, кресло загрохотало, Троепольский выбрался из-за стола, залаяла собака, и Саша вдруг вскрикнул:

— Ч-черт!

Он тряс изо всех сил рукой, на которой висела вцепившаяся мертвой хваткой экзотическая собака

Гуччи, а другой пытался душить Полину. Та хрипела и вырывалась. Сизов подскочил и коротко двинул Сашу в челюсть. Тот охнул, отступил и привалился к стене.

— Полька, забери свою собаку!..

— Отпусти ее, придурок!

— Фу, Гуччи!

— Да заберите вы эту тварь!

— Гуччи, отстань от него!

Полина кашляла, и держала себя за горло, и мотала головой — черные волосы, вывалившиеся из-под заколки, взлетали вокруг бледных с зеленью щек.

Троепольский обнял ее за плечи, усадил в кресло и тут же отошел — он все еще не мог ее простить. Она так его обманула!

Сизов встряхнул Белошеева, как мешок с картошкой, плюхнул его в кресло и брезгливо отряхнул руки. Собака Гуччи тряслась на полу и заливисто лаяла, трясла ушами, забегала с разных сторон и все норовила тяпнуть Сашу за какое-нибудь место, поуязвимей. Тот брыкал ногами и извивался как уж.

— Это он тебя... бил? — спросил Троепольский, морщась.

Полина все терла свое горло и только кивнула.

— А мне ты опять ничего не сказала? — Потом он спросил: — Почему? Почему, черт тебя побери?!

— Я не могла.

— Почему?! Не могла она! Ты утащила у меня из квартиры договор, а потом врала мне и про этого придурка ничего не сказала — почему?!

— Потому что я думала, что Гришка... с ним заодно!

— С ума сошла, — пробормотал Сизов.

— Федя в последнее время с тобой часто ссорился, и я думала, что из-за... этого... Из-за Сашки.

— Нет, — ответил Сизов. — Не из-за Сашки. Вот, черт возьми!

— А про Сашу ты откуда узнала? — Троепольский вернулся за стол, ему было противно. — Федька сказал?

Полина горестно кивнула:

— Он давно подозревал. Несколько месяцев уже. Это Федя понаписал на всех договорах «Смерть врагам». Левой рукой. Из соображений конспирации.

— Я не убивал его! — завизжал Саша. — Не убивал! Я только хотел... Я забрал макет и все! Я знал, что он меня подозревает, потому что он работал с макетом!

— Сволочь ты последняя, — сказал Троепольский угрюмо. — Неужели ты думал, что сможешь просто так меня... обокрасть?!

— Да! — крикнул Саша, взялся руками за волосы и сильно их дернул. — Да! Потому что ты ничтожество! Никто! Нуль! Дутая величина! Я тебя ненавижу, ненавижу!

— Да пошел ты!..

— Федя как-то сказал, что у нас в конторе кто-то ведет двойную игру. — Полина прикрыла глаза и сразу же открыла, чтобы все не подумали, что она набивается на жалость. — Его это веселило. Он чувствовал себя детективом. Он сразу знал, что это ты,

Саша, только доказательств у него никаких не было. Он собирал все бумаги, которые имели отношение к Уралмашу, и писал на них: «Смерть врагам».

— Пугал, что ли? — спросил Сизов.

— Ты же знаешь Федьку! — задумчиво произнес Троепольский. — Шалил скорее, а не пугал. Такие игры ему нравились, придурку. Он бы собрал доказательства и тогда пришел ко мне гордым победителем с этим, — кивок в сторону Саши, — в одной руке и бутылкой водки в другой. Чтобы мы запили наши потери. Разве не так?

Сизов сосредоточенно кивнул.

Все помолчали, а потом Троепольский осведомился, не глядя на Полину:

— Это он тебя бил?

— Да.

— Как ты узнала? Или ты с самого начала знала, только мне врала все время?

— Нет, Арсений. Я не знала. Я догадалась, когда нашла карандаш на столе Вани Трапезникова, за которым Сашка тогда сидел и смотрел макет.

— Какой карандаш?!

— Простой. У нас в конторе только одни человек пишет исключительно карандашами. Саша Белошеев. А наутро у него все костяшки были в ссадинах. — Полина сжала руку и показала костяшки. — Но он сказал, что убьет меня, если я... скажу тебе. И я побоялась.

— Ну да. Ты побоялась. До этого не боялась, а тут побоялась.

— Да, — вызывающе ответила она и еще крепче

сжала руку. — Боялась. Тебя-то он не топил в туалете!

— Он топил тебя в туалете?! — изумился Сизов.

Полина сосредоточенно кивнула. На Троепольского она старалась не смотреть.

Тот выбрался из-за стола, постоял, словно раздумывая, потом подошел и коротко двинул Белошееву в зубы. Голова у того откинулась назад и стукнулась о стену. Гуччи затрясся и опять тоненько затявкал. Он не одобрял никаких проявлений насилия.

Саша закрыл лицо руками.

— Ты чего дерешься?!

— Я бы тебя, мудака, убил, — сказал Троепольский спокойно и отряхнул руки, как давеча Сизов.

— Гришка, — пробормотала Полина. — Это ужасно, но я думала, что ты тоже... Федька в последнее время о тебе слышать не мог.

— Я знаю.

— Прости меня.

— Не страшно.

Троепольский вернулся за стол и теперь смотрел в монитор, расцвеченный яркими красками.

«Ехал Ваня на коне, — думал он уныло. — Вел старушку на ремне, а собачка в это время мыла фикус на окне».

Фикус — это я. Меня все время моют на окне, так что зубы скрипят и жить не хочется, а все только и делают, что рассматривают меня, и снаружи, из-за стекла, и, так сказать, изнутри, в коллективе.

— А с Хромовым я поговорил, — неожиданно добавил Сизов, — как раз когда вы тут... мой стол обыскивали. Не видать тебе Уралмаша, Саша, как своих ушей. Они ведь тоже не мальчики, в жизни кое-что понимают. Зря ты так старался, макет мне подкладывал.

— Я не подкладывал!

— Подкладывал! Байсаров тебе рассказал, что мы с Федькой накануне вечером опять полаялись, ты и решил, что все стрелки на меня переведешь, а Троепольский клюнет. Точно?

Саша вдруг начал тоненько скулить и раскачиваться из стороны в сторону.

Полина подхватила с пола свою собаку, прижала ее к груди и похлопала по голой заднице, чтобы ее успокоить немного.

— Я, кстати, тоже думал, что это ты, — буркнул Троепольский из-за компьютера.

— Спасибо, — поблагодарил Сизов корректно.

— Пожалуйста. — Тут Троепольский улыбнулся, как будто оправдываясь. — Но я всегда все представляю... немного сложнее, чем есть на самом деле.

— Это нам известно, — пробормотал Сизов. — Давно и хорошо.

— Я никого не убивал! — заверещал Саша и даже сделал попытку вскочить, но Сизов толкнул его обратно в кресло. — Я не убивал! Нет! Это он! Он убил! Он его ненавидел, Федьку! Это он убил или она! Это она убила! Сука! Я знаю таких сук, как она, знаю!

Воцарилась тишина.

— Ребята, — вдруг спросила Полина Светлова, — а кто же убил Федю Грекова? Никто не знает?

— Я знаю, — отозвался Троепольский, и все на
него посмотрели. — Поехали. Надо выяснить все до
конца.

На лестнице сильно дуло и чем-то пахло, довольно сильно. От запаха медленно и тошнотворно начала кружиться голова.

Сизов звонил в дверь, а Троепольский разговаривал по телефону, стоя на один пролет ниже.

— Да что это такое! — пробормотал Сизов и еще
раз позвонил.

— Сейчас приедет, — негромко сказал снизу Троепольский и побежал наверх. — Ну что?

— Нет никого. Хотя... должны быть.

Полина принюхалась:

— А что это за запах? Странный какой-то.

Собака Гуччи у нее на руках завозилась и затрясла
ушами — ей тоже не нравился запах. Они притихли,
стараясь расслышать, что происходит в квартире, но
ничего не услышали. Троепольский присел на корточки, потом встал на колени и, как ищейка, повел
носом вдоль дверной щели.

— Это оттуда пахнет, — быстро сказал он. — Точно.
И, кажется, это газ.

Он поднялся, и они с Сизовым переглянулись.
Полина замерла.

— Ну что?

— Да ничего. Давай!..

— На счет «три».

— Что вы хотите делать?!

— Раз!..

— Ребята, вы что?

— Два!

— Что вы делаете?!

— Три!

Полина взвизгнула и отскочила в сторону. Гуччи тоже взвизгнул и остался у нее на руках. Арсений и Сизов разбежались и со всего размаху ударились в дверь, как боевые слоны, штурмующие сипайскую деревню. Дверь дрогнула, но не открылась.

— Еще раз, быстро!

— Раз!

— Хватит!!

— Два!

— Да прекратите вы!

— Три!

Опять удар — такой, что содрогнулись стены, и дверь как будто подалась. Они опять разбежались — на этот раз без счета! — навалились, и дверь провалилась внутрь, и они оба, головой вперед, влетели в квартиру.

Тошнотворный запах здесь был гораздо сильнее, заслезились глаза, и кашель стиснул горло железными клещами.

— Сюда! Скорее!

Дверь в кухню была плотно закрыта, и щель аккуратно проложена розовым халатом с фестонами и незабудками. Сизов отшвырнул халат, а Троепольский рванул дверь.

— Быстро, — заорал он Полине. — Быстро!! Звони в МЧС!

Тело лежало как-то странно, и Полина не сразу

поняла, в чем именно странность, и только потом сообразила — его наполовину засунули в распахнутую духовку, почти по пояс. Газ шел с тихим и ровным шипением, словно ползла бесконечная змея.

Держась за горло, Троепольский яростно поворачивал рычажки на белой плите, а Сизов тащил жертву за ноги.

— Служба спасения, — сказал Полине в ухо уверенный голос, — что у вас случилось?

— Переверни ее! Гришка, переверни ее! А, черт возьми!..

Вдвоем они кое-как вытащили тело из духовки и поволокли вон из кухни. Полина открывала окна, которые никак не поддавались.

Распахнув все створки, она ринулась в комнату, где на полу лежала Лера Грекова с белым лицом и глазницами, словно намалеванными синим. Сизов стоял на коленях и тряс ее за плечи, а Троепольский поливал водой из какого-то кувшина, и Полина вдруг подумала, что уже поздно. Она умерла.

У Леры был совершенно мертвый вид.

И как только она так подумала, Лера вдруг содрогнулась, вытянулась, дернула рукой и начала кашлять, тяжело, страшно.

— Что тут у нас? — спросили от двери. — Незаконный взлом и проникновение?

— Проникновение, твою мать! — заорал Троепольский, не оглядываясь, а Полина оглянулась.

Какие-то люди входили в квартиру, их было довольно много. Молодой мужик в джинсах и короткой кожаной куртке стоял в дверях — почему-то она заметила его темные ровные брови и выдающиеся скулы — и наблюдал за их манипуляциями без всякого сочувствия.

— Сделайте что-нибудь! — крикнула Полина. — Она умрет!

— Если сразу не умерла, значит, уже больше не умрет, — хладнокровно сказал мужик. — Майор Никоненко Игорь Владимирович, позвольте представиться, кто не знает. Все самодеятельностью занимаетесь? Фрондерствуете?

Троепольский его послал, но майор только миролюбиво усмехнулся. Лера на полу тяжело дышала и корчилась.

— Сейчас медицина подъедет, — сообщил майор, посмотрев на Леру. — Ну, поздравляю вас, Арсений Михайлович.

— Это я вас поздравляю, — заявил Троепольский мрачно. — Если бы не мы, был бы у вас в активе еще один труп.

— Это точно, — легко согласился майор.

Полина ничего не понимала.

— Экая у вас... животная, — сказал майор и сделал Гуччи «козу». — Вот у меня собака так собака. Волкодав. «Буран» называется. Жена в прошлом году поехала на лыжах, а он за ней увязался, а на горке... у нас в Сафонове горки замечательные... а на горке к ней какая-то гопота пристала — к моей жене! — Тут он фыркнул и покрутил темноволосой головой. Полина смотрела на него во все глаза. — Ну вот. Пристала, значит, гопота, а наш Буран встал на ее защиту.

— И что? — как завороженная спросила Полина.

— А то, что одному он яйца начисто откусил, а второй сам... удалился.

— Куда... удалился?

— В пампасы, — ответил майор и показал рукой, в какие именно «пампасы» удалился второй. — Вот это я понимаю, собака, Буран-то наш. Переложили бы барышню на диванчик, господин Троепольский. Медицина, она всегда опаздывает, знаете ли.

Втроем с Сизовым и Троепольским они кое-как пристроили Леру на диван. По квартире ходили какие-то люди, заглядывали в двери.

— Кто это сделал? — спросила Полина, которой очень хотелось задать этот вопрос. — Ну кто же?! Кто?!

— Мама, — прохрипела Лера с дивана, и все на нее посмотрели. — Это мама. И Толик. Вдвоем. Я пришла, они меня ждали, а я не догадалась сразу... Специально ждали. И мама кофе мне сварила. Никогда не варила, а я спасибо сказала. А потом Толик подошел, и больше я не помню ничего.

— Ни у кого не было мотива, — сказал Арсений и потянулся за сигаретами. — Никакого. Белошеев подлец, но ему нужен был только макет и больше ничего.

— Не кури! — прикрикнул майор. — Еще не хватает нам здесь ЧП федерального масштаба!

— У Фединой сестры был мотив, у единственной, а я догадался только третьего дня, когда услышал про завещание. Завещание, твою мать! Кто это в сорок лет завещание пишет! А он написал. Она ему набрехала, что Лера его дочь — чтобы он деньги охотней давал. Что, мол, подруга юности родила от него, а благородная Галя подобрала ребенка и воспитывала. Ну, он, романтик чертов, поверил и деньги стал давать, а потом появилась Зоя Ярцева, и Галя переполошилась. Она приехала с ним отношения выяснять, подъездом ошиблась, как и я. Между прочим, я фотографию украл, на которой Галя с Лерой, и показал тетке из соседнего подъезда, у которой глаз-алмаз, той, что мне сказала, что «девушка приходила». Тетка ее узнала, Галю.

Майор кивал, как китайский болванчик.

— Меня, блин, сбило, что в тот вечер у Федьки были вообще все! Все! Даже Сизов приезжал! Я нашел в банке окурок и думал, что это Полькин, а оказалось, что она сигареты Грише отдала!

— И я приезжала... — прохрипела с дивана Лера. — Он нам с Гришей видеться не разрешал. Я хотела его уговорить, поднялась в квартиру, а он... мертвый. И ты... меня застал, а я... убежала.

— Идиотка, — пробормотал Троепольский. — И еще эта записка дурацкая, в которую были ножницы завернуты! Ты что, думаешь, я совсем дурак? Не записка, а как бы алиби! Это ты мне пыталась внушить, что весь тот день Гришка был с тобой, да? А на самом деле он тоже приезжал, и ты решила, что он убил Федьку, потому что видела его у подъезда. А он? Тебя видел?

— Нет, — буркнул Сизов. — Я ее не видел. Но Федор... знал, что у нас... что мы... Он категорически не хотел. Он говорил — ты ей в отцы годишься! Мы даже подрались однажды, а Лера мне сказала, что видела меня возле дома, и думала, что это я его... А я даже в квартиру не входил, на площадке покурил и уехал. Я решил, что все равно ничего из наших разговоров не выйдет, и Леру я не брошу.

— Завещание он написал в пользу Леры, — мне майор сказал, — а Галя этого даже предположить не могла, — подытожил Троепольский. — Решила имитировать Лерино самоубийство. И вот что из этого вышло. И контролирует она себя не так, чтобы очень...

— Это точно, — беспечно согласился майор. — Не так, чтобы очень. Ну что? Вот и медицина подгребла.

— Гриша! — хрипло крикнула Лера.

— Троепольский, — позвала Полина.

Он взглянул на нее и вышел следом за санитарами.

Никоненко позвонил Арсению через два дня и скупо сообщил ему, что подозреваемая, то есть Галя, во всем призналась. Она всю жизнь панически боялась, что брат перекроет денежный кран. Как-то в припадке такого приступа страха она наплела Федору про его школьную любовь — Галя долподлинно знала от Федора же, который в юности делился всем с сестрой, о его детском романе. Воспользовавшись тем, что когда она, Галя, была беременной, Федор служил в армии, она сочинила историю в духе бразильских сериалов. Мол, твоя девочка, Федя, родила, погибла в автокатастрофе, а ребенка, мол, забрала я. Был, дескать, у меня могущественный покровитель, которого я разжалобила... и он помог в удочерении. Из всего этого только авария была правдой.

Романтик Федор поверил «жалостной» истории, тем более ему льстило, что у него такая взрослая дочь, такая красивая. Мать он даже спрашивать не стал, правда ли это, — она была в маразме, да и тетку лучше не беспокоить. Они же столько лет все от него скрывали. Но Галя переборщила. Убив в припадке ярости Федора в его наемной квартире, она пришла в себя и решила, что все будет хорошо, но звонок нотариуса поверг ее в отчаяние — все досталось Лерке, а как же она, Галя? План был хорош — она убьет Леру, но для всех та покончит жизнь самоубийством...

— А Толика арестовали? — спросил Арсений.

— Нет, вас дожидались! — ответил шутник-майор. — Кстати, Галю освидетельствуют врачи на предмет вменяемости.

— А чем она убила Федора?

— А молотком. — Троепольскому показалось, что майор зевнул на том конце провода. — У Грекова в углу комнаты какое-то барахло навалено было. Ну и молоток. Она схватила молоток и ударила, а потом, не будь дурой, забрала орудие убийства с собой и избавилась от него где-то по пути домой. Вот Институт имени Сербского пусть теперь разбирается с этой вашей Галей.

— Держите меня в курсе, — сказал из вежливости Троепольский. Если честно, ему совсем не хотелось знать, что будет с «этой вашей Галей».

Заявление он подписал, не глядя. Лаптева забрала заявление таким движением, как будто он сунул ей конверт, зараженный спорами сибирской язвы, и вышла, не сказав ни слова, и это было ужасно. Он жаждал скандала и надеялся на него, а она даже дверью не хлопнула.

Он походил по кабинету. Сел перед монитором. Потыкал в пару каких-то иконок и посмотрел, что вывалится. Что-то вывалилось, но он так и не понял, что именно. Тогда он закурил и нажал кнопку на селекторе. Эта кнопка означала, что ему нужен кофе.

Примерно на половине сигареты в дверь поскреблись, и появилась Шарон Самойленко с кофейной чашкой в лапке. Ее Троепольский никак не ожидал.

— Вам чего?!

— Так кофе вот, — таращи глаза, сказала Шарон и показала на чашку. — Вы просили. Просили или нет?

— Да, черт возьми!

Кофе должна была принести Варвара, а он должен был с ней поскандалить. Собственно, только для этого он и просил.

— Так вот я и принесла.

— А почему не Лаптева?!

Шарон Самойленко посмотрела на него, и ему показалось, что с презрением. В последнее время ему то и дело чудилось, что все на него смотрят презрительно.

Раньше такого с ним не было.

— Они заняты.

Шарон из особого уважения тоже называла Варвару «они», как и остальное начальство.

«Они» заняты и прислали вместо себя Самойленко Шарон, ибо он, Троепольский Арсений, никого другого не достоин.

— Так чего? — вопросила Шарон.

— Что — чего?!

— Будете или не будете, кофе-то?

Он почти вырвал у нее чашку, так что кофе плеснул через край и потек по белому фарфору, и приказал:

— Вон.

Шарон пожала плечами:

— Ну и пожалуйста. Я вообще уволиться могу, если вы такое хамство позволяете!

— Идите вы к дьяволу! — заорал он. — Убирайтесь! Давайте заявление, я вам тоже подпишу! Ну, что же вы?!

— Вам на свежий воздух надо, — процедила Шарон, — для поправления организма. Мы знаем, конечно, что вы подвергались на ниве убийства и теперь не в себе, но хамство позволять тоже никому не разрешается!

Троепольский открыл рот и моргнул.

— И не смотрите на меня! — еще наподдала Шарон. — Все равно я вас не боюсь! И никто не виноват, что вы кого ни попадя увольняете и самодурство развели! Сами же и виноваты!

Тут шеф как-то подозрительно покраснел, и вообще вид у него стал такой, что Шарон Самойленко быстренько подалась к двери.

— Варвара! — в эту же самую секунду завыл шеф нечеловеческим голосом. — Забери ее! Забери ее немедленно отсюда!!

— Да ничего и не надо меня забирать, — пробормотала Шарон, отступая, — я и сама могу... И заявление по всей форме, меня в венерический диспансер звали секретаршей, а у вас тут не очень-то и хотелось...

Шеф перевел дыхание, стал еще краснее — чашка у него в руке мелко тряслась, звякала ложечка — и приготовился снова заорать.

— Ложка упадет у вас, — хладнокровно заявила Шарон. — Тогда вам чистую подавай, этой-то побрезгуете! Если бы вы выявляли значение на почве роста вашего сознания, никто бы вам и слова не сказал, а вы кого ни попадя увольняете, а потом еще орете!

— Варвара!!!

— Надо отчет себе отдавать по линии доверия к людям!

— Варвара!!!

— Что здесь происходит?!

— Варвара, забери ее, я не могу больше, я ее убью сейчас!

— А это никому не позволено, — напоследок выдала Шарон, которую Варвара теснила в коридор и одновременно прикрывала собой от взбесившегося шефа. — У меня гражданские права есть. А вам жизненные процессы людей все равно не понять! Потому что вы в смысле душевной тонкости давно отстали!

— Варвара, забери ее к черту!

— Шерри, иди к себе, я сейчас приду, и мы поговорим!

— Какая еще Шерри?!! Господи ты боже мой!

— Шерри, иди уже.

— А заявление, пожалуйста, хоть сию минуту, Арсений Михайлович! А вам такую турбуленцию выделывать все равно не позволено!

— Шерри, пожалуйста!..

— Убирайтесь, отсюда!

— Варь, почему вы все тут орете?!

— А шеф чего? Или его нету, что ли?!

— Все вон отсюда, сейчас же!

— Троепольский, ты чего?!

— Вон сейчас же!!

— Ребята, он орет почему-то!..

— Гриш, спроси у него, что случилось-то?!

— Да ясно, что случилось, Светлова ушла, вот и орет...

Варвара вытолкала любопытных, коих собралось уже порядочно, прикрыла дверь в кабинет, которая почти всегда стояла нараспашку, повернулась к нему лицом и спросила холодно:

— Ну? И что ты тут устроил?

— Я?! — поразился Троепольский. — Я устроил?!

— Ну кто же?

— Да это ваша дура Шерри!..

Но Варвару трудно было провести на мякине. Вернее — невозможно.

— Да ладно, — перебила она его без всякого уважения, — как будто Шарон может устроить тебе скандал! Ну? В чем дело?

Кофе из чашки весь пролился на ковер. Троепольский швырнул чашку. Она упала с глухим стуком. Варвара посмотрела на нее и усмехнулась:

— Ну, что ты бесишься?

— Ты что? — процедил он сквозь зубы. — Не могла сама прийти? Тебе обязательно надо было, чтобы я... с этой дурой... Ты же сама все устроила! Зачем?!

— Затем, что я не хочу в этом участвовать, — отрезала Варвара Лаптева, подошла и взялась руками за спинку кресла. На правой ее руке хищно полыхнул бриллиант небывалых размеров — подарок любящего мужа на рождение сына. Он, Троепольский, никогда не стал бы делать ничего такого показательно-нарочито-мещанского — дарить бриллиантовый булыжник, или машину, или медведя размером с гардероб и непременно в лентах и кружевцах.

Зато, возможно, он... он сказал бы, что любит ее. Так любит, что страшно ему делается, потому что ни с кем и никогда он не был готов себя делить, а теперь придется. И не только это — все придется переделать, потому что жизнь вдвоем, или даже втроем, как теперь у Варвары и Ивана, поразительным образом отличается от жизни одного человека, как кино про любовь отличается от самой любви, как фотография отличается от человеческого лица, как стихи отличаются от того, что на самом деле происходит в душе и в голове.

Белый полыхающий свет от Варвариного бриллианта ударил ему в мозг и в висок, и сразу тяжело и длинно заболело внутри головы.

Он взялся за висок и отдернул руку — он ненавидел жесты, как в мелодраме.

Варвара смотрела на него без всякого сочувствия.

— Ты струсил и хочешь все свалить почему-то на

Шерри, — сказала она насмешливо. — Шерри тут ни при чем, точно тебе говорю.

— Я не трусил.

— Троепольский, — серьезно произнесла его секретарша, — если бы я тебя, козла, не любила, как родного, я бы слова тебе не сказала. Я все понимаю — частная жизнь, тайна исповеди, в конторе мы только работаем, а живем за стенами, нам необязательно любить друг друга, чтобы хорошо работать вместе!.. Ты молодец, ты правильно придумал все эти постулаты.

— И что?

— А то, что мне наплевать на них.

Варвара Лаптева разжала руки, стала ходить взад-вперед, смешно протискиваясь за спинкой низкого дивана, который условно делил комнату на две зоны — гостевую и рабочую, в соответствии с представлениями об «отдыхе и работе» модного и образованного дизайнера по интерьерам. Кофейная чашка попалась ей под ноги, и она, вместо того, чтобы поднять ее, решительно отшвырнула ногой. Арсений проследил за чашкой — как она снова глухо стукнула о ковер, закатилась под диван и там замерла, смутно белея.

— Зачем ты уволил Полину?

— Она написала заявление.

— Еще раньше она чуть было не написала явку с повинной, а все потому, что ты думал, что это сделала она!..

— Да ничего я не думал!

— Он не думал! Конечно, ты думал!

— Да не думал я!

— Иди ты на фиг!.. — закричала Варвара. — Ты все время почему-то думал о том, что виновата она!

— Ну и что?!

— Ну и то! Никто из наших тебе этого не простит, особенно после того, как ты ее уволил!

— Я не нуждаюсь ни в чьем прощении, черт побери, потому что я ни в чем не виноват!

— Ты виноват, — отчеканила Варвара, — и сам это знаешь. Оттого и бесишься.

Это была чистая правда, и он взбесился еще сильнее.

— Я только прошу оградить меня от этой идиотки Шарон, — ледяным тоном выговорил он, и очки блеснули невыносимым высокомерием. — Больше ее ко мне не присылай. Уволю к свиньям собачьим. Или ее я тоже не имею права уволить? По морально-этическим соображениям?

— Пошел к черту.

Так всегда говорила Полина Светлова, когда ни в чем не могла его убедить, когда он насмерть стоял на своем, когда они ссорились, когда ему было не до нее, и еще в десяти миллионах разных случаев, которые им пришлось пережить вместе.

Чего только они не пережили вместе...

Варвара молчала, и Троепольский молчал, и в комнате без окон невозможно было определить, сколько времени за стенами конторы — ночь, день?

Троепольский во время молчания изучал вывешенную на стене грамоту. Грамотой награждался некий участник олимпиады по художественной самодеятельности Ленутильпромсоюза. Троепольский любил всякие такие штуки.

— Ну вот, — нарушила тишину Варвара и длинно вздохнула. — Я пойду.

— Иди.

У двери она остановилась, взявшись за ручку, и оглянулась. Бриллиант — символ великой мужниной любви и благодарности — полыхал на пальце.

— У каждого в жизни бывает последний шанс, — неожиданно и очень грустно сказала она. — И это совершенно не зависит от возраста, понимаешь? У кого-то в шестьдесят восемь, у кого-то в пятьдесят три, а у тебя вот... сколько тебе сейчас?

— Двадцать девять, — буркнул он.

— А у тебя в двадцать девять.

— Да ни хрена он не последний!

— Ну конечно, он последний. Нет, за оставшуюся жизнь ты еще вполне успеешь перетрахать тысячу разных девиц. Или полторы, если поднапряжешься. И на этом все. Больше ничего не будет.

— Мне ничего больше и не надо, — пробормотал он сквозь зубы. Впервые за несколько лет совместной работы он испытывал жгучее, почти невыносимое желание чем-нибудь в нее кинуть, только бы она убралась.

— Ну смотри, — заключила Варвара. — Тебе виднее.

Вышла и тихо притворила за собой дверь. Сегодня никому из сотрудников не хотелось видеть шефа. Он тоже не испытывал непреодолимого желания лицезреть сотрудников.

Надо работать, сказал он себе, поглядев в полированную дверь, и решительно пошел за стол и очень решительно уселся в кресло, еще решительней закурил, потом так же решительно нашел какой-то файл и уж совсем решительно ткнул в него. Файл послушно открылся.

На картинке породистый скакун с презрительным высокомерием наблюдал за развеселым ушастым осликом, тащившим повозку. Повозка была нагружена почти до небес, но ослик не отчаивался, бодро тянул ее, посматривал с озабоченным лукавством.

Реклама отечественных автомобилей, сайт, который очень нравился Троепольскому, гораздо больше, чем трижды проклятый Уралмаш, из-за которого все получилось.

Ослик был трогателен и мил. Скакун отвратителен.

«Ехал Ваня на коне, вел собачку на ремне, а старушка в это время мыла фикус на окне.

Ехал фикус на коне, вел старушку на ремне, а собачка в это время...

Так что же в это время делала собачка?..»

Это слово «собачка» напомнило ему о чем-то, и он долго и растерянно пытался вспомнить, о чем именно, и не мог.

Какая еще собачка? Откуда могла взяться собачка?..

Сигарета догорела до фильтра, гадко завоняла и погасла, испустив напоследок извивающуюся белую струйку. Троепольский посмотрел на струйку.

Была собака, точно. Была ненавистная ему китайская хохлатая псина по имени Гуччи, которая тряслась всем телом и брезгливо подбирала тонкие розовые лапки, если наступала на мокрое. Полька ее обожала.

Он подумал немного. Нагруженный ослик все смотрел на него лукаво и добродушно.

Последний шанс. С чего Варвара взяла, что последний?.. Разве бывает в двадцать девять лет последний шанс? Или он бывает во сколько угодно лет, или вообще от этих самых лет никак не зависит, выпадает, когда ему вздумается, а потом раз — и нет его, и никаких надежд?..

Полторы тысячи разнообразных девиц вдруг представились ему, как на подиуме, унылой чередой, потряхивающие «прелестями», стремящиеся перещеголять друг друга, оттолкнуть конкуренток, выдрать им волосы, пролезть вперед, и среди них он сам, Арсений Троепольский, скакун, породистый во всех отношениях.

И все?! Все? Больше ничего до самого конца?!

А что? Тебе очень это подходит, ты сам знаешь. Зачем тебе... устойчивые привязанности? Бриллиант на пальце, лысая собака, чашка кофе в постели, кто первый встал, того и тапки, утренний запах шампуня и чуть подгоревших оладий, разговор ни о чем, ровный шум воды в ванной, чужие очки под зеркалом, женские вещички на полке, туфли, сброшенные посреди коридора, портфель, который перепутал со своим, — и весь мир... Казавшийся таким огромным еще недавно, теперь он вдруг съежился до размеров этой самой комнаты без окон, где он, Арсений, сидит, уставившись в гигантский, как аквариум, монитор, а за стенами враждебная среда, осудившая своего «просвещенного монарха».

«Там, дальше, ничего нет, — вдруг отчетливо понял Троепольский. — Правда, ничего нет. Было и куда-то делось.

Ехал Ваня на ремне, вел старушку на коне, ну а фикус в это время веселился на окне».

Старушка подкачала. Не выдержала. Не дождалась. Не стала ничего требовать и караулить, когда его озарит. Его озарило, а старушки и след простыл.

Он задумчиво раскрошил в пепельницу сигарету. Посыпалась желтая махорочная крошка. Вот почему даже в самых дорогих сигаретах крошка все равно похожа на махру?! Он понюхал пальцы. И пахнет махрой.

Подожди, уговаривал он себя. Подожди, ничего же не происходит! И вообще еще ничего не понятно.

Да ладно, неожиданно громко сказал ему тот самый, запасной инстинкт. Все понятно. Давай! Посмотри правде в глаза, хоть просто так, чтобы ты знал, какова она, эта правда, — на будущее. Чтобы жил с этим знанием, чтобы, так сказать, отдавал отчет, как формулировала Шарон Самойленко. Ну что? Станешь смотреть?

И Троепольский посмотрел и увидел, и правда оказалась ужасна, и он сам ужасен в этой правде.

Ну как, спросил запасной инстинкт язвительно, понравился ты себе? Ничего мальчик, не так ли? А ведь я тебе говорил...

«Заткнись», — приказал Троепольский, но настырный инстинкт не заткнулся, продолжал доставать.

Нужно быстро что-то сделать. Что-то изменить. Только... как?!

Почему-то Арсений был уверен, что уже опоздал, хоть и неизвестно куда.

Опоздал или нет?..

Он задумчиво вылез из-за стола, походил по ковру, нагнулся и выудил из-под дивана чашку.

Поехать к ней? Объяснить, что раскаялся — вот так, сидя в кресле перед компьютером, непосредственно после выволочки Варвары Лаптевой и перед собранием трудового коллектива, назначенным на завтра, взял и раскаялся? Она не поверит и будет совершенно права.

Тут в голову ему вдруг пришла мысль о том, что на новой работе у нее будет новый начальник, и с тем, новым, вдали от Троепольского, она вполне сможет «крутить любовь», и неизвестно чем это закончится, и даже, скорее всего, закончится тем, что она разлюбит старого, то есть его, и больше он никогда ей не понадобится! Эта была очень глупая, и очень странная, и нелепая мысль, но больше он не мог думать ни о чем другом.

Он выхватил из шкафа куртку, пошвырял в портфель какие-то бумаги и выскочил в обширную «гостевую» комнату, где стоял круглый стол, висели плакаты и всегда кто-то сидел на диване, с неудовольствием рассматривая распечатки картинок будущего сайта.

Сайт в процессе работы над ним должен всех раздражать. Все должны говорить друг другу, что «такого дерьма» раньше они никогда не делали, что «заказчик козел», что «шеф сам не знает чего хочет». Все это считалось залогом успеха.

Никто не сидел на диване, не обзывал заказчика козлом, и вообще тишина стояла в конторе, как в лесу, даже «Рамштайн» никто не слушал.

Троепольский пролетел комнату с диваном, выскочил в коридор, полный такой же похоронной тишины, и заглянул в комнату к Варваре. Она сидела за компьютером, печатала так, что из-под пальцев искры летели, или это ее знаменитый бриллиант сиял?

— Я уезжаю, — отрывисто сказал Троепольский, натягивая куртку.

— Скатертью дорога, — отозвалась Варвара, не переставая печатать.

— Я не приеду сегодня.

— Как хочешь.

— Если позвонят из Ижевска, перенеси все разговоры на понедельник.

— Перенесу.

— А если Владимирова из «Муса-моторс», найди меня, я ей перезвоню.

— Найду.

— А если из Лондона, скажи, что я умер.

— Умер так умер.

— Варвара! — прикрикнул он, и она наконец-то мельком на него посмотрела. И отвернулась.

— Не надо было брать тебя на работу, — сказал он жалостливо.

— Поздно, Вася, пить боржоми, — ответила она

высокомерно, и стало понятно, что мир кое-как склеен, и, конечно, еще много времени пройдет, прежде чем и до того как, но все же надежда есть.

Задача у него была не из легких.

«Ягуар», который придумала для него Полина и который он любил страстной и пылкой мальчишеской любовью, моргнул круглыми глазами, когда Троепольский разбудил его. Моргнул, и залился светом, и словно напружинил мышцы, приготовившись к прыжку, — гладкий, длинный, дикий, может быть, отчасти укрощенный, но вовсе не прирученный зверь.

Точно такой же, как сам Арсений Троепольский.

Внутри пахло кожей и еще чем-то волнующим — дальней дорогой, быстрой ездой, ветром перемен, чем-то таким.

— Ну что? — спросил у «Ягуара» Троепольский. — Попробуем?

И вылетел со стоянки так, что гравий брызнул из-под колес, брызнул, сыпанул по крышам и капотам других, унылых и неинтересных машин, бросился в тесноту и давку Газетного переулка, всех растолкал, расшвырял, вырвался на Тверскую и перепрыгнул Охотный ряд.

Он знал, куда ему нужно, очень приблизительно и несколько раз промахнулся мимо поворота — вновь и вновь ввинчиваясь в плотный вечерний автомобильный поток.

Солнце сияло. Машины, вымытые по случаю внезапно наступившей весны, сверкали чистыми боками. Глазам было больно и приятно. Троепольский считал повороты очень старательно, шевелил губами — ему было так страшно, что нечто неопределенное мелко и пакостно тряслось то ли в груди, то ли в животе.

Наконец-то он попал, куда ему было нужно, и долго не мог припарковаться, и тыкался вместе с «Ягуаром» то туда, то сюда, и ненавидел себя за то, что собирался делать, и обругал какую-то тетку на «девятке», и вдруг заметил крохотный пятачок у самой вожделенной двери с латунной ручкой и зеленой шторой изнутри.

«Ягуар» прыгнул на пятачок, приземлился на все четыре лапы, присел, занял все свободное место и замер.

— Эй! — закричали откуда-то. — Здесь нельзя стоять!

— Да ну тебя, — под нос себе пробормотал Троепольский, выбираясь из низкой машины.

— Уезжай, мужик, ты че?! Хочешь, чтобы я милицию вызвал?!

— Валяй, вызывай!! — в пространство рявкнул Троепольский, потому что так и не видел того, кто кричал на него, и кричавший испуганно примолк.

В два шага Арсений проскочил тротуар, полный людей и весенней воды, и толкнул дверь с длинной латунной ручкой. За дверью была зеленая учрежденческая аквариумная теснота, еще одна дверь, конторка, а за ней рамка, а за рамкой внушительный милиционер. Почему-то Троепольский ничего подобного увидеть не ожидал. Почему-то он думал, что просто пройдет внутрь, вежливо спросит у кого-нибудь номер нужного ему кабинета, получит не менее вежливый и вразумительный ответ, найдет нужную ему дверь и...

Что там дальше, за «и», он не думал. И милиционера в рамке не предполагал, хотя следовало бы.

Так. И что теперь делать?

Он постоял в тесном предбаннике, куда поминутно ломился народ с Ильинки — представительные джентльмены, шикарные барышни, замусоленные старики и старухи, госслужащие обоего пола в пиджачных парах, плащах и ботах. Со всех сторон его то и дело толкали.

— Молодой человек, пройдите отсюда, вы мешаете.

Он сделал вид, что не услышал.

— Молодой человек!..

Он хотел было ввязаться в скандал, но раздумал. В конце концов, у него была задача, и не в его правилах было отступать, так и не попробовав ее решить.

Хуже всего, что он даже телефона не знает.

— Здесь есть... внутренний телефон?

— На стене справа. И пройдите, пройдите отсюда!..

Справа на темной полированной стене висел желтый канцелярский телефон, по которому умоляющим голосом говорил бородатый мужик, похожий на костромского лесника, а под ним помещалась полочка, а на ней растрепанный репринтный справочник. Троепольский вытянул справочник. Мужик дико взглянул на него, словно Троепольский совершил что-то неприличное, повернулся спиной и заговорил еще усерднее.

«Общественная приемная» — было написано на первой странице, и дальше четырехзначный телефон.

Потом шла приемная министра, потом еще какие-то приемные. Троепольский долистал до отдела снабжения и начал сначала. «Лесник» все говорил, кругло и умоляюще согнув огромную спину, как будто тот, с кем он разговаривал, мог видеть, как «почтительнейше» он просит. Троепольский отвернулся от него.

Нужный ему номер оказался на первой странице, и еще некоторое время он ждал, когда договорит «лесник», а потом, когда тот отступил, вытирая вспотевший от почтения лоб, взял теплую, влажную, противную трубку и набрал четыре цифры.

— Приемная Савельевой, — вежливо отозвались из трубки.

— Могу я поговорить... с Людмилой Васильевной? — запнувшись, спросил Троепольский и услышал в своем голосе интонации «почтительнейшего» просителя, и возненавидел себя за них, и выпрямил спину, и расправил плечи, и повел головой.

В трубке слегка удивленно ответили, что поговорить с Людмилой Васильевной нет решительно никакой возможности.

— Меня зовут Арсений Троепольский, — быстро и твердо сказал он, — а Людмила Васильевна сейчас на месте?

Трубка ответила, что на месте, но нет никакой возможности переговорить...

— Нет, не «но», — отрезал Троепольский, — передайте ей, пожалуйста, что дело касается ее дочери Инны. Я не отниму у нее много времени.

— Минуточку, пожалуйста, — ответили в трубке все так же бойко, но ему показалось, что голос стал чуть менее уверенным в том, что никакой возможности нет переговорить с Людмилой Васильевной.

Тишина в трубке висела довольно долго, а потом спросили очень решительно:

— Что там с моей дочерью? Вы кто?

— Меня зовут Арсений Троепольский, — начал он быстро. Почему-то сразу захотелось оправдываться. — С Инной все в порядке. По правде говоря, я с ней даже незнаком. Но...

— Незнакомы? — удивился голос.

— С ней знакома Полина Светлова, — заторопился он, испугавшись, что трубку сейчас повесят, — а я... друг Полины.

Последовала некоторая пауза, а потом насмешливый голос протянул:

— А-а, так вы и есть мужчина ее жизни, оказавшийся подлецом, я пока все правильно понимаю?

— Да, — сквозь зубы сказал Троепольский, — правильно понимаете.

— Что вам от меня нужно?

— У меня к вам просьба.

— Просьба? — перебил голос. — У вас? Ко мне?

— Я понимаю, что это смешно, конечно, — пробормотал он и вытер лоб, совсем как давешний «лесник», — но тем не менее мне обязательно нужно с вами поговорить.

— Поговорить, — повторил голос. — Мне не хочется с вами разговаривать. И потом, я занята. Очень.

— Людмила Васильевна, — крикнул он, отчаявшись, — мне очень нужно! Это... важно. Очень.

— Очень важно, — опять повторила она и помолчала. Троепольский тоже молчал, стискивая в кулаке растрепанные листы репринтного справочника. — Ну хорошо. Я попрошу секретаря встретить вас. Вы где? В проходной?

Троепольский признался, что в проходной.

— Ждите, сейчас она за вами спустится.

И он стал ждать. Думать о том, что именно он будет делать, дождавшись, было никак нельзя, поэтому Троепольский старательно и вдумчиво пересчитал все латунные штучки, на которых была натянута зеленая шторка, потом все паркетины цвета желтого и следом все паркетины цвета коричневого. Коричневых оказалось на две больше, и он начал считать снова. На этот раз оказалось больше на три, и он бросил это дело. Потом он посчитал листы в репринтном справочнике, который держал в руке. Страниц было двадцать семь.

— Господин Троепольский?..

— Да.

— Паспорт ваш дайте, пожалуйста.

Он суетливо полез в портфель, произвел там разор и разрушения, дорылся до паспорта и протянул. Кому протянул, даже не заметил.

— Пойдемте.

— Светлана Михайловна, это к вам?

— К нам.

Милиционер оглядел Троепольского подозрительно — слишком долго тот торчал у него на глазах, вызывая законные подозрения.

— У Людмилы Васильевны на самом деле очень

мало времени, — предупредила встречающая Арсения дама, — так что вы по возможности покороче.

Троепольский немедленно пообещал, что будет предельно краток, и следом за дамой ступил из умеренно раззолоченного лифта на красную с зеленой каймой ковровую дорожку — кремлевский стандарт и в Африке, наверное, остается кремлевским стандартом, что уж говорить об учреждении. По дорожке, мимо полированных ореховых дверей, дама впереди, Троепольский позади, они добрались до точно таких же полированных ореховых дверей. На стене висела черная с золотом табличка. Троепольский чувствовал себя ужасно.

Дверь в богатый канцелярским богатством кабинет была распахнута. Троепольский глубоко вздохнул и сильно выдохнул.

— Людмила Васильевна?

— Да. Проходите.

Он зашел и остановился посередине — хозяйка кабинета рассматривала его весело и сердито.

— Ничего, — вдруг сказала она, — ничего, пожалуй. Итак, что вам от меня нужно? Зачем вы пришли, если даже незнакомы с моей дочерью?

И он рассказал — зачем.

Невесть откуда взялись тучи, и под вечер пошел дождь — первый в этом году. Он был совсем весенний, сильный, почти отвесный. Крупные капли стучали по подоконнику, и ветер налегал на стекла и грохотал железом на крыше.

Дождь смоет остатки снега, сгонит мусор к водосточным люкам, и утром окажется, что весна на самом деле пришла, и ничего нет лучше ее прихода, который дает надежду, что все вот-вот начнется сначала.

Полина уныло посмотрела в свою кружку. Чай в ней почти остыл, а заваривать свежий было лень.

Интересно, что делают люди, которые оказываются дома в шесть часов вечера, да еще весной? Чем они занимаются? Полы моют? И еще совсем непривычно, что завтра не надо идти на работу. Тогда как жить?

Полине Светловой не надо было идти на работу, а полы она еще с утра перемыла, чтобы отвлечься от печальных и тягостных мыслей, похожих на шиповниковый сироп в майонезной банке, который бабушка заставляла ее принимать — по чайной ложке с каждой едой. От сладости сводило затылок и ломило зубы, и с тех пор тоска для Полины всегда имела вкус шиповникового сиропа.

Гуччина миска попалась ей на глаза, когда она добралась до кухни, и Полина решительно вымыла миску теплой водой, вытерла тряпочкой и убрала подальше. Потом подумала и сунула ее в мусорное ведро. Еще подумала и прикрыла миску, торчавшую из ведра, мятой газетой.

Вот так. Чтобы ничего не напоминало. Ни о ком.

В двух комнатах ее квартиры-распашонки было тесно и грустно, и вещи громоздились как-то бестолково, и казалось, что их слишком много, и вообще, решила Полина, тут все надо переделать. У нее раньше ни до чего не доходили руки, потому что она все время работала, а теперь у нее просто куча времени. Больше никогда она не станет вкалывать от зари до зари, и влюбляться в начальников, и спасать их тоже, и чужих собак она брать не станет, ни за что!

Она теперь будет умной. С кого один раз содрали шкуру, в другой раз не дастся.

Телевизор показывал кино про питерскую мафию, чуть не до смерти прибившую какого-то журналиста, борца и творца. Полина немного посмотрела про мафию. Актеры и актерки говорили ненатуральными голосами, смотрели фальшивыми взглядами, совершали неестественные поступки — все ради того, чтобы режиссер в обнимку со сценаристом доковылял до сколько-нибудь правдоподобного финала. Когда стало ясно, что журналиста убить не удастся, Полина переключила канал.

На следующей кнопке усатые и гладковыбритые дядьки, отчасти лысые, отчасти сохранившие волосы, рассказывали друг другу, чем плох — или хорош — союзный договор с Белоруссией. Операторский кран носился над головами и показывал то сверкающие потные лысины, то засыпанные перхотью пиджачные плечи. К телезрителям это не имело никакого отношения.

На соседнем канале бойкий ведущий в белом пиджаке и штиблетах — стиль Рио-де-Жанейро — с пристрастием допрашивал неказистую тетку в полосатом платье. «А скажите, — говорил ведущий, — со сколькими мужчинами вы вообще ему изменяли?» —

«Дак... я не помню, — отвечала тетка с тоской, — потому каждый раз по благородству души каялася, а значит, грех в зачет не идет!»

Еще через кнопку интеллектуальная молодая дама, поджимая коралловые губки и очень-очень правдиво глядя в камеру, тараторила что-то об олигархах, производствах, баррелях, унциях, тоннах и килотоннах, которые следует сложить, чтобы получить. О мировых стандартах, израильском интересе, продаже родины и еще немного о тех же унциях и баррелях, которые следует вычесть, чтобы тоже получить. В результате сложений и вычитаний вырисовывалось нечто ужасное.

В прямом эфире Татьяна Толстая и Дуня Смирнова «культурно» пытали модного певца, который со страху стрелял по сторонам глазами, как проворовавшийся счетовод, и обеих дам это страшно забавляло. Если бы сегодня не случился самый худший день в жизни Полины Светловой, она с удовольствием посмотрела бы их — почти единственных, кого в принципе можно было смотреть.

Она найдет работу — с ее квалификацией и не найти! Варвара Лаптева поможет, у нее муж — «большой миллионэр», как говорят эмигрировавшие на Брайтон одесситы, Полина сама слышала.

Она купит собаку — хотя, по правде говоря, это очень дорогая и редкая порода, китайская хохлатая. Ну, что теперь поделаешь! Полина все равно купит хохлатую и будет везде носить ее с собой, и она будет похожа на Гуччи, и от избытка любви Полина станет звонко хлопать ее по розовой голой заднице.

И больше ни разу за всю оставшуюся жизнь она не вспомнит о Троепольском! Никогда, ни за что! И Варваре запретит рассказывать про него, и всем остальным, кто будет звонить ей, сочувствовать и предлагать помощь! Она не станет убиваться — она один раз уже пережила все это, переживет и второй, а больше не дастся. Никому.

В дверь позвонили, и, сунув на полку кружку с остывшим чаем и рассеянно соображая, кто это может быть, Полина пошла открывать.

В «глазок» она почти никогда не смотрела и даже после смерти Федьки не научилась — распахнула дверь и уперлась взглядом как раз в переносицу того, о ком она только что решила больше не вспоминать никогда.

И ничего не поняла.

— Привет.

— П-привет, — ответила она, запнувшись.

Троепольский был с той стороны порога и не делал никаких попыток войти. Полина очень старалась как-нибудь случайно не посмотреть ему в глаза — кто знает, к чему это приведет!

— Я... купил тебе собаку.

Короткий писк, похожий на мышиный, дрожание кожаного носа и раскидистых ушей, розовые лапки, молотящие воздух от нетерпения, — и в руках у Полины оказался Гуччи, и облизал ей щеки, и влажно задышал в ухо, и обнял, и затрясся припадочно.

— Ты что? — спросила Полина растерянно, и похлопала голую розовую задницу, и посмотрела в мохнатую морду, и потрясла, и повертела, в общем, проделала все, что должна была проделать. Гуччи радостно улыбался и дрожал. — Ты что, украл его?!

— Не-ет, — решительно заявил Троепольский с той стороны порога, — я его купил. За десятку.

— У... кого купил?

— У хозяйки.

— Ты купил его у Инки?! За десять рублей?!

— Ну да. Я объяснил ей, что... нам он нужнее. Ей и ее матери объяснил. Нет, сначала матери, а потом мы с ней вдвоем объяснили Инке.

Слово «нам» в исполнении Троепольского было наиболее примечательным событием из всего случившегося в последнее время в жизни Полины Светловой.

— Гуччи! — вдруг вскрикнула она и поцеловала китайского хохлатого в прическу. Прическа пахла духами. — Ты мой хороший!

Троепольский смотрел на нее, и она вдруг перепугалась, что он сейчас выдаст что-нибудь ужасное, например, что это прощальный подарок, и она может не благодарить его, потому что он все равно... а на самом деле ему с ней всегда... и ни с кем ему не было так, но теперь, когда пришла пора расставаться... и вообще он прекрасно, прекрасно к ней относился... а собака пусть остается у нее...

— А они... правда отдали его насовсем?

— Да.

— Нет, я не могу его взять! Это не моя собака. — Тут Гуччи, который, казалось, понимал все на свете, театрально припал к ее груди надушенной щечкой и задрожал, будто из последних сил. Троепольский посмотрел на него, усмехнулся и перевел взгляд на ее лицо.

— Это не моя собака! Это Инкина собака!

— Теперь твоя. Я ее купил.

— Да, я знаю, за десять рублей!

Гуччи начал трагически прикрывать глаза — должно быть, в нем пропал гениальный драматический актер современности, и Полина перехватила его и прижала покрепче.

— Посмотри на меня, — велел Троепольский из-за порога.

О нет, она не станет на него смотреть! Она слишком хорошо знает, что из этого может выйти.

Нет. Не станет.

— Полька.

— Нет.

— Да. Сейчас же.

Рукой, свободной от Гуччи, она заправила за ухо длинные темные волосы, и Троепольский вдруг словно заново узнал ее в этом жесте, выражавшем смятение и панику. В глаза ему она по-прежнему не смотрела.

— Полька.

— Я хочу, чтобы ты ушел.

— Ты не хочешь, чтобы я ушел. Посмотри на меня.

Гуччи прерывисто и протяжно вздохнул, прижался к ней теснее, и тогда Полина, вдруг решившись, посмотрела Троепольскому в глаза.

Как-то так получилось, что ей моментально все стало ясно — с самого начала до самого конца, на много лет вперед и назад, словно она заглянула в хрустальный спиритический шар.

Арсений серьезно кивнул ей, перешагнул порог, закрыл за собой дверь и сказал:

— Я купил тебе собаку.

Литературно-художественное издание

Устинова Татьяна Витальевна
ЗАПАСНОЙ ИНСТИНКТ

Ответственный редактор *О. Рубис*
Редактор *Т. Семенова*
Художественный редактор *Д. Сазонов*
Технический редактор *Н. Носова*
Компьютерная верстка *В. Фирстов*
Корректор *Н. Овсяникова*

В оформлении переплета использован рисунок художника *В. Нартова*

ООО «Издательство «Эксмо».
127299, Москва, ул. Клары Цеткин, д. 18, корп. 5. Тел.: 411-68-86, 956-39-21.
Интернет/Home page — www.eksmo.ru
Электронная почта (E-mail) — info@ eksmo.ru

По вопросам размещения рекламы в книгах издательства «Эксмо»
обращаться в рекламное агентство «Эксмо». Тел. 234-38-00.

Оптовая торговля:
109472, Москва, ул. Академика Скрябина, д. 21, этаж 2.
Тел./факс: (095) 378-84-74, 378-82-61, 745-89-16.
Многоканальный тел. 411-50-74. E-mail: reception@eksmo-sale.ru

Мелкооптовая торговля:
117192, Москва, Мичуринский пр-т, д. 12/1. Тел./факс: (095) 411-50-76.

Книжные магазины издательства «Эксмо»:
Супермаркет «Книжная страна». Страстной бульвар, д. 8а. Тел. 783-47-96.
Москва, ул. Маршала Бирюзова, 17 (рядом с м. «Октябрьское Поле»). Тел. 194-97-86.
Москва, Пролетарский пр-т, 20 (м. «Кантемировская»). Тел. 325-47-29.
Москва, Комсомольский пр-т, 28 (в здании МДМ, м. «Фрунзенская»). Тел. 782-88-26.
Москва, ул. Сходненская, д. 52 (м. «Сходненская»). Тел. 492-97-85.
Москва, ул. Митинская, д. 48 (м. «Тушинская»). Тел. 751-70-54.
Москва, Волгоградский пр-т, 78 (м. «Кузьминки»). Тел. 177-22-11.

Северо-Западная Компания представляет
весь ассортимент книг издательства «Эксмо».
Санкт-Петербург, пр-т Обуховской Обороны, д. 84Е.
Тел. отдела реализации (812) 265-44-80/81/82.

Сеть книжных магазинов «БУКВОЕД». Крупнейшие магазины сети:
Книжный супермаркет на Загородном, д. 35. Тел. (812) 312-67-34
и Магазин на Невском, д. 13. Тел. (812) 310-22-44.

Сеть магазинов «Книжный клуб «СНАРК» представляет самый широкий
ассортимент книг издательства «Эксмо».
Информация о магазинах и книгах в Санкт-Петербурге по тел. 050.

Всегда в ассортименте новинки издательства «Эксмо»:
ТД «Библио-Глобус», ТД «Москва», ТД «Молодая гвардия»,
«Московский дом книги», «Дом книги в Медведково», «Дом книги на Соколе».

Весь ассортимент продукции издательства «Эксмо»
в Нижнем Новгороде и Челябинске:
ООО «Пароль НН», г. Н. Новгород, ул. Деревообделочная, д. 8. Тел. (8312) 77-87-95.
ООО «ИКЦ «ДИС», г. Челябинск, ул. Братская, д. 2а. Тел. (8512) 62-22-18.
ООО «ИнтерСервис ЛТД», г. Челябинск, Свердловский тракт, д. 14. Тел. (3512) 21-35-16.

Книги «Эксмо» в Европе — фирма «Атлант». Тел. + 49 (0) 721-1831212.

Подписано в печать с готовых монтажей 26.08.2003.
Формат 84×108 $^1/_{32}$. Гарнитура «Таймс». Печать офсетная.
Бумага тип. Усл. печ. л. 18,48. Уч.-изд. л. 12,9.
Доп. тираж 20 100 экз. Заказ 660

Отпечатано в полном соответствии
с качеством предоставленных диапозитивов
в ОАО «Можайский полиграфический комбинат».
143200, г. Можайск, ул. Мира, 93.

Галина Куликова –
автор 18 классных романов!

Писательница – страстная поклонница детективов, голливудских мелодрам и КВНов! Она считает, что три кита развлекательного чтения – это загадка, любовь и юмор. Если смешать эти ингредиенты, получится не что иное, как

иронический детектив

Самые лучшие книги